D1167393

PETAWAWA
PUBLIC LIBRARY

# INTUITIONS

# Rachel Ward

# INTUITIONS

Traduit de l'anglais par
Isabelle Saint-Martin

À paraître :
*Intuitions*, tome 2 : *Chaos*
*Intuitions*, tome 3 : *Infini*

Publication originale en langue anglaise en 2009
sous le titre *Numbers* par Chicken House, 2 Palmer Street, Frome,
Somerset, BA11 1DS
Les noms des personnages et des lieux utilisés dans le livre sont
© Rachel Ward et ne peuvent être utilisés sans permission préalable.
Texte © Rachel Ward 2008. Tous droits réservés.

© Éditions Michel Lafon, 2010, pour la traduction française.
© Michel Lafon Poche, 2013, pour la présente édition.
7-13, boulevard Paul-Émile-Victor – Île de la Jatte
92521 Neuilly-sur-Seine Cedex
www.lire-en-serie.com

*Pour Ozzy, Ali et Peter*

6

82064 210420

82032 220720

122

206

20720

420

720

12

122                23

4

072

122

.

22        07        2

122

420

072                          0

12            2

12

420

0720        2

12

20                                    6

202            0

122

4 2

0          7 2        0

420

072

2        1        131

082032
01323122

# 1

On nous croise dans certains endroits, nous les ados tristes, solitaires, mal dans leur peau, différents. À tout moment, il suffit de savoir où regarder pour nous trouver : derrière les magasins, dans les ruelles, sous les ponts des canaux et des rivières, autour des garages, dans les hangars, dans les arrière-cours ; on est des milliers – du moins pour qui se donne la peine de nous chercher, parce que ça n'intéresse pas grand monde. C'est plus facile de détourner la tête, de faire comme si on n'était pas là. Ne croyez pas toutes les idioties du style : « Chacun a droit à sa chance. » Quand ils nous aperçoivent, les gens sont contents qu'on ne soit pas à l'école avec leurs mômes ; pendant ce temps-là, on ne les embête pas, on ne perturbe pas les cours. Les professeurs aussi. Vous croyez qu'ils sont déçus qu'on ne se présente pas à l'appel ? Vous rigolez ? Ils sont ravis, ils n'ont aucune envie de nous voir dans leurs classes, et nous, on n'a aucune envie d'y aller.

La plupart d'entre nous traînent par petits groupes de deux ou trois, à faire passer le temps. Moi, je préfère rester seule. J'aime bien fréquenter des endroits où il n'y a personne, où je n'ai pas besoin de m'occuper des autres, de voir leurs numéros.

C'est pour ça que j'étais furieuse quand j'ai trouvé mon coin préféré au bord du canal occupé par quelqu'un d'autre. Encore, si ça avait été un inconnu, un vieux clochard ou un camé, je me serais barrée ailleurs, mais pas de bol, c'était un élève de la classe « spéciale » de M. McNulty : cette grande gueule surexcitée de Spider.

Ça l'a fait rigoler de me voir débarquer. Il m'a menacée de l'index :

– Oh, la rebelle ! Qu'est-ce que tu fiches ici ?

J'ai haussé les épaules et baissé la tête.

Il a continué à ma place :

– Tu en avais trop marre de McNullos ? Je te comprends, Jem, c'est un malade. On ne devrait pas le laisser mettre les pieds dehors, celui-là !

Il est grand et fort, Spider. Du genre qui vous colle et ne sait pas quand il faut s'arrêter. Ce doit être pour ça qu'il se bagarre sans cesse à l'école. On l'a constamment sous le nez. En plus il empeste. Même quand on l'évite, il revient à la charge ; il ne capte pas les signaux, il ne percute pas. Derrière ma capuche, je ne l'apercevais qu'à moitié, mais quand il se dressa devant moi, je tournai instinctivement la tête et nos yeux se rencontrèrent un instant. Alors je le vis. Son numéro. 15122010. C'était l'autre raison qui me mettait mal à l'aise. *Ce pauvre débile, il n'a vraiment pas de chance avec un numéro pareil !*

Tout le monde en a un, mais je crois que je suis la seule à les voir. Enfin, je ne les « vois » pas vraiment, comme s'ils flottaient dans l'atmosphère, disons plutôt qu'ils m'apparaissent dans la tête. Je les sens, quelque part derrière mes yeux. Mais ils sont réels. Croyez-moi ou non, je m'en fiche. Et je sais ce qu'ils signifient. Ça a fait tilt le jour où ma mère est partie.

Depuis toujours, je vois les numéros. Je croyais qu'on était tous logés à la même enseigne. Dans la rue, il suffisait que je croise le regard de quelqu'un pour voir apparaître son numéro. Je les énonçais à ma mère alors qu'elle me baladait dans ma poussette. Je croyais que ça lui faisait plaisir, qu'elle me trouvait intelligente. Tu parles.

Elle fonçait à travers High Street pour aller récupérer son allocation hebdomadaire. En général, le jeudi était une bonne journée. Elle filait aussitôt vers la cabane barricadée du bout de la rue s'acheter cette came qui la rendait heureuse pour quelques heures. Tous ses muscles semblaient alors se détendre, elle me parlait, il arrivait même qu'elle me lise quelque chose.

Ce jour-là, j'énonçai à haute voix les numéros des gens qu'on dépassait :

– Deux, un, zéro, quatre, deux, zéro, un, neuf ! Un, sept, un, un, deux, zéro, deux, quatre !

D'un seul coup, maman arrêta la poussette, la contourna pour venir s'accroupir devant moi, saisit les deux barres latérales, formant une cage de son corps, s'agrippant si fort que je distinguai les tendons de ses bras sous sa peau pleine de bleus et de piqûres. Les yeux fixés dans les miens, elle éructa, folle de rage :

– Écoute, Jem, je ne sais pas à quoi tu joues, mais tu arrêtes maintenant ! Ça me prend la tête et je te jure que je n'ai pas besoin de ça aujourd'hui ! D'accord ? Alors... tu... la fermes !

Elle dardait chacune de ses syllabes comme un essaim de guêpes furieuses dont le venin crépitait autour de ma tête. Et moi, je ne voyais que son numéro, poinçonné à l'intérieur de mon crâne : 10102002.

Quatre ans plus tard, je contemplais un homme dans un costume miteux en train de l'inscrire sur un bout de papier : « Date de la mort : 10.10.2002 ». Je l'avais découverte le matin même. Je m'étais levée, comme d'habitude, je m'étais habillée pour l'école, j'avais mangé mon bol de céréales, sans lait parce qu'il puait lorsque je l'avais sorti du réfrigérateur. J'avais laissé la brique de côté, allumé la bouilloire et avalé mes céréales telles quelles. Ensuite j'avais préparé du café pour maman et le lui avais porté dans sa chambre. Elle était toujours au lit, allongée sur le côté, les yeux ouverts ; elle avait vomi sur elle et sur les couvertures. J'ai posé le café par terre, à côté de l'aiguille.

— Maman ?

Je savais bien qu'elle ne répondrait pas. Il n'y avait plus personne dans cette chambre. Elle était partie. Et son numéro également. Je ne le voyais plus quand je sondais son regard vide.

Je restai là quelques minutes, quelques heures, je ne sais plus, et puis je descendis avertir la dame de l'appartement du dessous. Elle monta pour voir, me fit attendre dehors, comme si je ne savais pas ce qui se passait, cette bouffonne ! Elle n'y était pas depuis trente secondes qu'elle ressortait une main sur la bouche. Après avoir dégueulé un bon coup, elle s'essuya avec son mouchoir, me ramena chez elle et appela une ambulance. Alors ce fut le défilé : tous ces gens en uniforme, police, secouristes, tous ces gens en costumes foncés, comme le type armé d'un bloc-notes ; il y avait aussi une dame qui s'adressait à moi comme à une simple d'esprit et qui m'emmena loin du seul endroit que je connaissais.

Dans sa voiture, en route pour on ne savait où, je ne cessais de me répéter non plus des numéros mais des mots. Quatre mots. *Date de la mort. Date de la mort.* Si seulement j'avais su de quoi il s'agissait, j'aurais pu la prévenir, empêcher ça. Je ne sais pas. Est-ce que ça aurait changé quelque chose si elle avait su que nous n'aurions que sept années à vivre ensemble ? Ça ne l'aurait jamais empêchée de se camer. Rien n'aurait pu l'en empêcher. Elle était trop accro.

Je n'aimais pas me retrouver là, sous le pont avec Spider. On avait beau être à l'extérieur, je me sentais comme enfermée, coincée avec lui. Il prenait toute la place avec ses grands bras et ses grandes jambes, toujours à s'agiter, à faire du vent. Et puis il sentait trop mauvais. Je passai devant lui pour rejoindre le chemin de halage.

— Tu vas où ? me cria-t-il.

Sa voix se répercuta en écho sur les parois de béton.

— Nulle part.

— Bon, dit-il en me rejoignant. Raconte.

Tout de suite il s'approcha trop, m'effleurant l'épaule. La tête basse sous ma capuche, je poursuivais mon chemin le long d'un étroit sentier de graviers et d'ordures qui se dérobaient sous mes semelles. Il marchait en sautillant à côté de moi. On devait avoir l'air idiots, moi trop petite pour mes quinze ans, lui remuant comme une girafe noire en fuite. Il voulait bavarder, mais je ne répondais pas, dans l'espoir qu'il en aurait marre et laisserait tomber. Pas de chance. Il lui en fallait plus pour qu'il se vexe et s'en aille. Et encore.

— Alors comme ça tu es nouvelle par ici ? Tu t'es fait virer de ton ancienne école ? Tu es une rebelle ?

Virée de l'école, de « chez moi » et de partout, comme toujours. Les gens ne comprennent pas que j'ai besoin d'air. Ils ne pensent qu'à me dire ce que je dois ou ne dois pas faire, comme s'il suffisait de suivre le règlement, de se plier au train-train, de se laver les mains et de se tenir tranquille pour que tout aille bien. Ils ne pigent rien.

— Tu veux une garos ? me proposa-t-il en fouillant dans sa poche. J'en ai, regarde.

Je m'arrêtai pour le voir sortir un paquet froissé.

— Merci, marmonnai-je.

Il tira une bouffée, comme si ça l'envoyait au paradis, rejeta dans une posture théâtrale la fumée par les narines. *Plus que trois mois à respirer*, me disais-je. *Et ce toquard qui sèche l'école pour venir cloper au bord du canal. C'est ça, la vie ?*

Je m'assis sur un tas d'anciennes traverses. La nicotine m'apaisait un peu, mais ce n'était pas le cas de Spider. Il allait et venait, sautait sur les rails, descendait, se penchait sur la pointe des pieds au bord de l'eau. *C'est comme ça qu'il va mourir, le naze. En se ramassant mal après un bond manqué.*

— Jamais tu n'arrêtes de bouger ? lui demandai-je.

— Non, je suis pas une statue de cire. J'ai de l'énergie à revendre, moi.

Là-dessus, il se mit à danser et je ne pus m'empêcher de pouffer. Ce qui n'avait pas dû m'arriver depuis des années. Il me décocha un clin d'œil :

— Tu as un joli sourire.

Raté. J'ai horreur des commentaires personnels.

— Ta gueule, Spider !

— Hé, remets-toi ! C'était juste pour causer.

— Ouais, eh ben j'aime pas.

— T'aimes pas non plus les gens ? On a l'impression que tu t'en fiches de ce qu'on te raconte. Tu baisses les yeux, tu regardes jamais personne.

— C'est mon problème.

Il se détourna, envoya d'un coup de pied une pierre dans le canal.

— C'est bon, je te dirai plus jamais rien de gentil, ça te va ?

— Ouais.

Une cacophonie de sonnettes d'alarme retentissait dans ma cervelle. Quelque part, j'avais une envie folle de continuer comme ça, d'avoir un pote avec qui traîner, de faire un peu comme tout le monde, pour une fois. En même temps, une voix en moi me hurlait de me tirer rapide. On a trop vite fait de s'attacher aux gens, et ensuite ils s'en vont. Au bout du compte, tout le monde finit par s'en aller. Je le contemplais qui se marrait en sautant d'un pied sur l'autre, qui ramassait des pierres, les lançait. *Ne fais pas ça, Jem. Dans quelques mois, il sera mort.*

Profitant qu'il avait le dos tourné, je me levai silencieusement et m'éclipsai au pas de course. Pas d'au revoir ni d'explications.

Je l'entendis crier :

— Hé, où tu vas ?

*Surtout qu'il ne me suive pas.* Sa voix s'éloigna peu à peu :

— Bon, comme tu voudras. À demain, mon pote !

# 2

McNullos nous menait à la baguette. On avait dû lui prendre la tête ou je ne sais quoi... toujours est-il qu'il ne nous lâchait plus. On travaille et on la boucle, exercice de compréhension, une demi-heure. L'ennui, c'est que, quand on me dit de faire quelque chose, ça me pose un problème. J'ai envie d'envoyer balader le gars, j'irai à ma vitesse. Même si j'ai envie de le faire. Ce qui n'était pas le cas. Attention, je sais lire, enfin, pas mal, mais je ne vais pas vite. Mon cerveau a besoin de temps pour trier les mots. Si j'essaie de me dépêcher, tout se mélange et ce monceau de phrases ne veut plus rien dire.

En tout cas, je faisais de mon mieux cette fois-là. Juré. Karen, ma mère d'accueil, m'avait chapitrée, vous voyez le genre :

– Il est temps de se mettre au travail... important d'avoir des diplômes... la vie n'est pas un film qu'on peut rejouer dix fois.

Elle en avait discuté avec les gens de l'école, avec mon assistante sociale, enfin les autres, toujours les mêmes, et tous ces discours commençaient à me saouler. Alors j'ai décidé de travailler et de la boucler, histoire de respirer un peu.

D'ailleurs, pour une fois tout le monde se taisait. On avait senti l'humeur massacrante de McNullos, on avait compris que ce n'était pas le moment de le provoquer. Ça traînait un peu des pieds, mais, globalement, ça restait tranquille et ça bossait, ou ça faisait semblant quand, d'un seul coup, retentit une sorte d'explosion. Soufflée en arrière, la porte alla s'écraser contre le mur et Spider surgit tel un boulet de canon, à moitié déséquilibré. Ça a tout gâché. On se mit à brailler, à le huer, à l'acclamer.

Il en fallait davantage pour impressionner McNullos :

– Que signifie cette entrée ? Retournez d'où vous venez et rentrez calmement, comme quelqu'un de civilisé !

Spider se laissa tomber en avant avec un soupir exagéré, leva les yeux au ciel.

– Allez, c'est bon, m'sieur ! Je suis là, maintenant.

McNulty articula lentement mais fermement, si vous voyez ce que je veux dire, comme s'il s'efforçait de maîtriser la situation :

– Faites ce que je vous dis et nous recommencerons.

– Pourquoi vous faites ça, m'sieur ? Je suis pas obligé de venir ici mais je viens quand même. Je demande qu'à apprendre, m'sieur.

Ce qui arracha un tollé sarcastique à toute la classe.

– Pourquoi vous m'embêtez comme ça ?

McNullos poussa un soupir :

– J'ignore pourquoi vous avez tout d'un coup décidé de vous joindre à nous, mais si vous tenez à être des nôtres, ce qui ne peut que me réjouir, il va falloir commencer par

17

sortir et rentrer tranquillement, comme je vous l'ai demandé. Ensuite nous pourrons reprendre le cours.

Une longue pause s'ensuivit, au cours de laquelle ils se mesurèrent du regard. Plus personne ne disait un mot, on comptait les points. Pour une fois, Spider se tenait presque tranquille, secouant juste un pied devant lui. D'un seul coup, il se retourna et sortit. Tous les yeux demeurèrent fixés sur la porte. Était-il parti pour de bon ? Un murmure général retentit lorsque la porte se rouvrit et qu'il s'arrêta sur le seuil, comme si de rien n'était.

— Bonjour, m'sieur ! lâcha-t-il à l'adresse de McNullos.

— Bonjour, Dawson.

Le prof avait l'air de se demander ce que cachait cette victoire trop facile. Il plaça la feuille d'exercice, du papier et un crayon sur le bureau de Spider.

— Asseyez-vous, mon garçon, et tâchez de bien vous débrouiller.

Spider se dirigea d'un pas nonchalant vers sa place tandis que McNulty regagnait la sienne et nous regardait tous.

— Bon, que chacun reprenne son travail. Il reste vingt-cinq minutes. Voyons ce que vous allez faire.

Cependant, l'incident avait déconcentré les esprits ; nous étions maintenant trop dissipés, trop agités, les chaises crissaient sur le plancher. McNulty s'efforçait de maintenir l'ordre parmi ses troupes :

— Les yeux sur votre travail, je vous prie !

Peine perdue.

En ce qui me concernait, les mots dansaient sous mes yeux, pas plus lisibles que des hiéroglyphes ou des caractères chinois. Parce que je ne pouvais m'empêcher de me demander si je n'étais pas la cause du retour de Spider.

Au bord du canal, j'avais déjà eu l'impression de percevoir une sorte de contact et ça m'avait fait peur. Depuis, je l'évitais, mais je n'avais aucune raison de croire qu'il pensait à moi. Jusque-là. Parce que j'aurais juré l'avoir vu me faire un clin d'œil en allant s'asseoir. L'enfoiré ! Qu'est-ce qu'il croyait ?

Après le déjeuner, McNullos en eut ras le bol. Alors que ça ricanait sec dans la classe, que ça bavardait, que ça rigolait, il s'arrêta brusquement :

— Bon, vous me rangez vos livres, vos crayons, vos papiers. Tous autant que vous êtes !

Qu'est-ce qui lui prenait ?

— Exécution ! Rangez-moi tout ça. J'ai deux mots à vous dire.

Et nous de soupirer, de lever les yeux au ciel, ouais, on a compris. On était bons pour un sermon. Chacun rangea ses affaires dans son sac ou dans ses poches en attendant le discours habituel : « Comportement inacceptable... vous vous laissez aller... manque de respect... » Mais ce ne fut pas ça du tout.

Il vint se balader parmi les bureaux, s'arrêtant devant chacun de nous avant de passer au suivant :

— Chômeur. Caissière. Éboueur.

Arrivé à ma hauteur, il lâcha sans hésitation :

— Femme de ménage.

On y eut tous droit, jusqu'à ce qu'il revienne à sa place, se retourne pour nous faire face :

— Alors, qu'est-ce que ça vous fait ?

On regardait nos bureaux ou la fenêtre. Ça nous faisait exactement ce qu'il avait voulu que ça nous fasse. On se sentait minables. On savait tous l'avenir qui nous attendait et on n'avait pas besoin des réflexions de cet abruti puant pour nous le rappeler.

C'est là que Spider a explosé :

— Moi, je me sens trop bien, m'sieur ! Vous pouvez raconter ce que vous voulez, ça veut rien dire. Je peux faire ce que je veux.

— Non, Dawson, précisément, et je veux que vous m'écoutiez tous. Pour le moment, avec votre attitude, c'est ce qui vous attend. Maintenant, si vous vous appliquez un peu, si vous vous concentrez, si vous essayez de tirer le meilleur de votre dernière année ici, ce pourrait être différent. Si vous obtenez votre brevet et un bon dossier, vous aurez des chances de réussir.

— Ma mère est caissière.

Ça venait de Charmaine, à deux rangs de moi.

— Oui, et il n'y a pas de mal à ça, mais vous, Charmaine, vous pourriez être la patronne du magasin, si vous le vouliez. Alors, vous tous, tâchez de voir un peu plus loin que le bout de votre nez, prenez conscience de ce dont vous êtes capables. Que voulez-vous devenir ? Allez ! Que ferez-vous l'année prochaine à cette heure-ci ? Dans deux ans, dans cinq ans ? Laura, dites-moi ça.

Il fit ainsi le tour de la classe. La plupart d'entre nous n'en avaient pas la moindre idée. Ou plutôt, on savait que sa première déclaration était bien vue. Quand ce fut au tour de Spider, je retins mon souffle. Lui qui ne vivrait pas, qu'allait-il dire ?

Évidemment, il releva le défi, s'assit sur le dossier de sa chaise telle une star s'adressant à la foule :

— Dans cinq ans, je roulerai dans ma BMW noire, ma musique à plein tube, les poches remplies de blé.

Les garçons le huèrent. McNulty le toisa d'un regard méprisant :

— Et comment pensez-vous y parvenir ?

— J'achèterai des trucs par-ci, par-là, je les revendrai.

— Ah oui ? De la drogue, peut-être ? Vous me consternez, Dawson. Trafiquer, profiter de la misère des autres, c'est à ça que vous aspirez ?

— C'est le seul moyen de nous faire de la thune, m'sieur. Vous, qu'est-ce que vous conduisez ? Cette petite Astra rouge ? Et ça fait vingt ans que vous faites ce métier ? Je vais vous dire : moi, je ne conduirai jamais une Astra.

— Asseyez-vous normalement, Dawson, et bouclez-la. À vous, Jemma, qu'est-ce que vous allez devenir ?

Comme si je savais ce qui allait m'arriver ! Je ne savais même pas où je vivrais l'année suivante. À quoi jouait-il, ce type, à nous cuisiner comme ça ? Je poussai un gros soupir, avant de répondre d'un ton aussi aimable que possible :

— Moi, m'sieur ? Je sais ce que je veux.

— Bon, dites-nous ça.

Je commençai par le regarder dans les yeux. 25122023. Quel âge pouvait-il avoir ? Quarante-huit ? Quarante-neuf ans ? Alors il lui restait juste le temps d'arriver à la retraite. Le jour de Noël en plus… La vie est cruelle, pas vrai ? Voilà que Noël serait à jamais gâché pour sa famille. Bien fait pour ce sale bâtard !

— M'sieur, je veux… faire tout comme vous…

Son regard s'illumina un court instant puis il comprit que je me fichais de lui. Alors son début de sourire retomba et il secoua la tête, serrant si fort la mâchoire qu'on en vit pointer les os.

— Sortez vos livres de maths ! aboya-t-il.

Et d'ajouter entre ses dents :

— Je perds mon temps.

En sortant de la classe, Spider me tapa dans la main. D'habitude, je ne fais pas ça, mais là, ma paume s'était tendue vers lui comme animée d'une vie propre.

— J'aime ton style, mon pote ! s'écria-t-il, enthousiaste. Tu l'as eu grave.

— Merci. Spider ?

— Ouais.

— Tu ne te drogues pas, si ?

— Bof, pas du lourd, je voulais juste le charrier. Trop facile quelquefois, tu ne trouves pas ? Tu rentres chez toi ?

— Non, je suis collée.

Il fallait que je traîne un peu, que je laisse la foule passer. Karen devait m'attendre dehors. Ces temps-ci, elle m'accompagnait parce qu'elle voulait que je « gagne sa confiance ». Pas question que les autres voient ça.

— À plus, alors.

— Ouais, à plus.

Envoyant son sac devant lui à coups de pied, il quitta la classe en sautillant. *Ne te drogue pas, Spider, mon pote ! C'est trop grave.*

# 3

C'était une de ces journées d'octobre grisâtres, quand on a l'impression que le jour ne s'est pas vraiment levé. On ne pouvait pas dire qu'il pleuvait, juste que ça flottait dans l'air, que ça vous mouillait le visage, que ça envahissait le paysage. J'étais trempée jusqu'aux os, je commençais à avoir froid. On traînait du côté du centre commercial où les dalles de béton donnent direct sur les eaux verdâtres du canal.

— On devrait entrer dans une boutique, le temps de se sécher, suggérai-je.

Spider haussa les épaules en reniflant. Même ses mouvements semblaient engourdis, aujourd'hui, comme si le temps rongeait son énergie.

— Pas de thune. Et puis les mecs de la sécurité m'ont dans le collimateur.

— Je reste pas là. Il fait trop froid et ça pue.

— Et à part ça ?

— C'est nul.

Il eut un grognement d'approbation, tourna les talons et repartit dans l'autre sens.

— Viens, on va chez moi, il y a que ma grand-mère, elle est sympa, tu verras.

J'hésitais. On se baladait souvent ensemble tous les deux, après l'école et les week-ends, depuis que Karen me lâchait un peu. Enfin pas tout le temps, parce que Spider allait parfois rejoindre une bande de potes. À ce que j'avais compris, il restait avec eux jusqu'à ce qu'éclate une bagarre, ensuite, il prenait le large un certain temps. Il faut toujours que les garçons se tapent dessus ; c'est comme les animaux, singes ou lions ou autres, pour savoir qui est le patron. Toujours est-il que, ce samedi-là, il n'était pas avec eux mais avec moi et qu'on s'ennuyait à mourir. On n'avait rien à faire.

Pour moi, c'était toute une histoire d'aller chez quelqu'un d'autre. Jamais on ne me l'avait proposé jusque-là. Même quand j'étais petite, je n'étais pas du genre à quitter la classe deux par deux en gloussant la main dans la main. Je ne pouvais me permettre d'amener des amies pour le thé, ce n'était pas le genre de la maison.

— J'en sais rien, marmonnai-je.

Comme toujours, j'avais du mal à l'idée de rencontrer quelqu'un de nouveau, de le regarder dans les yeux. Les gens me trouvent sournoise parce que je me détourne trop vite, mais c'est juste parce que je n'aime pas me mêler de leur vie… il y a des choses que je n'ai pas envie de savoir.

— Comme tu voudras, répondit-il en fourrant les mains dans ses poches.

Là-dessus, il s'éloigna. La pluie commençait sérieusement à me casser les pieds.

— Attends ! criai-je.

Je courus le rejoindre, la capuche sur la tête pour me protéger de la sale bruine londonienne.

Il nous fallut à peu près cinq minutes pour arriver chez lui, dans une de ces maisonnettes du bord de la cité pavillonnaire de Park Estate, avec un carré de jardin devant, bien vert et bien fleuri ; mais je ne pus m'empêcher de m'arrêter devant ces statues plantées partout, des nains, des animaux. Grotesque.

— Cool, le jardin ! lançai-je presque sérieusement.

Spider me fit la grimace :

— C'est mamie, elle est chtarbée.

Il sauta par-dessus le muret et remonta le chemin bétonné, balançant au passage un coup de pied vers un nain particulièrement affreux.

— Arrête ! m'écriai-je. Ils sont mignons. Ne leur fais pas de mal.

Il s'immobilisa :

— Tu es dingue, toi aussi ! marmonna-t-il en attendant que j'ouvre la barrière de métal.

J'empruntai à mon tour le chemin et il ouvrit la porte en criant :

— C'est moi, mamie ! J'amène une copine !

J'appréciai le mot « copine ».

Un étroit couloir ouvrait sur le living. Sur toutes les étagères, sur toutes les surfaces il y avait quelque chose : petits animaux de porcelaine, assiettes, vases. Imaginez un vide-greniers à la fin de la journée, quand il ne reste que ce dont plus personne ne veut, et vous aurez une idée de l'endroit. L'odeur de clope achevait de rendre l'atmosphère irrespirable. Visiblement, on n'ouvrait jamais les fenêtres, ici. Un ruban de fumée se faufilait de la pièce voisine où je suivis Spider. Perchée sur un tabouret devant un comptoir de cuisine, son journal ouvert sous les yeux, une femme tenait une cigarette dans une main, une tasse de thé dans l'autre. C'était une Blanche, comme moi, plutôt menue, aux courts cheveux hérissés, d'une drôle de couleur mauve, au visage ridé, aux traits durs. Son petit-fils se pencha pour l'embrasser sur la joue et moi je me disais que si je les croisais dans la rue, jamais on ne me ferait croire qu'ils étaient de la même famille. Mais c'est comme ça, aujourd'hui, non ? Finies les photos officielles, papa, maman, deux gosses en habits du dimanche, tous la même tête ou presque. Si ça a jamais existé. Pas par ici, en tout cas. Dans le coin, on croise plutôt des gens qui font ce qu'ils peuvent, une mamie, un Spider, ou juste une personne comme moi... Blacks, blancs, bronzés, jaunes, je ne sais quoi. C'est comme ça maintenant.

Comme Spider se redressait, sa grand-mère me regarda :

— Salut. Je m'appelle Val.

J'essayais de garder les yeux baissés, pourtant je ne pus m'empêcher de les relever un quart de seconde et vis qu'elle me fixait, au point que je ne pus me détourner de ses iris noisette, d'une étonnante clarté malgré la fumée de cigarette. Et puis elle ne faisait pas que me dévisager, comme n'importe qui d'autre, elle me comprenait, elle pigeait tout. Je vis son numéro, 02022054 : encore quarante-quatre ans à tirer, clope ou pas. Respect.

— Alors, qui êtes-vous ?

Elle avait demandé ça avec une certaine brusquerie, mais je ne crois pas qu'elle l'ait fait exprès.

Et moi, prise comme un lapin dans les phares de ses yeux, je n'arrivais plus à réfléchir, je ne savais même plus comment je m'appelais.

Spider vint à mon secours :

— C'est Jem. On va regarder la télé.

– Attendez une seconde ! Assieds-toi un peu ici, Jem.

Du menton, elle m'indiqua le tabouret à côté d'elle.

– Mamie, c'est bon !

– Surveille tes paroles, Terry. Et toi, ne l'écoute pas. Assieds-toi là.

De ses petites mains aux ongles jaunes et recourbés, elle tapota le siège sur lequel je me posai sans la quitter des yeux. Ce n'était pas le genre de personne avec qui on pouvait discuter, d'autant que je sentais vibrer un drôle de fluide dans l'air. Il se passait quelque chose entre nous, et si ça me faisait un peu peur, ça m'intriguait également. Déposant sa cigarette, elle me prit la main. Moi qui supporte si mal le contact avec les gens, je la laissai pourtant faire ; je ne pouvais pas lui refuser ça et on l'avait toutes les deux senti. Nos paumes s'effleurèrent dans un craquement d'électricité.

Elle me soufflait des relents de fumée dans les narines, au point que ça me retourna l'estomac. J'aime fumer, mais quand même pas les restes des autres.

– Je n'ai jamais rencontré quelqu'un comme toi, observat-elle.

*C'est sûr, mais comment le sais-tu ?*

– Tu t'y connais en auras ?

Spider répondit par un grognement moqueur à la question de sa grand-mère.

– Laisse tomber, mamie. Fous-lui la paix.

– Et toi, boucle-la !

Elle se retourna vers moi et martela lentement ces paroles qui me pénétrèrent jusqu'à la moelle des os :

– Tu possèdes une aura des plus fantastiques. Mauve et blanche. Tout autour de toi. Le mauve marque ton énergie spirituelle et le blanc, combien tu es capable de concentrer cette énergie. C'est extraordinaire... je n'ai jamais vu une aura aussi puissante que la tienne.

Je ne voyais absolument pas de quoi elle voulait parler mais ça m'intéressait.

— Ton aura, Jem, c'est l'énergie qui t'habite. Elle irradie autour de toi, en différentes couleurs. Elle en dit plus que tout sur la personne que tu es. Chacun de nous en a une, mais nous sommes rares à la voir.

Elle fronça les sourcils :

— Tu la vois, toi aussi, n'est-ce pas ?

— Non, avouai-je. Je ne sais pas de quoi vous parlez.

— C'est quoi, ces conneries ? brailla Spider.

— Toi, tu commences à me casser les pieds !

Baissant la voix, elle se pencha vers moi :

— Tu peux me le dire, Jem. Je comprends. C'est un don, mais il est lourd à porter. Parfois il nous apprend des choses qu'on n'a pas trop envie de savoir.

J'en avais l'estomac retourné. Elle savait. C'était la première fois que je rencontrais quelqu'un qui savait. J'avais trop envie de lui parler, mais quand on gardait un secret depuis quinze ans, on apprenait à la fermer ; je sentais au plus profond de moi que si je commençais à m'épancher, ne serait-ce qu'auprès de la grand-mère de Spider, toute ma vie en serait bouleversée. Et je n'étais pas prête. Pas encore.

— Non, marmonnai-je. Il n'y a rien.

Je faisais mon possible pour éviter son regard inquisiteur. Elle se redressa en soupirant :

— Comme tu veux.

Je voyais presque son souffle épais franchir ses lèvres. Elle alluma une autre clope.

— Maintenant tu sais où me trouver. Je suis toujours là.

Alors que je quittais mon tabouret pour rejoindre Spider, je sentis le regard de sa grand-mère me labourer le dos.

Je le trouvai étalé en travers d'un fauteuil, ses longues jambes pendues sur un côté, les chevilles agitées d'un mouvement nerveux.

— T'occupe pas d'elle, grommela-t-il. Ça fait des années qu'elle perd la tête. Tu veux regarder quelque chose à la télé ?

— Je sais pas. Tu as une PlayStation ?

Il se déplia, ramassa la télécommande.

— Ouais. Grand Theft Auto ?

Comme j'acquiesçais de la tête, il ajouta :

— Tu vas te ramasser. J'ai eu le temps de m'entraîner. Je suis tellement bon…

Lui aussi, j'aurais dû m'en douter. Tous les garçons de son genre doivent savoir conduire et tirer. C'est dans leur nature. Mais je n'allais pas me laisser impressionner ainsi, même si je n'avais aucune chance contre sa rapidité, son agressivité. Il se concentrait à fond, comme si sa vie en dépendait, jouant de tout son corps. Je pouvais toujours m'appliquer, il me battait chaque fois à plate couture.

— Pas mal pour une fille, commenta-t-il.

Je lui fis un doigt d'honneur. Il sourit et je me sentis toute chose. On regarda un peu la télé, mais il n'y avait rien que des trucs moisis genre « Future star » ou je ne sais quoi, des milliers de nullards qui répétaient pendant des heures en s'imaginant qu'ils allaient faire un malheur. Même ceux qui savaient chanter. Qu'est-ce qu'ils croyaient ? Que le monde allait se jeter à leurs pieds, leur apporter la gloire et l'argent ? Ce sont les organisateurs qui s'en mettent plein les poches sur leur dos avant de les renvoyer d'où ils viennent à coups de pied aux fesses. Bonjour la carrière ! À force de nous moquer d'eux, on vit qu'on riait des mêmes choses. J'étais bien, malgré la fumée et Spider qui puait toujours autant. Ça ne m'empêchait pas de sentir la présence de sa grand-mère dans la pièce à côté, perchée sur son tabouret comme un oiseau de proie, un faucon ou un busard, je ne sais plus. Un vautour. Qui nous écoutait. Et attendait.

— Il faut que je rentre, dis-je peu après.

Spider se déplia de son fauteuil.

— Je viens avec toi.

— Non, c'est bon. Je n'en ai pas pour longtemps.

— Je t'aurais bien emmenée si j'avais été motorisé. Tu veux qu'on se cherche une caisse ?

Je ne pus m'empêcher de l'interroger du regard. Il ne rigolait pas. Il voulait m'impressionner, je crois. Je me dirigeai vers la porte. Je n'avais pas envie d'être mêlée à ce genre de manœuvre. J'entendais la grand-mère s'activer dans la cuisine, la porte du micro-ondes qui claquait, le ventilateur qui tournait.

— Ton dîner sera bientôt prêt, ajoutai-je. À plus !

De la porte d'entrée, je lançai un au revoir à Val, car je n'avais aucune envie de retourner lui parler. Néanmoins, son visage apparut dans l'entrebâillement de la porte. Un éclair fusa lorsque nos regards se croisèrent. Qu'est-ce qu'elle avait, cette femme ?

— Au revoir, ma chérie ! lança-t-elle. À bientôt.

Elle avait l'air sûre de son fait.

# 4

— Vous allez nous raconter la plus belle journée de votre vie. Ne vous souciez pas trop de l'orthographe ni de la ponctuation, jetez sur le papier ce qui vous vient du cœur.

Encore un exemple de la cruauté de McNullos : nous faire décrire nos tristes vies. À quoi s'attendait-il ? *Le jour où papa m'a acheté un poney ? Nos vacances aux Bahamas ?* Moi, je n'aime pas regarder en arrière. Pour quoi faire ? Le passé est passé, on ne peut plus rien y changer. Impossible de choisir un jour pour dire que c'était le meilleur. J'aurais moins de mal à évoquer le pire. Là, les candidats se bousculeraient au portillon. Encore que je n'avais aucune intention d'en parler à McNullos. Pour ce qu'il en aurait à faire ! Tout d'un coup, une idée s'insinua en moi : *Si, justement, je vais lui dire comment ça se passe, puisque ça l'intéresse.* Là-dessus, je pris mon crayon et me lançai.

— C'est fini !

Hurlements de protestation.

— On arrête d'écrire. Tant pis si vous n'avez pas terminé. Au lieu de ramasser les feuilles, je vais vous demander de les lire à voix haute.

Là, ce fut carrément la rébellion, les « c'est abuser » et les « laisse tomber ». Et moi je venais de commettre une grosse erreur. J'en eus froid dans le dos.

— Chacun à son tour, vous allez vous lever et nous lire votre prose, continuait le prof. On ne se moquera pas de vous parce qu'on est tous dans le même bateau. Qui commence ?

Les huées reprirent plus belle.

— Amber, venez ici. Non ? Bon, alors, restez où vous êtes et lisez-nous ça d'une voix claire, que tout le monde vous entende.

Et la classe entière y passa. Vacances, anniversaires, sorties. Rien de très surprenant, au fond. Jusqu'au moment où l'un de mes voisins, Joel, décrivit la naissance de son petit frère. L'ambiance en fut métamorphosée. D'un seul coup, chacun l'écouta raconter comment il avait aidé sa maman, dans la salle de bains de sa maison, à envelopper le bébé dans une vieille serviette. Deux filles poussèrent des « Ah ! » quand il eut terminé, ses amis levèrent le pouce alors qu'il regagnait sa place. C'était bien joué ; et moi je sentais mon cœur se serrer à l'évocation de tant de vulnérabilité, de tant d'innocence, tout en sachant que notre fin est inscrite dès le premier jour… les bébés me mettent mal à l'aise.

Ce fut alors au tour de Spider. Il bondit vers le tableau et se mit à contempler sa feuille sans cesser de danser d'un pied sur l'autre. Il aurait sans doute donné beaucoup pour pouvoir se trouver ailleurs.

– Faut vraiment que j'y aille ? demanda-t-il en s'éventant avec la page.

– Allez-y, dit McNulty. Nous sommes tout ouïe.

Effectivement, un silence de mort régnait dans la classe.

– Bon.

Spider leva le papier devant ses yeux, comme pour se cacher.

– « Le plus beau jour de ma vie, ç'a été quand ma mamie m'a emmené au bord de la mer. On a passé des heures dans le car et j'ai dormi. Quand on est arrivés, je n'avais jamais vu un endroit si grand de ma vie. La mer s'étendait sur des kilomètres et il y avait une immense plage. On a mangé des frites et de la glace et il y avait des ânes. J'ai fait une promenade à dos d'âne, c'était spécial mais cool. On a passé quelques jours là-bas, juste moi et mamie. Trop classe. »

Au fond de la classe, quelques élèves se mirent à braire mais plutôt gentiment. Spider parut se détendre. L'épreuve était passée. Il regagna sa place.

Peu après arriva mon tour. J'en avais des picotements partout, les nerfs à fleur de peau.

– Jemma… dit McNulty, je crois que c'est à vous.

En me rendant vers le tableau, j'avais l'impression d'être toute nue. Je me retournai, les yeux fixés sur le bout de mes chaussures ; je n'avais aucune envie de voir tous ces regards qui me guettaient. J'aurais mieux fait d'inventer n'importe quoi, de raconter un Noël idéal avec plein de cadeaux au pied du sapin. Mais trop tard, je ne suis pas du genre à improviser, surtout quand tout le monde me regarde. Pas vous ? Ce n'est qu'après, quand on y repense, que vous vient la réponse qui tue, la réplique qui clôt tous les becs. Tandis que là, j'étais au bord de la panique et je n'avais pas le choix, il allait bien falloir lire ce que j'avais écrit. Alors je commençai par respirer un bon coup. Puis je me jetai à l'eau :

– « Le plus beau jour de ma vie. Ce matin, je me suis levée. J'ai pris mon petit déjeuner. Je suis partie à l'école. Ça me faisait toujours autant peur, j'avais toujours autant envie de me casser ailleurs. Personne ne s'occupait de moi et je préférais. Ça me gonflait de traîner toute la journée au milieu de ces imbéciles. Hier c'était pareil, mais hier est passé et demain ne viendra peut-être jamais. Il n'y a qu'aujourd'hui qui compte. Alors c'est le plus beau et le pire jour de ma vie. En fait, il est nul. »

Lorsque je me tus, il y eut comme une pause, un instant où rien ne se passa. Je restai adossée au tableau, les paupières baissées, morte de honte. Jusqu'à ce que quelqu'un crie :

– Si tu tirais moins la tronche tu serais presque bonne.

Les huées reprirent comme jamais.

Un craquement me fit lever les yeux. Spider sautait par-dessus tables et chaises. Arrivé à hauteur de celui qui venait de crier, Jordan, il lui balança son poing en pleine figure. Ce fut le signe de la bagarre générale et McNulty se jeta dans la mêlée à coups d'épaule.

Je froissai le papier et le laissai tomber à terre avant de me faufiler dans le couloir, une seule idée en tête : disparaître, trouver un endroit où je sois seule. Jamais je ne remettrais les pieds dans cette chambre des tortures. Je restai dehors plusieurs heures, nulle part en particulier, là où personne ne vous voyait, où personne ne faisait attention, jusqu'à ce que j'en aie marre de marcher dans l'obscurité.

De retour chez Karen, je tâchai de gagner ma chambre en douce, dans l'espoir qu'elle serait couchée – il était quand même minuit passé – mais non, elle était assise à la table de la cuisine, devant un thé, le visage gris de fatigue. Elle avait eu droit à la totale, Karen : des bébés, des gosses, des ados « à problèmes » comme moi. Vingt-deux gamins à sa charge. Elle n'en pouvait plus. Je considérai de nouveau son numéro. 14072013. Plus que trois ans.

– Jem ! lança-t-elle. Ça va ? Où étais-tu passée ?

– J'étais sortie.

Je ne me voyais pas tout lui raconter. Par où commencer, d'ailleurs ?

– Viens t'asseoir.

Elle n'avait pas l'air fâchée, juste fatiguée.

– Je veux me coucher.

Elle ouvrit la bouche, se reprit et poussa un soupir.

– Bon, on verra ça demain. On en reparlera.

Une menace, pas une promesse.

– Maintenant, reprit-elle, je n'ai plus qu'à rappeler la police. J'avais signalé ta disparition. Tiens, prends ça.

Elle me tendit sa tasse encore aux trois quarts pleine.

Je montai, déposai la tasse sur ma table de nuit et me glissai sous ma couette sans me déshabiller. Je remontai les oreillers, pris la tasse. Ce ne fut qu'en avalant le liquide chaud et sucré que je me rendis compte à quel point j'avais froid et me sentais vidée.

Et crevée. Pourtant, je ne pouvais pas fermer les yeux. Alors je restai assise dans le noir, jusqu'à voir la lumière s'infiltrer autour des rideaux et, dans mon demi-sommeil, je sentis se lever un nouveau jour morose.

# 5

La classe de McNulty résonnait encore des événements de la veille. Il me fallut y faire face toute seule parce que Spider avait été exclu pour trois semaines. Autrement dit, il ne devait jamais remettre les pieds à l'école. J'imagine que s'il l'avait su, ça ne se serait pas passé comme ça, Jordan ne s'en serait pas tiré avec un simple coquart et une lèvre fendue. On racontait qu'il avait été interrogé par la police et que Jordan comptait bientôt l'allumer. En attendant, c'était moi qui prenais.

— Qu'est-ce que tu vas faire sans ton copain ? Plus personne pour défendre ton honneur.

— Jem et Spider *kiss-kiss bang-bang*.

Évidemment, je leur ai répondu ce qu'ils pouvaient en faire de leurs *kiss-kiss*, mais ça n'a rien changé. Ils étaient déchaînés comme des chiens autour d'un os.

J'encaissai deux jours durant et puis j'en eus ma claque. En me rendant à l'école, le troisième jour, je bifurquai brusquement dans la ruelle derrière les boutiques, pris la direction du parc, puis du canal où je traînai toute seule. Je n'étais pas à plaindre, j'avais l'habitude. Ça se terminait toujours comme ça, dans toutes les écoles, dans toutes les familles où j'avais été. On subit jusqu'à un certain point et à un moment, ça casse. Je ne suis pas la seule comme ça, mais l'école, ça me fait trop penser à un élevage de poulets en batterie. Moi qui n'aime pas la promiscuité...

En même temps, je réussis à éviter Spider. Je l'aperçus une ou deux fois mais m'arrangeai pour qu'il ne me voie pas. Cette situation à l'école m'avait trop gênée. Qu'est-ce qui lui avait pris d'intervenir comme ça, de nous mettre dans cette situation ? Ça me faisait flipper rien que d'y penser. Voilà quelques semaines que j'avais un copain. Plus ou moins. Mais ça devenait trop compliqué, comme tout le reste ; il fallait que ça s'arrête. Si l'incident Jordan prouvait quelque chose, c'était ce que je savais déjà : Spider n'apportait que des complications. Je n'en avais vraiment pas besoin. N'empêche qu'il me manquait quand même un peu.

La meilleure, c'est que je ne pouvais l'écarter comme ça de ma vie. Pas plus qu'une mauvaise odeur ou qu'un chewing-gum qui vous colle aux semelles. De fait, il reparut assez vite. Il faut croire qu'on était faits l'un pour l'autre.

Toujours est-il que le jeudi, je me laissai surprendre ; j'étais en train d'observer quelqu'un, un vieux clochard qui m'avait abordée pour me demander de l'argent et que j'avais suivi le long de High Street. Alors qu'il se penchait sur une poubelle de l'autre côté de la rue, je crus humer une odeur familière, tandis qu'une voix me glissait à l'oreille :

– Qu'est-ce que tu fais ?

Sans détourner mon attention du vieux type, je répondis, comme si on ne s'était séparés que depuis cinq minutes :

– Spider, on est le combien ?

– Sais pas. Le 25 ?

Le clochard venait de sortir un trophée, un demi-hamburger dans sa boîte. Il jeta un rapide regard circulaire pour s'assurer que personne n'allait lui tomber dessus et nos yeux se croisèrent un instant. Alors son numéro apparut : 25112010.

Il fourra le sandwich sous son aisselle, croisa les bras et déguerpit. Je me lançai à sa poursuite.

– Tu vas où ? lança Spider, ahuri.

– Là-bas.

Il me rejoignit :

– Qu'est-ce que tu fiches ?

Je m'arrêtai, sans quitter des yeux le papy qui se faufilait à travers la foule :

– Je veux suivre ce type, chuchotai-je, le vieux avec son pull.

– Pourquoi ? Pas besoin de son fric, j'en ai, Jem. T'as qu'à demander.

– Je m'en tape, de son fric, je veux juste le suivre. Comme si on était des espions.

Spider me dévisagea, l'air de dire que je pétais un plomb, mais se contenta de m'emboîter le pas alors que papy tournait à l'angle de la rue. Il devait se chercher un coin tranquille. Nous étions à dix mètres de lui quand il fit volte-face. Il savait que je l'avais vu sortir ce hamburger. L'air un peu surpris, il pressa le pas.

– On est repérés, mon pote, souffla Spider. Qu'est-ce qu'on fait maintenant ?

Je voulais voir ce qui allait se passer mais sans angoisser le vieux, pas le dernier jour de sa vie.

– Attends un peu. Il s'en va vers le parc, on dirait ? Laisse-le prendre de l'avance. Tu as une clope ?

On s'en alluma une et on se dirigea lentement vers le parc. Au bout de la rue, papy courait presque. Il déboucha sur l'avenue. Plus que la route à traverser, le parc était en face. Il regarda sous son bras – oui, le hamburger s'y trouvait toujours –, jeta un coup d'œil par-dessus son épaule. On avait beau être assez loin, je savais qu'il nous voyait et qu'il commençait à s'inquiéter. J'allais dire à Spider de laisser tomber lorsque, toujours tourné vers nous, papy s'engagea sur la chaussée.

La voiture le frappa de plein fouet dans un bruit assourdissant, l'envoyant valdinguer par-dessus le capot. Ça ressemblait à une pub de la télé, sauf que là, on n'avait pas affaire à un mannequin mais à un vrai corps aux membres éparpillés dans tous les sens, à la tête agitée comme une cloche, qui finit par s'étaler au sol pour ne plus bouger.

Et nous restions là, abasourdis. Il y avait des gens qui criaient, qui accouraient. Spider se lança dans leur direction.

– Viens, on va vérifier s'il va bien.

Moi, je ne tenais pas à en voir davantage. S'il n'était pas encore mort, ça ne saurait tarder, avant minuit, en tout cas. Il vivait son dernier jour et personne n'y pouvait rien.

Spider avait atteint le bout de la rue pour se mêler à la foule et je finis par le rejoindre. À côté de moi, une femme criait à tue-tête, sa copine s'écarta et j'aperçus le corps, un tas de vêtements dépareillés avec quelque chose à l'intérieur. Pas quelqu'un. Papy était parti, là où vont les gens, là où était ma mère. Au ciel ? Plutôt en enfer pour ma mère. Ou nulle part. Juste parti.

J'effleurai le bras de Spider.

– On y va.

Il s'écarta du groupe et m'entraîna vers sa cité pavillonnaire. Encore sous le choc, il secouait la tête :

– On lui a fait peur, mon pote. Il avait la frousse.

– Je sais.

Il ne faisait que confirmer la pensée qui me hantait : *c'est à cause de nous.* J'avais poursuivi papy jusqu'à la route. Sans moi, il se serait retrouvé dans le parc, bien tranquille à manger son hamburger. Peut-être qu'il serait mort d'avoir avalé de travers, ou d'une crise cardiaque. Une autre pensée me taraudait malgré moi : peut-être que ce n'était même pas son dernier jour. Peut-être que ça ne l'était devenu que parce qu'il m'avait croisée.

On se retrouva tout d'un coup chez Spider. Je m'arrêtai devant la barrière.

– Je crois que je vais rentrer chez Karen.

Il me fallait un peu d'espace pour me reprendre.

– Non, entre un peu. Tu ne vas pas rester toute seule après ce qui s'est passé.

J'avais une autre raison d'hésiter. Ces yeux noisette qui voyaient mes secrets.

Comme prévu, Val était perchée sur son tabouret dans la cuisine. Spider se pencha pour l'embrasser.

– Ce n'est pas un peu tôt pour rentrer ? demanda-t-elle en regardant la pendule.

– Quoi ? Tu sais que je suis exclu, mamie ! Qu'est-ce que tu nous fais, là ? Tu perds la boule ? Et Jem, elle a… étude. Un partout.

Il sourit et Val lui rendit son sourire. Elle connaissait le score.

– Alors vous allez vous installer devant vos livres, faire vos devoirs ? demanda-t-elle en me regardant droit dans les yeux.

– On va d'abord décompresser un peu. On vient de voir un vieux clochard se faire écraser.

Elle reposa sa cigarette.

– Il s'en est tiré, au moins ?

– Non. Il est mort. Là, dans la rue en bas du parc. On a tout vu.

Il en avait la voix qui tremblait un peu. Au fond, il n'était pas si dur qu'il voulait bien le faire croire.

Quittant sa place, Val se dirigea vers la bouilloire.

– C'est vrai ? Asseyez-vous là. Je vais vous préparer du thé. Voilà ce qu'il vous faut : une bonne tasse de thé sucré. Fichue circulation, quand même ! On ne peut plus traverser sans se faire écrabouiller.

Tandis qu'elle officiait tranquillement, nous allâmes nous affaler dans le living ; elle finit par nous y rejoindre avec des tasses et des galettes sur un plateau qu'elle déposa sur le pouf avant de s'asseoir dans un fauteuil.

– Ce n'est pas bon pour mon dos, ces sièges, marmonna-t-elle. Allez, buvez-moi ça.

Je ne pouvais rien avaler, mais je regardai Spider et sa grand-mère tremper leurs petits gâteaux et les porter tout dégoulinants à la bouche.

– Alors comme ça, vous vous promeniez dans la rue quand c'est arrivé ? demanda-t-elle.

Je captai le regard de Spider. Inutile de m'inquiéter. Ni lui ni moi ne tenions à nous vanter d'avoir fait passer au vieil homme les dernières minutes de sa vie dans la terreur de nous voir l'attaquer.

– Ouais, c'est ça.

– C'est terrible, quand même. On ne se doute jamais de ce qui nous attend.

Prétextant une envie pressante, Spider me laissa me débrouiller avec elle. Val se pencha vers moi :

— Ça va, Jem ? Ça secoue, ce genre d'histoire, pas vrai ?

— Ouais.

— Tu n'avais jamais vu de cadavre ? C'était la première fois ?

Au moins elle ne perdait pas de temps.

J'aurais mieux fait de répondre que je ne voulais pas parler de ça. Mais, ainsi que je l'avais déjà pressenti, il était inutile de tenter de lui résister.

— Ma mère, soufflai-je.

Sa bouche forma un « O » et elle hocha la tête comme si elle était au courant. Au moins ne faisait-elle pas mine de compatir, j'aimais mieux ça. Je continuai :

— Je l'ai trouvée dans son lit. Overdose. Elle l'avait pas fait exprès. Enfin, je crois pas. La faute à pas de chance.

Elle hocha de nouveau la tête :

— Pas de chance. Comme mon Cyril. Tombé mort à quarante et un ans. Crise cardiaque. Et voilà. On ne savait même pas qu'il avait un problème de ce côté-là. C'est arrivé sans prévenir. Tiens, il est là, sur la cheminée.

Je regardai dans la direction qu'elle indiquait, au-dessus du feu, parmi les chiens en porcelaine et les chandeliers de cuivre ; il y avait une photo encadrée, un de ces portraits comme on en fait dans un studio. Noir et blanc, juste la tête et les épaules. Bel homme, le regard intelligent, qui n'existait plus que sur ce morceau de papier, et qui pourtant possédait encore le pouvoir de vous attirer, qui donnait encore envie de lui sourire.

— Va le chercher, ma chérie.

À contrecœur, je m'approchai de la cheminée.

– Allez, prends-le. Non, pas la photo, Jem. Les cendres, dans cette boîte, regarde.

Qu'est-ce que… ?

En effet, à côté de la photo, il y avait une boîte en bois. J'hésitai.

– Allez ! Il ne va pas te mordre.

J'écartai quelques bibelots et pris la boîte. Je ne l'aurais pas crue aussi lourde, d'un bois épais, avec une petite plaque de métal sur le couvercle : « Cyril Dawson, mort le 12 janvier 1992 à l'âge de 41 ans ». Je l'apportai précautionneusement sur le pouf, près du plateau. Val se pencha dessus, la caressa.

– On dit toujours que c'est terrible de partir si jeune, mais il a eu une belle vie, une belle vie d'homme jeune.

Une main sur le rein, elle ajouta :

– Il n'a pas connu ça, les douleurs, il ne s'est pas vu diminuer, aller à vau-l'eau. Non, il a pleinement vécu sa vie, comme un lion, et il est parti en pleine lumière, comme ça.

Elle claqua des doigts.

– Ce n'est pas si mal. Après, ils nous manquent tellement, ceux qui sont partis. Ils nous manquent.

Revenu dans l'entrée du living, Spider n'avait rien manqué de la scène. Il se précipita pour embrasser sa grand-mère.

– C'est comme ça que tu réconfortes Jem, vieille cinglée ?

– Là, tu ne l'as pas volée !

Val lui envoya une gifle, qu'il intercepta au passage avant de l'embrasser de nouveau. Quand il la relâcha, elle lui posa la paume sur la joue, d'un geste affectueux.

– Il n'est pas méchant, Jem. Allez, tu peux ranger le grand-père.

Étourdiment, je lançai :

— Val, est-ce qu'il avait une large aura, lui aussi ? Je… Cyril… ?

Elle ne masqua pas sa surprise puis sourit, laissant apparaître des dents orange.

— Vois-tu, j'aimerais bien le savoir. Mais je n'ai commencé à les distinguer qu'après sa disparition, ma chérie. Le chagrin et tout, ce doit être ça qui m'a ouvert les yeux à la spiritualité. Avant, je ne voyais rien.

D'un seul coup, sa voix devint un murmure :

— Que vois-tu, Jem ?

Je retournai vers le canapé.

— Que vois-tu ? Je sais que tu vois quelque chose. Nous sommes pareilles, toutes les deux. Nous savons ce que c'est que de perdre quelqu'un.

Elle m'avait prise au dépourvu. J'avais tellement envie de tout lui raconter, de serrer dans mes mains ses doigts déformés, de sentir son pouvoir. Je savais qu'elle me croirait. Et puis cela me ferait tant de bien de partager mon fardeau avec quelqu'un, je me sentirais moins seule. Je commençais à vaciller… elle m'attirait vers elle. Il allait falloir que…

— Mamie, si tu fais ça aux gens que j'amène ici, j'aurai jamais de copains ! Lâche-la un peu !

La voix de Spider venait de briser comme une épée le fil d'énergie qui nous unissait. Libérée, je sursautai.

— Viens, mon pote, je te montre ma nouvelle chaîne hi-fi. Tu vas pas y croire.

Là-dessus, il m'entraîna dans sa chambre.

En sortant du living, je ne pus m'empêcher de jeter un coup d'œil derrière moi. Tout en allumant une cigarette, Val me regardait encore.

# 6

La musique braillait à travers l'escalier. Je me frayais un chemin parmi les jambes et les corps. Les gens faisaient à peine attention à moi, ils étaient trop défoncés, trop les uns sur les autres.

Je cherchais Spider.

— Baz donne une teuf samedi soir, avait-il dit le lendemain de la mort du clochard.

On était retournés au bord du canal et on lançait des cailloux sur une boîte de conserve.

— J'y serai, avait-il ajouté. Tu peux venir quand tu veux à partir de dix heures. C'est au deuxième étage de Nightingale House.

Je ne savais que dire. Il en avait parlé comme si ça allait de soi, mais moi je n'avais aucune intention de passer pour sa petite amie. Je m'habituais tout juste à l'idée d'avoir un copain, c'était déjà un grand pas. Et puis il faudrait que ce soit quelqu'un de bien. Les rares fois où j'y pensais, j'imaginais un beau gosse, pas dix sur dix, d'accord, mais au moins huit. Pas quelqu'un comme Spider, long, dégingandé,

45

toujours en mouvement, qui devait prendre une douche par an. Et n'avait pas quinze jours à vivre.

Je n'arrivais pas à le cerner ; et si ces abrutis de l'école avaient raison, au fond ? Mieux valait quand même me montrer prudente. Je ne suis pas une allumeuse, quand même.

– Spider ? avais-je lancé avec un point d'interrogation dans la voix.

– Ouais.

– Tu sais, à l'école… ce que tu as fait ? Provoquer cette bagarre et tout ?

Il se rembrunit :

– Il t'a manqué de respect, Jem. Ce que tu nous as lu, moi je savais que c'était vrai. Tu le ressentais profondément. Il n'avait pas le droit de se moquer de toi.

– Ouais, je sais que c'est un branleur, mais ça n'a rien à voir avec toi. Tu as fait tout un cirque et tu m'as entraînée là-dedans.

– Il ne pouvait pas s'en tirer comme ça.

– D'accord, mais je n'ai pas besoin d'un chevalier servant, merci. Je suis assez grande pour m'occuper de moi.

Comme il m'adressait un fin sourire, je ralentis mon débit :

– Ce n'est pas drôle. Tu n'as fait qu'empirer les choses. Maintenant je n'arrête pas de me faire charrier ; on se fiche de nous.

Tout d'un coup, il avait l'air prodigieusement intéressé par ses mains ; il ne portait pratiquement plus de traces sur le poing droit.

Et moi j'avais la bouche sèche. Mais il fallait que je mette les choses au point une bonne fois pour toutes.

– Tu sais bien qu'il se passe rien de spécial entre nous, hein, Spider ?

Il releva la tête :

– Quoi ?

– Ce n'est pas comme si… comme si on était ensemble. On est juste potes.

– Ouais, bougonna-t-il. Juste potes, c'est ça.

À croire qu'il tâchait de s'en convaincre, qu'il pensait juste le contraire. Grinçant des dents, je maudissais ce jour-là sous le pont. Pourquoi les gens étaient-ils si compliqués ? Pourquoi m'étais-je laissé entraîner ?

Il se leva, vint vers moi un bras tendu. *Zut, il va me serrer contre lui, il n'a donc rien écouté ?* Mais non, il ferma le poing et m'envoya un léger coup sur le coude.

– Écoute, mon pote, je sais ce que tu ressens. Je t'ai promis de ne jamais te dire de trucs gentils. Et puisque tu mets les choses au point, je te promets de ne jamais rien faire de sympa pour toi, ça va ? Si quelqu'un te manque de respect, je laisserai tomber. Si on t'agresse dans la rue, je laisserai faire. Si je te vois qui brûle, je ne te pisserai même pas dessus. Ça te va ?

Je ne pus m'empêcher de sourire. Je préférais ça : un peu d'humour, mais il gardait ses distances. En fait, il avait raison : il commençait à me connaître. Personne ne savait me taquiner comme lui, au point de m'amuser. D'un seul coup, j'avais presque envie de le prendre dans mes bras. Presque. Bien sûr, je n'en fis rien et on se contenta de se cogner les poings.

– À plus.

– Ouais, Spider, à plus.

– Alors tu viens samedi ? C'est pas un rendez-vous, juste une sortie. Entre potes.

– Sais pas. On va voir.

J'y avais beaucoup réfléchi, à peu près toutes les minutes entre sa demande et le moment où je me retrouvai à grimper cet escalier, deux jours plus tard. Au moins cent fois, j'avais décidé de ne pas y aller, d'abord parce que je n'aimais pas les gens et qu'ils ne m'aimaient pas, ensuite parce que Baz était un vrai malade, un mec dangereux, tout le monde le savait. En plus, Karen ne me laisserait jamais sortir aussi tard. En même temps, c'était la première fois qu'on m'invitait à une soirée et moi j'avais envie de faire comme les autres ; alors je me promis de juste y jeter un coup d'œil, pour voir ce qui s'y passait. Je ne serais pas obligée d'y rester si ça ne me plaisait pas. Quant à Karen, du moment qu'elle ne savait pas ce que je faisais, elle ne risquait pas de s'inquiéter.

J'étais sortie en douce par la cuisine alors qu'elle regardait la télé, mes chaussures à la main pour ne pas faire de bruit dans l'escalier. Dans la rue, j'avais marché à grands pas, protégée par ma capuche. Au fond de ma poche, je serrais le manche de plastique d'un couteau que j'avais piqué à la cuisine, juste de quoi me rassurer. Jamais je ne m'en servirais, je ne suis pas du genre agressive, mais si on me menaçait, j'imaginais qu'une lame pourrait en faire reculer plus d'un, juste le temps pour moi de déguerpir. Et puis, rien que de la savoir là, j'avais pu passer le seuil de la maison pour m'enfoncer dans la nuit. Encore un petit secret qui m'aidait à survivre.

Pas difficile de trouver l'immeuble de Baz : à mesure que je m'en approchais, la musique devenait plus forte. Dans l'escalier, ça hurlait, dans l'entrée, il y avait un monde fou ; pas de chance, moi qui avais espéré trouver Spider sur le palier… Il allait falloir me mêler à tous ces gens, même si c'était à coups d'épaule pour me frayer un chemin. Étant donné que je ne connaissais personne et que je détestais me trouver mêlée à une foule d'inconnus, ce ne serait pas de la tarte, mais trop tard ; et puis j'étais petite pour mon âge, ça me facilitait les choses, les gens n'avaient pas l'air de se vexer d'être ainsi bousculés.

Dans l'appartement, ce fut pire que tout ce que j'avais imaginé : chaleur torride, musique tellement forte qu'on n'arrivait plus à réfléchir, gens serrés les uns contre les autres, des odeurs de clope, de came et de sueur. Et tous ces numéros qui s'alignaient devant moi, en gros plan, impossibles à éviter.

Il paraît que l'espérance de vie augmente, je veux bien, mais ça ne semble pas s'appliquer aux ados du côté de chez moi. La plupart ne dépasseraient pas quarante, cinquante ans et pas mal n'y parviendraient même pas. Sans doute de futures victimes de notre mode de vie : voitures, alcool, drogue, désespoir. J'aurais préféré ne pas le savoir mais je n'y pouvais rien.

Je n'avais pas progressé de trois mètres que je me sentis prise de panique, bloquée entre un type au tee-shirt complètement trempé de sueur et sa copine qui s'était aspergée de laque et de parfum. Impossible de faire un pas de plus et l'espace derrière moi s'était refermé. Je n'arrivais plus à respirer et le bruit était tellement fort qu'il m'avait envahi le cerveau au point de le faire éclater par les oreilles et par le nez. J'avais la tête qui tournait, les jambes flageolantes lorsque je m'aperçus que je n'en avais même plus besoin pour me porter puisque mon corps était soulevé de terre par tous ces êtes qui se pressaient autour de moi.

À travers un court interstice, j'aperçus un logo familier sur un tee-shirt jaune agité de soubresauts en rythme avec la musique. Spider ! Retenant mon souffle, je me jetai à terre pour me faufiler à travers cet océan de jambes. Je refis surface à sa hauteur, m'accrochai à son épaule.

Il se retourna, sourit et me passa un bras autour de la taille. Malgré notre petite conversation, je le laissai faire. Serrée contre lui, je pus enfin me détendre, respirer un peu.

Il me disait quelque chose mais je n'entendais rien. Il se pencha en hurlant :

— Super ambiance, mon pote ! Tiens…

De sa main libre, il me tendit une grosse cigarette. Crevée et abasourdie comme je l'étais, je la pris sans faire attention.

— Vas-y ! me cria-t-il dans l'oreille. C'est du bon.

Je considérai un instant le joint entre mes doigts, la fumée bleue qui en sortait à l'autre bout ; c'était juste de la dope, rien de bien méchant. Soudain, je pensai à ma mère, l'angle de sa tête lorsque je l'avais trouvée sur son lit. Était-ce ainsi que tout avait commencé pour elle ? Un stick sans danger ? Pas question que je me laisse embarquer là-dedans. Je le rendis à Spider.

— Qu'est-ce qu'il y a ? me demanda-t-il.

— Rien. Il fait un peu chaud ici… je voudrais boire quelque chose.

— Enlève déjà ta capuche, Jem, tu vas te liquéfier.

Il avait raison, je sentais la sueur me couler sur le front. Tout en essayant de ne cogner personne du coude, je la repoussai sur mes épaules. Bien entendu, j'avais oublié le couteau, qui tomba par terre. Je retins mon souffle en me demandant ce qui allait se passer. Plusieurs personnes le remarquèrent… et ça les fit rire.

— Hé, pas besoin de ça ici, on est entre bandits d'honneur !

Quelqu'un se pencha pour le ramasser et me le rendre.

– Spider, qui tu nous ramènes, là ? C'est une dure, ta copine !

Un clin d'œil m'indiqua qu'on se moquait de moi. J'avais quinze ans, je mesurais un mètre cinquante-trois, je ne leur faisais pas peur.

– Ouais, sourit Spider, c'est Jem. Faut pas la chercher. Elle est petite mais mauvaise.

En principe, je n'aime pas trop qu'on parle de moi, mais là, dans cette cohue, comme j'avais plutôt l'impression qu'il s'agissait de quelqu'un d'autre, ça m'était égal.

Au bout d'un certain temps, un grand type s'approcha de nous, échangea quelques paroles avec Spider. Il était couvert de tatouages, des pieds à la tête, partout ; mais c'étaient ceux de son visage qui m'impressionnaient le plus. Je n'avais jamais rien vu de semblable. Spider se pencha vers moi en criant :

– Une petite affaire à régler, je reviens dans une minute.

Je les regardai disparaître dans une pièce voisine en essayant de comprendre ce qui se passait. Le type aux tatouages m'avait dévisagée en arrivant. Maintenant, son numéro me tournait dans l'esprit et j'essayais de comprendre... Je n'avais pas tiré une seule taf mais je respirais quand même le shit, l'air en était plein et mon cerveau ne fonctionnait pas comme il aurait dû. Les idées prenaient plus de temps que d'habitude à venir. 11122010. Qu'est-ce que ça voulait dire, déjà ? Et puis tout parut se remettre en place. Le 11 décembre prochain. C'était là que le Tatoué allait mourir. Quatre jours avant Spider. À quoi on jouait, là ?

Toute seule au milieu de ces inconnus, avec tous ces chiffres qui me dansaient derrière les paupières, j'étais plutôt mal. J'essayais de ne pas quitter les potes de Spider, mais

51

je ne les connaissais pas et ils ne me connaissaient pas. Alors je fermai les yeux, comme si je me concentrais sur la musique, en me demandant combien de temps j'allais tenir le coup… si seulement j'avais une chance que Spider remarque mon absence en revenant.

Pour je ne sais trop quelle raison, je les rouvris soudain, peut-être un bruit différent, ou quelqu'un qui m'avait bousculée, je ne sais pas. Dans la salle, ça chauffait. Un groupe de types, dont le Tatoué, s'en prenaient à quelqu'un. Bras et jambes volaient dans tous les sens. Au milieu, les dominant tous d'une tête, il y avait Spider. À l'évidence, c'était après lui qu'ils en avaient, essayant de l'intimider, tandis qu'il levait les mains, l'air de dire *attendez, les gars !* alors qu'ils se rangeaient autour de lui telles des hyènes. Il est grand, Spider, mais il manque d'épaisseur et j'en eus l'estomac retourné de le voir ainsi. Tellement vulnérable.

Au bout de deux minutes, quelqu'un d'autre sortit de la pièce attenante, une casquette de base-ball sur la tête, des lunettes noires sur les yeux. Rien de spécial, sauf qu'il attirait mon regard, peut-être par sa démarche, par son allure. Pas besoin de faire les présentations : c'était Baz, l'Homme de la soirée. Il lança un ordre bref et les autres lâchèrent Spider, qui le remercia ; comme toujours, il en faisait des tonnes, agitant la tête comme un chien de plage arrière, jusqu'au moment où il se retrouva près de moi :

— Viens, Jem, on s'en va.

Il me prit par le bras et, au lieu de l'envoyer promener, je le laissai m'entraîner vers la sortie, trop contente de pouvoir enfin échapper à cette soirée où je n'aurais jamais dû mettre les pieds.

— Ça va ? lui demandai-je.

– Mais oui, c'est cool, tout cool. Allez, on se barre.

Il se fraya un chemin à travers la foule sans cesser de grommeler et de hocher la tête. Pas la peine de bousculer les gens cette fois, ce début de baston n'avait échappé à personne et on s'écartait avec circonspection.

Après l'étuve de l'appartement, il faisait un froid de loup dans l'escalier. On descendit les marches en silence. Spider n'avait pas l'air de vouloir me raconter quoi que ce soit alors je finis par lui poser la question :

– Qu'est-ce qui se passe ?

– Rien.

– Me prends pas pour une conne ! D'un seul coup, tu te retrouves avec une nouvelle chaîne, tu as du blé et tu es invité chez Baz, un mec qui, il y a trois semaines, ne t'aurait même pas craché dessus pour te sauver la vie. J'ai vu tous ces types autour de toi. Dans quoi tu t'es mis ? Tu as des problèmes ?

– Non, Jem, rien du tout. Enfin rien de grave. Ils voulaient juste... vérifier si je n'avais pas merdé. Mais ça se passe tranquille, je te jure. Il faut que j'emporte un petit paquet quelque part et que j'en rapporte un autre.

– Un paquet ?

Cette fois, je paniquai.

– Sérieux, Spider ! Qu'est-ce qu'ils te font faire ?

– Je donne un coup de main, c'est tout.

On allait traverser High Road. Il lança un rapide coup d'œil derrière moi puis se jeta sous un porche, me fit signe de le rejoindre. Il prenait de telles précautions que c'en devenait marrant. Il ne s'y serait pas pris autrement s'il avait voulu se faire repérer.

– Qu'est-ce que tu fiches ?

Il me répondit d'un sourire entendu, comme s'il allait enfin me révéler un mystère, sortit une enveloppe de sa poche intérieure en murmurant :

— J'ai deux mille livres là-dedans.

D'un rapide coup d'œil autour de notre alcôve, je m'assurai qu'aucune oreille indiscrète n'avait pu nous surprendre.

— Ta gueule ! soufflai-je.

— Non, je te jure, rigola-t-il. Deux mille. Tu vois qu'ils me font confiance, Jem.

— Et si tu te fais attaquer ou je ne sais quoi ?

Même dans l'obscurité, je distinguai son large sourire :

— Ça ira. Tu es là pour me protéger, avec ta lame. Tu es mon garde du corps.

— Va te faire !

Je me sentais trop nulle d'avoir apporté ça.

— C'était parce que je sortais la nuit. J'avais peur de…

— Je te critique pas, mon pote. C'est cool. Moi aussi j'en ai pris une.

— Range cette fichue enveloppe avant que quelqu'un la voie !

Ce qu'il fit, puis il sortit en se pavanant, comme s'il venait de gagner au loto. Je ne voulais pas lui gâcher son plaisir, mais il fallait l'obliger à réfléchir pour qu'il ne se laisse pas entraîner trop loin.

— Spider, il se sert de toi. Je sais pas ce qu'il t'a demandé, mais si c'était pas dangereux il le ferait lui-même. C'est toi qui vas te faire piquer, je te raconte pas.

— Arrête, je fais gaffe. J'en ai juste pour quelques mois, un ou deux ans et basta. Quand j'aurai assez de thune, je me casserai.

*Tu n'iras nulle part, mon pote,* pensais-je, la gorge serrée. *Tu en as pour quinze jours, après quoi, fini.* Et je trouvais ça trop triste. Il commençait à se passer de drôles de trucs entre Spider et moi. Pour la première fois de ma vie, je ne faisais pas qu'observer les choses, je m'impliquais. Je commençais à espérer que son numéro était faux, que tout ça ne se produisait que dans ma tête, que ce n'était pas la réalité. Pourtant je savais bien ce qui allait arriver : dans quinze jours, d'une façon ou d'une autre, il y passerait. Et voilà que j'avais envie de l'aider, pire, que je voulais le sauver.

# 7

Bien entendu, en rentrant, je trouvai Karen qui m'attendait et j'eus droit à ma scène habituelle. Pour essayer de la calmer, je me rendis de nouveau à l'école, mais, une semaine plus tard, ce fut de nouveau une catastrophe, dans les grandes largeurs. Il faut quand même dire que mes collègues m'ont à peu près fichu la paix. On m'avait vue à la soirée chez Baz et ça forçait le respect. J'entendais encore parfois quelques réflexions sur Spider et moi, mais c'était plutôt pour rire et pas vraiment moqueur. J'avais désormais droit à un minimum de considération.

– Faut pas énerver Jem. C'est un gangster maintenant !

Je commençais à comprendre pourquoi Spider la ramenait tellement. Ça faisait du bien, parfois, de ne plus se sentir au fond du trou.

Sauf qu'il y avait aussi Jordan et sa bande. Il était revenu à l'école le lundi qui avait suivi la soirée chez Baz et il me tenait à distance, mais je savais qu'il me surveillait. À trois rangs derrière moi, dans la classe, je sentais son regard constamment posé sur ma nuque et ça me donnait des boutons.

Il se démasqua un matin entre deux cours. Je contournais le labo par le jardin quand je sentis qu'on me suivait ; en regardant derrière moi, j'aperçus deux potes de Jordan. *Arrête, je ne vais pas courir, quand même !* Alors je continuai à marcher jusqu'à ce que je tombe sur Jordan en personne qui me balança une bourrade dans la poitrine.

– Tu vas où, gangster ?

– C'est pas tes oignons. Laisse-moi passer.

– Non, je veux te parler.

– Je n'ai rien à te dire.

J'arrivais à lui tenir tête, pourtant j'avais le cœur qui battait à tout rompre. Ils m'entraînèrent dans un coin désert. Cinq contre une, je n'avais aucune chance, à moins de recourir à mon arme secrète : je serrais dans ma poche le manche du couteau.

– Je te sens pas, Jem, et ton copain non plus.

– C'est pas mon…

– La ferme ! Je parle.

Il aimait ça, se sentir le patron. Ça me saoulait que ce bâtard et ses chiens cherchent ainsi à m'intimider. Je sais, j'aurais dû baisser les yeux, la boucler, peut-être même me laisser un peu tabasser. Mais c'était plus fort que moi, dans ces moments-là, j'oubliais toute prudence.

Je sortis le couteau, le brandis sous son nez :

– Non, c'est toi qui la fermes. Je n'ai pas à t'écouter. Alors tu vas me laisser passer et me fiche la paix.

Ils s'étaient tous immobilisés, les yeux braqués sur la lame. J'en profitai pour écarter Jordan qui ne m'opposa plus de résistance. Un quart de seconde, j'en fus soulagée, jusqu'au moment où je faillis rentrer dans McNulty. Il m'attrapa le poignet et serra si fort que le couteau tomba à terre. Sans me lâcher, il sortit un mouchoir de sa poche pour le ramasser, comme un flic à la télé en train de recueillir des preuves, l'air ouvertement triomphant. Il me tenait. L'enfoiré.

— C'est fini ! lança-t-il. La cloche va sonner. Regagnez vos classes.

Et de ricaner à mon adresse :

— Quant à vous, vous venez avec moi.

Les doigts toujours serrés sur mon poignet, il m'entraîna vers le bureau du directeur. Pour une fois, on ne nous fit pas attendre à l'entrée ; McNulty traversa le secrétariat d'une traite, pour aller frapper à la porte du fond, ouvrir et me faire entrer d'un air important :

— Monsieur, nous avons un sérieux problème à régler. Je viens de surprendre Jemma Marsh en train de menacer un autre élève avec un couteau.

Il plaça sur le bureau l'objet du délit.

Occupé à signer des papiers, le directeur eut un mouvement de recul, comme si McNulty venait de lui déposer une bombe qui faisait tic-tac.

— Je vois, maugréa-t-il en nous dévisageant l'un après l'autre.

Puis il décrocha son téléphone :

— Mademoiselle Lester, veuillez appeler la police, je vous prie. Nous avons une élève armée d'un couteau. Oui. Merci. Et prévenez aussi le foyer de Mlle Marsh.

Alors le cinéma commença : les questions, la morale, les accusations, la déception. Outre le directeur et la police, on fit également venir Karen et mon assistante sociale, Sue. Le bureau se retrouva plein à craquer.

— Je ne sais pas si vous vous rendez compte de ce que vous risquez en vous promenant ainsi avec une arme offensive, en menaçant vos petits camarades, sans parler de votre attitude dissipée en classe, de votre insolence…

Et ainsi de suite. Je ne répondais pas, je me contentais de les regarder me parler chacun à son tour, j'espérais seulement que, si je parvenais à garder mon calme, ils finiraient par se lasser et que tout ça se tasserait. Mais je ne me faisais pas d'illusions. Le couteau trônait devant moi, silencieuse pièce à conviction. Belle gaffe que j'avais faite, en l'apportant à l'école. Cette fois, ça ne plaisantait plus. Je n'allais pas m'en sortir facilement.

Il fut bientôt question de m'emmener au poste de police et je ne vous dis pas l'excitation de toute l'école quand la fourgonnette arriva. Ils étaient tous aux fenêtres et aux portes. Je ne remettrai sans doute jamais les pieds ici. Toutes choses dont, au fond, je me fichais éperdument ; alors que, quand je pensais à Spider, mon cœur se serrait. Si on me mettait en prison, est-ce que je le reverrais un jour ?

J'eus droit à la totale : la fouille, les empreintes… Je pense qu'ils faisaient ça pour m'intimider, mais rien ne pouvait m'atteindre. J'étais là, mais je voyais la scène de loin, sans me sentir concernée.

Je fis bien tout ce qu'on me dit de faire, sans opposer de résistance, mais je n'ouvris pas la bouche. Ils essayèrent la gentillesse :

— Vous devez comprendre que c'est très dangereux d'avoir un couteau sur soi. D'abord, on peut retourner cette arme contre vous.

Ils essayèrent les menaces :

— Vous risquez la garde à vue et le tribunal. Des petits délinquants comme vous, on en a maté plus d'un.

Karen et Sue restèrent avec moi à tour de rôle. Elles aussi essayèrent de me parler. Karen, surtout, qui faisait son possible pour m'arracher quelque chose. Elle allait perdre toute chance de me garder auprès d'elle.

— Jem, il faut absolument que tu racontes ce que tu sais. Je suis sûre que tu n'es pas violente. Tu me l'as prouvé, à la maison. Alors que s'est-il passé ? Si tu me le dis, ça aidera à te disculper.

Ses paroles entamèrent quelque peu ma carapace, se frayant un chemin à travers mon cerveau. Elle finirait par me convaincre qu'on pourrait m'écouter, mais par où commencer ? Par Jordan, par McNulty, par Spider et la soirée, par maman, tout en sachant qu'on n'était jamais en sécurité nulle part et que tout ça finirait par s'arrêter, aujourd'hui, demain, après-demain ? Je ne pouvais pas, ce serait comme arracher sa coquille à un escargot, ensuite je n'aurais nulle part où me réfugier. Alors je gardais les yeux baissés en essayant de ne pas écouter ce qu'elle disait, de rester ferme.

Au bout de cinq bonnes heures, on me remit entre les mains de Karen, étant entendu que je devrais repasser au poste trois jours plus tard pour savoir si j'allais être inculpée ou non. Pour couronner le tout, j'étais exclue un mois de l'école. Je ne pouvais plus sortir de chez Karen, le temps que les services sociaux décident ce qu'ils allaient faire de moi. Il ne me restait plus qu'à attendre sans bouger le sort qui allait m'être réservé, le « nouveau départ », loin de ce quartier, loin de Spider, le seul ami que j'aie jamais eu.

Je me tapis dans ma chambre, révoltée par tant d'injustice. Pourquoi Jordan s'en sortait-il si bien après m'avoir menacée ? Pourquoi s'en prendre à moi alors que je ne faisais que me défendre ? Pourquoi pensait-on que les choses se passeraient mieux pour moi ailleurs ? Ce n'est pas en vous faisant déménager qu'on va résoudre vos problèmes. On ne faisait que se débarrasser de quelqu'un pour encombrer quelqu'un d'autre.

Je donnai un coup de poing dans l'oreiller, sans faire de bruit. Lamentable réaction. Je me levai pour aller balayer d'un geste tout ce qu'il y avait sur la commode, ma brosse, mes boucles d'oreilles et quelques livres ; comme ça ne me suffisait pas, je déchirai un tee-shirt. Ça commençait à aller mieux. Je pris tout ce qui me tombait sous la main pour le casser, l'envoyer à travers la pièce. Mon lecteur CD braillait les Red Hot Chili Peppers. Je le saisis et le jetai de toutes mes forces contre la glace, arrachant au passage la prise de courant. Comme il en restait encore une grosse partie apparemment intacte, j'ouvrai la fenêtre et le flanquai aussi loin que je pus. Il rebondit en atterrissant sur le chemin de l'entrée.

Karen surgit brusquement, mais au lieu de la furie à laquelle je m'attendais, j'eus droit à un coup de colère glaciale :

– Espèce d'idiote ! Qu'est-ce qui te reste, maintenant ?

Là-dessus, elle repartit. Je l'écoutai descendre l'escalier et me laissai glisser le long du mur, les genoux contre le menton. Je ne possédais déjà pas grand-chose et, vu ce que je venais d'en faire, il ne me restait effectivement plus rien.

Marre d'être moi. De patauger dans la confusion depuis des années, de ne m'entendre avec personne. Juste au moment où ça commençait à aller mieux, tout avait de nouveau basculé. Alors je restais là, bloquée dans mon incompréhension. Jusqu'à ce qu'une drôle d'idée me traverse l'esprit. Je n'avais plus rien, alors je pouvais faire ce que je voulais maintenant. Plus rien à perdre.

# 8

Je m'éveillai à même le sol, entourée de tout ce que j'avais cassé. La dernière idée que j'avais eue avant de m'endormir me trottait encore dans la tête. Plus rien à perdre. Que pouvait-on m'infliger de plus que ce qui m'attendait déjà ?

Je consultai ma montre qui fonctionnait encore malgré son verre fendu. Sept heures moins vingt. J'étirai mes jambes engourdies, me levai et me dirigeai vers le palier, descendis lentement, marche après marche. Dans la cuisine, je me servis un jus d'orange, me fis griller deux toasts que j'enduisis ensuite de beurre de cacahuète avant de sortir tout en mangeant.

Pas beaucoup de monde dans la rue bien qu'on entendît déjà le grondement de la circulation, mais celui-ci ne cesse jamais vraiment à Londres. Devant l'entrée d'une maison, je volai une bouteille de lait, de quoi me rincer le gosier.

Voilà longtemps que je ne m'étais plus sentie aussi apaisée. D'un moment à l'autre, on allait me rattraper, me faire la morale, m'enfermer, me déménager, mais, en attendant, j'étais libre.

Ma bouteille à la main, je descendis vers le canal pour la boire sur les rails où j'avais eu ma première conversation avec Spider. La lumière commençait à lécher les bords du ciel, mais tout était encore gris, les bâtiments, les murs, l'eau, le ciel. On pouvait prendre une photo couleurs, elle rendrait comme en noir et blanc. Ce qui correspondait à mon état d'esprit. Je me sentais calme, paisible, je vivais dans l'instant. Je vivais, simplement.

Lorsque j'eus vidé la bouteille ou presque, je la déposai sur le bord du canal, ramassai une poignée de cailloux que j'envoyai dessus un à un. Certains passèrent à côté, on les entendait entrer dans l'eau, *plop !*. Quand ils atteignaient leur cible, ça la faisait vaciller, mais la bouteille ne tombait pas par-dessus bord. J'en sélectionnai de plus gros, me concentrai. Le premier fila droit dans le canal, mais le deuxième toucha le goulot et l'entraîna vers l'eau où elle tomba dans un léger claquement. Je me redressai pour la regarder s'éloigner en flottant, balancée par le léger courant. Je me pris même à regretter de ne pas y avoir glissé de message. Ça m'aurait amusée d'imaginer qu'un gosse de France ou de Hollande la retrouve sur une plage, avec mes compliments : « Va te faire foutre. Salutations de l'Angleterre. »

La bouteille se trouvait maintenant à une vingtaine de mètres de moi. J'avais presque envie de la suivre, pour voir où ça me mènerait. Mais ce n'était pas ainsi que je voulais passer mes dernières heures de liberté avant qu'on ne me retrouve. J'avais envie de dire au revoir à mon pote, aussi je remontai le chemin qui menait aux magasins pour regagner la cité de Spider. Il n'était encore que sept heures et demie et rien ne bougeait. J'arrivai devant la porte d'entrée, levai la main vers la sonnette. Je ne savais pas trop si je n'aurais pas l'air désemparée, affolée, de me pointer comme ça, à une heure pareille. J'essayai doucement de pousser la porte, au cas où... elle céda aussitôt et une bouffée de cigarette me parvint aux narines.

J'entrai et je la vis, Val, perchée sur son tabouret, une tasse de thé dans une main, une clope dans l'autre. Ce n'était pas vrai, elle dormait là, ou quoi ?

— Ça va, ma chérie ? demanda-t-elle. Entre. Tu es une lève-tôt, dis-moi. Tu as des ennuis ?

Comme j'acquiesçais de la tête, elle ajouta :

— Tiens, il y a du thé, prends une tasse dans l'évier, sers-toi et viens me rejoindre.

C'est ainsi que Spider nous trouva quand il émergea, vers neuf heures, toutes les deux assises devant le comptoir, une deuxième théière bien entamée, à côté d'une soucoupe débordant de mégots. Il entra en traînant des pieds, en vieux pantalon de jogging et tee-shirt, les yeux gonflés comme s'il venait de dormir cent ans. Déjà il était mal attifé dans la vie de tous les jours, mais là on aurait dit qu'il était passé sous un camion.

— C'est quoi, ça ? articula-t-il d'une voix pâteuse.

Le « ça » étant moi, c'est-à-dire quelqu'un d'autre que sa mamie pour l'accueillir au petit déjeuner.

— Jem est passée te voir, expliqua celle-ci. Elle a des ennuis, je crois.

Comme il m'interrogeait du regard, je me lançai :

— Je suis dans la merde, Spider. On veut encore me bouger ailleurs.

Sans trop savoir pourquoi, j'avais l'impression de sentir mon menton trembler ; alors je me retournai en hâte et ce fut là qu'il dit exactement ce qu'il fallait dire :

— On les laissera pas faire ! On va partir tous les deux. J'ai du fric.

À cette nouvelle, Val cligna des yeux mais ne dit rien.

– Ils vont venir te chercher ici, continuait Spider. On n'a qu'à aller en ville.

Il s'était remis à danser sur la pointe des pieds, comme s'il avait récupéré toute son énergie. Il frappa des mains :

– Allez, on y va ! Verse-moi une tasse pendant que je mets mes chaussures.

– Tu as quand même le temps de prendre une douche et de choisir des vêtements propres, dit Val. Il y a tout ce qu'il faut dans le placard.

Il lui décocha une grimace dégoûtée :

– C'est bon, lâche-moi !

– Non, ce n'est pas bon. Tu empestes tellement qu'on pourrait couper au couteau l'air qui t'entoure.

Elle se tourna vers moi :

– Ah, les garçons ! Qu'est-ce qu'on peut y faire ?

Malgré ses protestations, Spider revint peu après avec un jean et un tee-shirt propres. Mais il n'avait certainement pas eu le temps de se laver. Il avala son thé, se pencha pour embrasser Val.

– Je suppose que je devrais vous dire d'aller à l'école, bande de sales gamins, mais comme vous êtes tous les deux exclus… Allez, passez une bonne journée. Je ne raconterai rien si on vient vous chercher ici.

Elle me regarda d'un air des plus sérieux, mais j'y sentais une certaine chaleur. *Spider, pauvre naze, tu en as de la chance d'avoir une mamie comme ça !* Moi, si j'avais quelqu'un comme elle dans ma vie, je verrais les choses sous un autre angle.

Il attrapa son sweat en criant :

– Salut, mamie, à toute !

Dehors, la vie battait son plein. Autant, tout à l'heure, j'avais l'impression que la ville m'appartenait, que je pouvais y faire ce que je voulais, autant, maintenant, Spider et moi n'étions plus que des fourmis parmi des millions d'autres. Le soleil était aussi de la partie. La journée s'annonçait froide mais lumineuse.

— Pas besoin de marcher, aujourd'hui, annonça-t-il. On peut prendre le métro, même un taxi si tu veux.

— Tu as combien sur toi, Spider ?

— Soixante livres… rien qu'à moi. Il faut que je sois rentré ce soir, j'ai encore du business qui m'attend. Mais on a la journée pour nous. Où tu veux aller ?

— J'en sais rien, Oxford Street ?

— D'accord.

Dressé de toute sa hauteur, il tendit un bras solennellement, comme pour me montrer le chemin, et déclama d'une voix d'aristo :

— Un peu de lèche-vitrines, madame, est-ce là votre désir ? Les gens se retournaient.

— La ferme, Spider !

Il en parut tout déconfit.

— Viens, pauvre taré, ça marche.

Et ce fut moi qui le précédai vers le métro, jusqu'à ce qu'il me dépasse dans la station pour prendre les tickets.


— C'est grave des escrocs, mon pote. Seize livres pour monter dans ce truc !

Il désignait la grande roue avec des gestes furieux. Nous venions de presque tout dépenser dans Oxford Street, en lunettes de soleil ridicules, en chapeaux et en Big Mac. Avec soixante livres, on ne va pas loin, à Londres.

Là aussi, les gens le regardaient. Même s'il ne le faisait pas exprès, il attirait l'attention : un Black d'un mètre quatre-vingt-quinze qui éructait au beau milieu du parc, ça se voyait. *Bientôt, les gens vont lui jeter des pièces.* Tous ceux qui faisaient la queue pour passer à la caisse l'observaient en riant, comme s'ils avaient droit à un numéro de cabaret. Certains se donnaient des coups de coude en se glissant des commentaires ou en riant. En se fichant de lui, comme Jordan.

— Laisse tomber, lui dis-je. De toute façon, je n'ai pas envie d'aller dans ce truc pourri. Viens, on va ailleurs.

Mais il était lancé :

— Ici, tout est fait pour ces enfoirés de touristes ! Et nous alors ? Et les gens normaux qui n'ont pas seize livres à dépenser pour un tour de chevaux de bois ?

Certaines personnes commençaient à paraître mal à l'aise et posaient les yeux ailleurs en échangeant des regards inquiets. Et moi, j'étais morte de rire devant leur réaction. Il les secouait un peu.

En tête, ce couple de touristes japonais qui portaient tous les deux le même anorak bleu, le même bonnet de laine, les mêmes gants. Le temps qu'ils détournent la tête, j'avais repéré leur numéro et cela me donna un choc. Le même pour les deux. Bizarre. Quelles chances avaient-ils de mourir ensemble si ce n'était dans un accident ? Alors seulement je digérai l'information : 08122010. Aujourd'hui. Qu'est-ce que… ?

Je me retournai pour les suivre des yeux car ils nous tournaient le dos à présent. Au fond, j'avais dû me tromper. Il faudrait que je vérifie. Je décidai de remonter la queue pour revenir dans leur direction et les croiser à nouveau. Tout à son indignation, Spider ne s'aperçut même pas que j'étais partie.

La file d'attente était très dense. Je me glissai entre un jeune type en survêtement et sac à dos, et une vieille dame en manteau de tweed et sac de paille.

— Excusez-moi.

J'aurais aussi bien pu ne rien dire car elle s'écarta d'office. Au moins je remerciai, ce qui me valut un léger sourire mais ne l'empêcha pas de serrer son sac sans me quitter des yeux. Nos regards se croisèrent et je vis son numéro. Je ne pus m'empêcher de m'arrêter sur place, de la dévisager. 08122010.

Je n'y croyais pas ! Qu'est-ce que ça voulait dire ? J'en eus des frissons dans le dos. Et je n'arrivais plus à bouger, les yeux fixés sur elle.

Elle retint son souffle. Visiblement, je lui faisais peur.

— Je n'ai pas beaucoup d'argent, souffla-t-elle.

Elle serrait son sac si fort qu'elle en avait les mains toutes blanches.

— Quoi ? demandai-je.

— Je n'ai pas beaucoup d'argent. C'est une folie, je sais… j'ai économisé sur ma retraite…

Ça fit enfin tilt dans ma tête : elle croyait que j'allais l'agresser.

— Non, dis-je en reculant d'un pas. Non, je ne veux pas de votre argent. Ce n'est pas ça. Excusez-moi.

Je heurtai le type devant nous et il se retourna, me cognant au passage de son sac à dos. *Il va me taper dessus,* songeai-je. Alors je repartis du côté de Spider.

— Pardon, marmonnai-je, la tête basse et les mains dans les poches. J'ai pas fait exprès.

– Ce n'est pas grave. Peu importe.

Je le regardai par-dessous ma capuche. Il avait l'air au moins aussi décalé que moi dans cet endroit, son front trempé de sueur, comme le mien.

– Tout va bien ? ajouta-t-il en hochant la tête.

Comme s'il cherchait mon approbation.

– Ouais, ouais, ça va.

Je fus presque étonnée de m'entendre m'exprimer comme un être humain normal, alors qu'au fond de moi ma vraie voix poussait un hurlement de terreur. Lui aussi portait ce numéro. 08122010.

Il allait arriver quelque chose à ces gens-là.

Aujourd'hui.

Ici.

Je filai rejoindre Spider qui continuait d'invectiver la foule comme un malade.

– Hé, Spider, faut y aller !

Il s'en fichait de ce que je disais, il ne s'intéressait qu'à son petit monde, qu'à ses petites affaires. Je l'attrapai par la manche :

– Hé, mon pote. On y va, maintenant.

Il n'entendait même pas la peur dans ma voix, il ne sentait pas que ma main tremblait sur son bras.

– Je vais nulle part. J'ai pas encore fini.

– Si, Spider ! On s'en fiche. On se casse tout de suite.

Chaque seconde qui passait nous rapprochait de ce qui allait balayer la vie de ces gens et j'avais le cœur qui battait si fort qu'il allait finir par exploser dans ma poitrine.

– Je vais parler au patron de ce truc. Il faut leur expliquer à ces gens, leur mettre les points sur les « i ». C'est trop nul d'exploiter le monde comme ça. On devrait pas les laisser faire. On…

Il n'écoutait rien. Impossible d'attirer son attention.

— ... supporte trop de saloperies de ce genre dans ce pays. On nous traite comme des sous-citoyens. On...

D'un seul coup, je lui balançai ma main en pleine figure, de toutes mes forces. *Vlan !* Il s'interrompit, abasourdi, porta une paume à sa joue.

— Qu'est-ce que tu fous, là ?

— Tu ne voulais pas m'écouter, aussi ! Il faut qu'on s'arrache tout de suite. S'il te plaît, Spider. Viens vite !

Je le saisis par le poignet et l'entraînai au pas de course. Cette fois, il me suivit sans plus résister. Au point que je dus le lâcher parce qu'il me dépassait. Encore cinquante mètres et ce fut à lui de m'attendre ; ensuite on continua le long du quai, on traversa Hungerford Bridge pour ne nous arrêter qu'au milieu et enfin jeter un regard derrière nous, voir le chemin qu'on avait parcouru. Tout semblait se passer normalement, rien à signaler.

— Qu'est-ce que tu me fais, Jem ?

— Rien. Tu embêtais ces gens, c'est tout. Ils auraient fini par appeler la police

Ça aurait bien fini par arriver, non ? Cependant, je n'arrivais pas à m'en convaincre moi-même, et mon ton devait sonner affreusement faux.

— Arrête le mytho ! Tu es blanche comme un fantôme ! Qu'est-ce qui cloche, chez toi, mon pote ?

Devant cette ville tranquille sous le soleil, je me sentais soudain complètement folle. Même moi, je ne pouvais plus croire à ces idées stupides qui me volaient dans la tête : *numéros, date de la mort, désastre...* Quelle histoire je m'étais racontée là !

— Ça va, Spider, c'est bon ! J'ai juste eu une crise de panique. Je vais mieux maintenant.

J'essayai de détourner la conversation :

– Pardon de t'avoir frappé.

Je lui caressai la joue pendant au moins une seconde.

– Ça fait mal ?

Il eut un sourire gêné.

– Encore un peu. J'aurais jamais cru que tu pourrais m'en coller une pareille. Avec toi, Mike Tyson ferait pas de vieux os.

– Pardon.

– Pas de problème.

Il souriait. Et on restait là, sur le pont, à regarder la Tamise, lorsqu'on entendit l'explosion. La grande roue éclata en mille morceaux.

# 9

Tout le monde l'a vu une bonne centaine de fois à la télé. Vous savez donc ce dont nous avons été témoins ce jour-là : l'explosion, les débris qui volaient en tous sens, la colonne de fumée, une nacelle complètement détruite, les autres déchirées, tordues par l'impact. Autour, les gens s'étaient immobilisés pour tâcher de voir ce qui se passait. De notre place, on entendait les hurlements portés par l'eau du fleuve.

Spider avait crié comme moi :

— C'est pas vrai !

Et c'est à croire que tous nos voisins sur le pont avaient également dit ça… peut-être une sorte de prière qui sortait de tous les cœurs à la fois. On est restés à regarder, une minute ou deux, alors que la poussière retombait et que, déjà, résonnaient les sirènes. Je n'en revenais pas. Moi qui commençais tout juste à douter de la véracité de ces numéros, à me dire qu'il ne s'agissait que d'un jeu débile que j'avais inventé… Obligée de constater qu'il n'en était rien ; je voyais vraiment la date de mort des gens et il en serait toujours ainsi. Je frissonnai.

– Viens, Spider, murmurai-je. On rentre chez nous.

Ce qui m'attendait chez Karen ne pouvait être pire que de regarder Londres ramasser ses morts. J'allais partir quand je constatai que Spider ne bougeait pas.

– Viens, insistai-je. On y va.

Toujours accoudé à la balustrade, il tourna vers moi un regard aussi effaré qu'accusateur. Je compris alors ce qui allait se passer, je ne pourrais m'y soustraire. Sans me quitter des yeux, il laissa tomber :

– Tu savais. Tu étais au courant.

Cinq mètres environ nous séparaient, si bien qu'il avait parlé assez fort pour être entendu de plusieurs autres personnes. Des têtes se tournèrent vers nous.

– La ferme, Spider ! soufflai-je.

– Non ! Sûrement pas. Tu savais. Qu'est-ce que tu nous fais, Jem ?

Il se redressa, vint vers moi.

– Rien. Arrête !

Il était tout près de moi, maintenant, et faisait un geste pour m'attraper. Je plongeai juste à temps pour l'esquiver et m'enfuir. Avec tous les gens qu'il y avait sur le pont, je dus me frayer un chemin parmi eux. Spider courait beaucoup plus vite que moi, mais il était grand et maladroit et j'entendais les protestations de ceux qu'il bousculait. Parvenue sur l'autre rive, je courus à l'aveuglette à travers les rues, cependant il ne fallut pas longtemps à Spider pour me rejoindre. Il me saisit par le bras, m'obligeant à virevolter vers lui.

– Comment tu savais ce qui allait se passer, Jem ?

On était tous les deux aussi essoufflés.

– Mais je ne savais rien, arrête !

– Si, Jem, tu savais. Qu'est-ce que c'est que cette histoire ?

J'essayai de me dégager, seulement il me tenait bien, me submergeait de sa taille et de sa force. Impossible de lui échapper. Il commença par me tenir les deux bras puis, me voyant venir quand je voulus lui mettre un coup de boule, il me repoussa sans pour autant me lâcher. Je devenais folle. Ce furent mes pieds qui lui cognèrent les jambes. Il accusa les coups mais tint bon.

— Non, mon pote, tu vas d'abord me dire ce qui se passe.

Les gens nous regardaient. Soudain je cessai d'opposer toute résistance pour retomber inerte entre ses bras. *Je ne veux plus faire ça toute seule. C'est fini.*

— D'accord, dis-je. Mais pas ici. On retourne au canal ?

En remontant Edgware Road, on trouvait une ruelle d'arrière-boutiques qui y menait tout droit. Au moins n'y avait-il plus personne autour de nous. J'avais perdu toute force dans les jambes, elles ne me porteraient plus long-temps.

— Il faut que je m'asseye, dis-je faiblement.

Je me laissai tomber sur un banc cassé. Il y manquait une latte et on avait l'impression de passer à travers. Spider s'as-sit à côté de moi.

— Tu as pris de drôles de couleurs. Pose ta tête sur tes genoux.

Comme je me penchais en avant, un bourdonnement m'envahit les oreilles. L'intérieur de ma tête vira au rouge puis au noir.

— Hé, tombe pas, gamine !

J'entendais sa voix de très loin, au bout d'un tunnel. Lorsque je rouvris les yeux, tout était à l'envers. Il me fal-lut un certain temps pour me rendre compte que j'étais al-longée par terre. J'avais fini par passer à travers le banc, pourtant ma tête reposait sur un oreiller malodorant mais doux : le sweat à capuche de Spider. Celui-ci allait et venait autour de moi, agitant la tête, se tordant les doigts, grommelant entre ses dents.

— Hé ! lançai-je d'une voix râpeuse.

Il s'arrêta pour venir s'agenouiller devant moi.

— Ça va, mon pote ?

— Je crois.

Il m'aida à me rasseoir lentement. Je tremblais, alors il me tendit son sweat.

— Tiens, mets ça.

— Non, ça va.

Je n'avais aucune envie de sentir ce vêtement sur les miens, sur ma peau. Je frissonnai de nouveau tandis qu'il me contournait. Je ne savais pas ce qu'il voulait et j'allais lui dire de s'en aller quand je me rendis compte qu'il m'avait enveloppée de son sweat. Ça me fit penser à ma mère quand elle nous entourait toutes les deux d'une couverture sur le canapé, parce qu'il faisait trop froid dans l'appartement, les jours où elle était bien lunée. J'avais les yeux qui me brûlaient, qui me coulaient sur la joue. Je pleurais. Moi qui ne pleure jamais. Je reniflai un grand coup, m'essuyai le visage du dos de la main.

— Tu vas m'expliquer, maintenant ?

Je gardais les yeux baissés. Si j'avais jamais eu un ami, c'était Spider. Pouvais-je lui faire confiance ?

— Oui, soupirai-je.

Et je lui racontai tout.

# 10

Le silence était retombé, un silence plein d'images et de sensations, de non-dits et d'émotions. Et nous restions là tandis que résonnaient les rumeurs de Londres dans le chaos, à un kilomètre de là, sirènes, Klaxon, hélicoptères. J'étais encore sous le choc de ce qui venait de se passer, abasourdie d'avoir osé me confier à quelqu'un. Mon corps et ma tête ne fonctionnaient plus normalement. Je n'osais pas regarder Spider, j'avais parlé les paupières baissées, d'un ton absent, comme si ce n'était pas moi qui avais dit toutes ces choses.

Il m'avait écoutée penché en avant, les coudes sur les genoux. Jamais je ne l'avais vu à ce point immobile. À la fin, il poussa un long soupir.

— C'est pas vrai, j'y crois pas !

On aurait presque dit qu'il avait peur.

— Si, Spider, c'est la pure vérité. Je savais que quelque chose allait se produire parce que ces gens affichaient tous le même numéro. Et tu vois…

— Arrête, c'est trop bizarre. J'ai les jetons, là !

– Je sais. Ça fait quinze ans que je vis avec ça.

Et ces idiotes de larmes qui n'arrêtaient pas de couler.

– Le vieux clochard, celui qui s'est fait écraser, tu avais aussi vu son numéro ? C'est pour ça que tu voulais le suivre…

Je hochai la tête et il y eut un nouveau silence.

– Ma grand-mère est au courant ? Vous êtes pareilles, toutes les deux ? Moi, je me disais qu'elle était folle, qu'elle racontait n'importe quoi. Mais elle savait que tu étais différente. Vous êtes deux sorcières ! La vache !

Je me redressai en essayant de respirer plus calmement. Deux canards remontaient le canal à contrecourant, deux petits êtres qui se fichaient du reste du monde. Ce devait être si facile d'être un oiseau, un animal, de vivre au jour le jour, sans même se rendre compte qu'on était vivant et qu'on finirait par mourir.

Spider s'était levé et faisait les cent pas sur les pierres du rebord. Il marmonnait, histoire sans doute de digérer ce que je venais de lui raconter. Il ramassa une poignée de cailloux qu'il se mit à jeter un à un sur les canards. Il dut en toucher un car tous deux se mirent à battre des ailes.

Il fit volte-face :

– Tu vois les numéros de tout le monde ?

Je baissai de nouveau les paupières. Je le voyais venir.

– Oui, quand je les regarde dans les yeux.

– Alors tu connais le mien.

Comme je ne répondais pas, il répéta :

– Tu connais le mien.

– Oui.

– Et merde ! Je suis pas sûr d'avoir envie de savoir.

Il s'accroupit, se prit la tête dans les mains.

*Ne me le demande pas, Spider.*

– Je ne te le dirai pas, ajoutai-je vivement. Je ne pourrais pas. Ce ne serait pas bien. Je ne le dirai jamais à personne.

– Pourquoi ?

Il avait relevé la tête et, comme nos yeux se croisaient, je vis réapparaître ce fichu numéro. 15122010. J'avais envie de l'arracher de ma tête, de l'effacer, comme si je ne l'avais jamais vu.

– Parce que ça te ferait flipper, ça te ferait trop peur. Tu ne mérites pas ça.

– Et si quelqu'un n'avait plus beaucoup de temps à vivre ? S'il savait, ça lui permettrait de faire ce qu'il a toujours rêvé de faire, non ?

– Peut-être, mais ce serait comme vivre dans le couloir de la mort. Chaque jour le rapprocherait de la fin. Pas question. Personne ne mérite un sort pareil.

Sauf que c'est ce qui nous arrive à tous. On peut se raconter ce qu'on veut, on sait bien que chaque jour nous rapproche de la fin.

Spider se releva en se grattant la tête, envoya à coups de pied encore quelques cailloux dans l'eau.

– J'ai besoin d'y réfléchir. Tu m'as fait flipper.

Une sirène hurla dans une rue voisine.

– Viens, on se casse.

Prête à le suivre, je lui tendis son sweat et on repartit le long du canal. Les gravillons craquaient sous nos pas alors qu'on longeait les murs couverts de graffitis. La plupart des bâtiments tombaient en ruine, sauf quelques-uns, fraîchement retapés pour se voir transformés en bureaux de luxe, en restaurants ou en bars à vin, îlots de lumière dans un océan de grisaille. Les bruits parurent s'apaiser autour de nous, au point que le calme ambiant en devenait inquiétant, comme si tout venait soudain de s'arrêter.

En approchant de la cité pavillonnaire, on traversa la rue commerçante. Quelques personnes s'étaient rassemblées devant la vitrine du marchand de téléviseurs. On se joignit à eux. Une dizaine d'écrans montraient tous la même image. La grande roue de Londres ne tournait plus. Il en manquait un bout, comme si quelqu'un avait mordu dedans ; une nacelle avait disparu, les autres étaient toutes tordues et il y avait des saletés par terre. Sauf que ce n'étaient pas des saletés, mais des morceaux de gens et leurs affaires. La caméra s'arrêta sur du tissu bleu, un reste d'anorak bleu, puis sur un objet battu par le vent, un débris de sac de paille. Et les sous-titres qui se succédaient : ATTAQUE TERRORISTE SUR LA GRANDE ROUE DE LONDRES… BILAN DES MORTS ET DES BLESSÉS ENCORE INCONNU… LA POPULATION EST INVITÉE À LA PLUS GRANDE PRUDENCE EN CAS DE NOUVELLES ATTAQUES…

On resta des heures devant cette vitrine. À côté de moi, Spider ne cessait de jurer, complètement sonné. La nouvelle passait en boucle, présentant sans arrêt les mêmes images. Et je sentais monter en moi d'insupportables nausées. Je luttai pour les réprimer, mais il fallut à un moment que je coure me réfugier dans une ruelle pour laisser mon estomac se libérer de son aigre contenu.

Spider vint me retrouver :

– Ça va, mon pote ?

Je toussai et crachai encore un peu pour tenter de me rincer la bouche.

– Ouais, dis-je en sortant un mouchoir de ma poche. Spider ?

– Quoi ?

— J'aurais pu intervenir. Je savais qu'il allait se passer quelque chose. J'aurais dû les prévenir, demander qu'on ferme l'attraction ou je ne sais quoi.

— C'est ça. Et suppose qu'ils aient fermé et que l'explosion ait alors eu lieu dans le métro que les clients auraient pris ?

Il avait sans doute raison. D'une façon ou d'une autre, ils devaient mourir aujourd'hui, le couple japonais, la vieille dame, le type au sac à dos. Pourtant, je gardais la lourde impression que j'aurais pu faire quelque chose.

— Tu viens à la case ? demanda Spider.

— Je sais pas. Peut-être.

Il fallait que je me sente en sécurité. J'aurais aimé pouvoir dire « je rentre chez moi », mais je ne me sentais nulle part chez moi.

Tout d'un coup, je me rappelai Sue et la police. Dieu seul savait ce qui m'attendait chez Karen en ce moment. Mieux valait me réfugier dans la maison de Spider.

Pour une fois, Val n'était pas sur son perchoir mais dans le living, devant son large écran de télévision. Elle se leva presque en nous voyant entrer.

— Terry, c'est toi ? Ah !

Elle se laissa retomber dans son fauteuil.

— Je me suis fait du souci tout l'après-midi depuis que j'ai appris la nouvelle. Ça va ?

Spider se pencha pour l'embrasser comme d'habitude sur la joue, mais, tout d'un coup, il l'entoura de ses bras en s'accroupissant à côté d'elle et l'étreignit vigoureusement.

— Tu étais donc là-bas ? s'exclama-t-elle. Je le savais ! Je le savais !

Elle lui passa dans les cheveux ses doigts tachés de nicotine.

– Ça ne fait rien, du moment que te voilà sain et sauf, mon garçon !

Sur le seuil de la pièce, je ne savais plus où me mettre tant j'avais l'impression d'être de trop. Au bout d'un certain temps, Val tourna la tête vers moi :

– Viens ici, chérie, viens t'asseoir. Tu m'as l'air épuisée.

Tandis que je m'exécutais, elle me prit la main.

– Je suis si contente de vous voir, tous les deux !

Spider se détacha d'elle et s'assit sur ses talons ; il s'essuya le visage du bras, mais j'avais eu le temps d'y voir des larmes.

– On y était juste avant que ça se produise, mamie. J'étais en pétard parce qu'on n'avait plus assez d'argent pour grimper dedans, mais Jem, elle…

Il hésita, me jeta un bref regard.

– … elle a dit qu'on ferait mieux de s'en aller, que c'était pas grave. On était sur Hungerford Bridge quand ça a pété. On a tout vu, mamie, tout.

– Ainsi tu l'as sauvé. Tu as protégé mon garçon.

Cette fois, elle m'avait pris les deux mains et me regardait droit dans les yeux.

– Merci ! Merci de me l'avoir ramené ! C'est un sale gosse mais c'est toute ma vie. Merci !

Je ne savais que dire.

– On a eu de la chance, murmurai-je.

Mais Spider ne l'entendait pas de cette oreille.

– Non, c'était pas la chance. Elle m'a sauvé, mamie, comme tu l'as dit.

Je lui envoyai un regard d'avertissement, mais le choc du drame autant que le soulagement de se retrouver chez lui lui déliaient la langue.

— Elle est comme toi, mamie. Elle savait que quelque chose se préparait.

Je voulus me lever, mais Val resserra son étreinte sur mes mains.

— Tu as senti quelque chose ? Quoi ?

— Non, je n'ai eu qu'une impression, c'est tout. Je savais qu'il allait se passer quelque chose.

Ses yeux me sondaient comme pour en tirer davantage de moi et j'avais le cœur qui palpitait follement, le sang qui me battait les oreilles.

— Je savais que des gens allaient mourir.

Val émit un petit sifflement, comme si elle retenait son souffle.

— Je savais qu'il y avait quelque chose, articula-t-elle. Je savais que tu avais un don.

Elle ne m'avait toujours pas lâché les mains et les secouait doucement de haut en bas, comme pour me réconforter.

— Il y a une raison à ta présence ici, Jem. C'est pour moi que tu as sauvé Terry. Merci.

*Tu as tout faux. Spider aurait pu rester là-bas, il ne serait pas mort aujourd'hui. Je l'ai juste empêché d'être blessé, il ne serait pas mort aujourd'hui. Je ne peux pas le sauver. Je voudrais bien, mais je ne peux pas et il va bientôt partir ; alors tu croiras que je vous ai tous les deux laissés tomber.*

Seulement je ne pouvais rien dire de tout ça. Jamais je ne pourrais les avertir de ce qui attendait Spider. Alors je restais là, aussi tranquille qu'eux, tandis que le journaliste à la télé annonçait que la police lançait un avis de recherche de deux jeunes qu'on avait vus s'enfuir quelques instants avant l'explosion, tous deux en *hoodies*, en blousons à capuche comme il disait, et en jean, un Noir de haute taille et un Blanc, plus petit.

Je sentis mon estomac se retourner. Tous mes ennuis précédents n'étaient rien comparés à ça. Avec Spider, on allait maintenant avoir droit aux vraies embrouilles. On échangea un regard tandis que Val nous prenait à chacun la main.

— Vous n'avez rien fait, dit-elle fermement. Ils n'ont rien contre vous.

Sauf qu'on avait déjà eu affaire à la police et qu'ils n'allaient sûrement pas gober l'histoire de mon don de double vue. Je compris soudain ce que mon pote avait derrière la tête. On n'allait pas rester là, à attendre de se faire choper. Il fallait s'enfuir.

# 11

— Écoute, je dois y aller, pour mon business, comme je t'ai dit. Et dès mon retour, on se casse.

— Mais…

— On va avoir besoin d'argent, coupa Spider. T'as qu'à nous chercher de quoi manger en attendant.

— Bon, mais je fais quoi, s'ils t'attrapent ?

— Ça ira.

Il passa un blouson par-dessus son sweat et enfila un bonnet de laine.

— Pas de souci, Jem. Ça va aller.

Il me tendit son poing fermé que je heurtai du mien.

— Ça va aller, Jem. Je rentre bientôt.

Là-dessus, il passa la porte en sautillant.

Bien que silencieuse, Val n'avait rien manqué de notre conversation. Elle se leva de son fauteuil.

— Tu sais que vous pourriez rester ici sans risque. Ils n'ont rien contre vous. Vous n'avez rien fait.

Je haussai les épaules. Quand je pensais à leur réaction devant le couteau… et là, c'était autrement grave.

– Ne t'en fais pas, reprit-elle, je n'ai pas l'intention de vous retenir contre votre gré. Fais ce que tu crois devoir faire. Mais tu vas avoir besoin d'autres vêtements. Je vais voir dans ma chambre. Pendant ce temps, tu fouilles dans la cuisine et tu prends tout ce que tu veux.

J'obtempérai, ouvris tous les placards mais n'y trouvai à peu près rien, quelques boîtes de petits pois, des haricots, de la purée en flocons. Je pris un paquet de biscuits salés.

– Tu as trouvé les gâteaux au chocolat ? Il y en a, je ne sais plus où.

Val venait d'entrer, armée d'une masse de vêtements.

– Tiens, dit-elle en les posant sur une chaise. Essaie-moi ça.

Je les emportai dans le living et les examinai en me disant que je préférerais mourir plutôt que de porter ces trucs. Val était petite, comme moi, donc question taille, ça allait, mais question odeur de fumée, c'était l'horreur. Et puis ils étaient trop moches, de toute façon.

– Tu en fais une tête ! Ils ne sont pas assez bien pour toi ?

Elle avait surpris ma grimace.

– Écoute, il te faudra un ou deux tee-shirts et quelque chose de chaud. La nuit il fait un froid de canard, ces temps-ci.

Elle sortit triomphalement un énorme pull rose à col roulé ainsi qu'un anorak vert pomme et des gants.

– Je… je vais les essayer en haut, balbutiai-je.

Je montai dans la salle de bains, jetai les vêtements sur le bord de la baignoire et poussai le loquet pour m'enfermer. Je commençai par me servir des toilettes où je restai assise un long moment, juste occupée à respirer et à tâcher de comprendre ce qui s'était passé, ce qui se passait en ce moment. J'avais l'impression que les événements glissaient autour de moi et que je m'efforçais en vain de les attraper, de les retenir.

Je finis par me lever, me secouer. De toute façon, il fallait que j'essaie les habits de Val. Je les enfilai, me regardai dans la glace. Je ne ressemblais à rien dans cette tenue de grand-mère. Pourtant, il fallait agir vite. Les flics qui m'avaient ramassée l'autre jour allaient rapidement faire le rapprochement, comprendre qui ils cherchaient, même si Karen ne les appelait pas, ce qu'elle allait faire à coup sûr. Ils auraient alors une description, sans doute même une photo. Karen en avait pris plusieurs de moi avec les jumeaux lorsque j'étais arrivée chez elle. Ils chercheraient une fille petite et menue, aux longs cheveux brunâtres.

J'ouvris le placard au-dessus du lavabo. Analgésiques, crème dépilatoire, pastilles digestives… et une paire de ciseaux. Sans y réfléchir à deux fois, je les pris et commençai à me couper les cheveux. Comme c'étaient de vieilles lames usées, je devais appuyer dessus comme une malade pour les actionner. Je laissai tomber les mèches sur le sol. À mi-chemin, je me regardai pour constater que j'avais vraiment une sale tête. Qu'est-ce que j'avais fait là ? Trop tard, il fallait continuer maintenant. Je ne me regardai plus avant d'avoir terminé.

Vous avez vu le film *Le Patient anglais* ? Plutôt barbant si vous voulez mon avis. Karen me l'avait passé, une fois, chez elle. Ça durait des heures et elle n'arrêtait pas de pleurer. L'une des héroïnes se coupe les cheveux, y passe les doigts et se retrouve coiffée comme une star. Comme moi. Sauf que moi j'avais l'air d'une abrutie. Du coup, en voyant tous mes crins par terre, j'eus un haut-le-cœur. Ça ne se recollait pas, ces machins-là ?

Val frappa à la porte :

— Ça va, là-dedans ? Jem, pas de problème ?

Je tirai le loquet, ouvris.

— Seigneur Dieu !

Ouais, pas brillant.

— Attends, on va essayer d'arranger ça.

Elle voulait me rassurer mais savait aussi bien que moi qu'il n'y avait pas grand-chose à faire. Trop tard.

— Il va falloir égaliser tout ça, ma chérie. Je dois avoir une tondeuse, par là, regarde sous le lavabo.

Elle me fit asseoir sur un tabouret au milieu de la cuisine. J'avais l'impression d'être un deuxième classe le jour de son incorporation.

— Ne bouge pas, chérie. Je n'y arriverai pas si tu te trémousses comme ça.

Elle finit par reculer, admira son œuvre.

— Là, c'est déjà mieux.

Je me passai une main sur la tête. Plus rien. Je sentais la forme de mon crâne.

— Ça va encore, tu n'as pas la boule à zéro. Monte te regarder.

Je retournai dans la salle de bains, demeurai devant la porte le temps de trouver le courage de l'ouvrir. La fille dans la glace ne ressemblait à rien. Moi qui avais l'habitude de voir mon visage entouré d'un rideau de cheveux, je découvrais maintenant mes traits tels quels, yeux, sourcils, nez, bouche, oreilles, mâchoire. J'avais l'air d'un gamin de dix ans. Je fis la grimace et la personne en face de moi me rendit ma grimace. Il avait l'air petit mais coriace. Le regard farouche, les pommettes saillantes ; sans doute avais-je perdu la couche protectrice derrière laquelle je me cachais, mais il restait une personne qui savait ce qu'elle voulait. Au fond, ça me convenait. Je me passai la main dans ce qui me restait de cheveux, guère plus d'un centimètre, mais, finalement, ce n'était pas si mal.

En regagnant le living, je pus constater que Spider était rentré. Il resta un instant bouche bée.

— La vache ! finit-il par marmonner. Je sors même pas une demi-heure et toi, qu'est-ce que tu as fait ?

Il s'approcha, tourna autour de moi pour m'examiner sous tous les angles.

— J'y crois pas ! s'esclaffa-t-il. Trop cool !

À son tour, il me toucha les cheveux.

— Dégage ! m'écriai-je.

Il fit un bond en arrière, esquissant un geste de défense.

— C'est bon ! dit-il en se calmant. On doit y aller, maintenant. On n'a plus de temps à perdre.

— Où vas-tu, mon garçon ? demanda Val.

Il baissa les yeux.

— Vaudrait mieux pas que tu le saches…

— Comme tu voudras, mais promets de me téléphoner. Donne-moi de tes nouvelles.

— D'accord. On verra.

Il jeta en vrac quelques affaires dans une sacoche : duvet, couvertures, nourriture. Je montai chercher mes « vrais » vêtements et les fourrai dans un sac en plastique que Val m'avait sorti. Une sorte de gêne s'installa, jusqu'à ce que Spider toussote :

— On y va.

Il serra sa grand-mère dans ses bras. J'essayai de ne pas dire que c'était sans doute la dernière fois qu'ils se voyaient.

Il ramassa nos « bagages » et se dirigea vers la porte. Val me prit le bras :

— Veille bien sur lui, Jem.

Ces iris noisette qui me fixaient. Je déglutis mais ne dis rien. Je ne pouvais rien promettre.

— Protège-le.

Comme je détournais les yeux, elle m'enfonça les ongles dans le bras :

— Tu sais quelque chose ? Tu sais quelque chose sur Terry ?

J'étouffai un cri. Elle me faisait mal.

— Non, mentis-je.

— Regarde-moi, Jem. Tu sais quelque chose ?

Je secouai la tête en me mordant les lèvres. Ses pupilles s'écarquillèrent de terreur.

— Oh, mon Dieu ! murmura-t-elle. Fais de ton mieux, Jem.

Elle me lâcha et me précéda dans l'entrée. Spider avait entrouvert la porte et passait une tête dehors.

— C'est bon, annonça-t-il. Je crois qu'on peut y aller.

Il fila vers une voiture rouge à moitié garée sur le trottoir, ouvrit le coffre et y jeta les sacs.

— Qu'est-ce que… ? bafouillai-je. C'est à toi ?

— Maintenant oui, sourit-il. Allez, monte vite.

Secoué de tics nerveux, il surveillait les alentours.

Val fouilla dans sa veste et sortit un billet de cinq livres qu'elle lui tendit.

— Tiens, prends ça.

Mais il lui referma les doigts dessus.

— T'en fais pas, mamie, j'ai ce qu'il faut.

– Ça m'est égal ! C'est à moi, c'est tout ce que j'ai et je veux que tu le prennes.

Elle lui fourra le billet dans la poche.

– Et toi ? demanda-t-il. Qu'est-ce qui va te rester pour vivre ?

Malgré son impatience, il trouvait encore le temps de songer à elle.

– Ne te soucie pas de moi, demain je reçois ma pension d'invalidité. Ça ira. Prends ça. Achète des frites ou autre chose.

– Merci, mamie.

Il l'étreignit et elle ferma les yeux en l'embrassant une dernière fois.

– Je t'appelle bientôt, promit-il.

– C'est ça, mon garçon.

Une fois dans la voiture, il posa une main sur le volant et se mit à farfouiller jusqu'à ce que le moteur démarre. Tandis qu'on quittait la rue, je me retournai. Val restait sur le trottoir, une main à demi levée. J'entendais encore sa voix : *Fais de ton mieux, Jem.* J'avais envie de dire à Spider de s'arrêter immédiatement, pour que je puisse sortir, m'enfuir et courir jusqu'à la crise cardiaque ou l'arrestation, enfin n'importe quoi pourvu que je n'aie plus cette responsabilité. Je savais pourtant que je ne pouvais rien faire pour protéger Spider – son heure allait sonner, ce n'était plus désormais qu'une question de jours.

Sa voix interrompit le cours de mes pensées :

– Allume la radio, trouve-nous de la musique.

Il semblait tout content, débordant d'énergie. Au fond, il adorait ce genre de situation, cette fuite à travers Londres. S'il avait été un chien, il aurait penché la tête par la fenêtre pour laisser ses oreilles voler dans le vent. Je passai d'une station à l'autre. Que des émissions nulles, alors j'ouvris la boîte à gants, à la recherche de CD. Il y en avait effectivement, des trucs ringards : Bee Gees, Elton John, Dire Straits. Et d'autres trucs pas ragoûtants genre brosse à cheveux et vieux papiers. J'en sortis un, une vieille facture que j'allais jeter lorsqu'un détail attira mon attention. Elle était adressée à M.J.P. McNulty, 24 Crescent Drive, Finsbury Park, Londres.

– C'est pas vrai, Spider ! On est dans la voiture de McNullos ! Tu fais quoi, là ?

– Pas pu résister, dit-il, les yeux brillants. Chouette, non ?

– Tu es allé jusqu'à l'école ?

– Ouais. Ils étaient encore tous en cours. Ça m'a pas pris longtemps. Une Astra, ça vaut même pas la peine de la fermer.

– Il a dû porter plainte, à l'heure qu'il est. On doit déjà la chercher partout.

– Ouais, j'y ai pensé. On va éviter les autoroutes, là où il y a des caméras et des bagnoles de flics. Ça nous donnera un peu de temps avant d'en faucher une autre.

Là, il m'impressionnait : il y avait pensé. Il ne cessait de regarder dans le rétroviseur. Et chaque fois, la voiture déviait légèrement.

– Qu'est-ce que tu fais ?

– Je vérifie qu'on nous suit pas.

– On entendrait les sirènes, non ?

– Ce serait trop facile, Jem. Il y a aussi les voitures banalisées…

– Où est-ce qu'on va, de toute façon ?

Jusque-là, je ne lui avais pas posé la question, je l'avais laissé prendre les choses en main. Il paraissait savoir ce qu'il faisait.

— D'après moi, on devrait pas essayer de sortir du pays. Ils doivent surveiller les ports. On n'a qu'à rouler jusqu'à ce qu'on trouve un coin où on pourra se planquer un certain temps. Si on va vers l'ouest, on finira par trouver la mer.

Cette fois, je compris : *le plus beau jour de sa vie.*

— Voir la mer ?

— Ouais, sourit-il. Par exemple.

— Dans quel coin ?

— À l'ouest, vers Bristol et on continue tout droit. J'achèterai peut-être une carte quand on fera le plein. Même si j'en ai jamais lu, ça doit pas être trop difficile.

— Alors, tu as de l'argent ?

— Plein, assura-t-il en tapotant sa poche. On a la thune, la caisse et on est partis.

Là-dessus, il éclata d'un rire de crécelle.

Alors j'oubliai un moment la bombe, la police et le fait que je me trouvais dans une voiture volée avec un mec aux poches pleines d'argent sale. Tout d'un coup, j'avais l'impression de commencer enfin à vivre. Au bout de quinze ans. J'entrais dans la vraie vie et j'aimais ça.

# 12

La sortie de Londres fait penser à un film de science-fiction. On commence par grimper sur une sorte de rampe, on longe des gratte-ciel de verre et d'acier, on suit des files de voitures qui regagnent la banlieue. Dans chacune, il y avait des gens, avec leur histoire, des gens qui rentraient du travail, contents d'échapper à la bombe et au grabuge qui s'était ensuivi, d'aller retrouver leurs deux enfants virgule quatre par couple. En tout cas, aucun d'entre eux ne pourrait se vanter de vivre ce que nous vivions : deux ados fuyant la police dans une voiture volée. Je me croyais dans un rêve, Spider et moi étions des stars de cinéma ; c'était délirant, dangereux, trop cool pour être vrai.

Spider allait doubler une camionnette quand retentit un coup de Klaxon furieux. Un véhicule sur la voie de droite, auquel on venait de faire une queue de poisson.

– Merde ! lâcha Spider.

D'un coup de volant, il reprit sa place. Arrivée à notre hauteur, la voiture ralentit et son conducteur nous adressa des signes furibonds.

— Va te faire ! cria Spider.

L'autre type écarquilla des yeux fous de rage et on fit une telle embardée que j'eus peur :

— Laisse tomber, ne le regarde pas ou on va finir dans le décor !

À la longue, l'énergumène décrocha, dans un dernier geste obscène. Je poussai un soupir de soulagement.

— Pas la peine d'attirer l'attention sur nous, calme-toi.

— Non mais tu as vu ce branleur, aussi ! Il m'a trop cherché.

— On ferait mieux de quitter cette route, de trouver un coin plus calme.

— On va prendre la prochaine sortie.

S'il était encore trop vénère, il avait au moins les deux mains sur son volant.

Bientôt apparurent des panneaux annonçant la proximité d'une sortie. On emprunta la bretelle et les pneus crissèrent quand Spider voulut ralentir tout en prenant un virage un peu trop serré. Devant nous, un feu clignotant signalait un carrefour, mais on n'eut pas le temps de lire les directions indiquées au-dessus et, une fois engagés, on ne sut plus où aller. Alors on refit le tour en lisant chaque nom :

— Hounslow… Slough… Harrow… Où est-ce qu'on va ?

Autour de nous, ça recommençait à klaxonner, parce qu'on roulait au milieu sans aller assez vite. On ne voyait plus qu'une ronde de phares et de feux arrière.

— Tu crois que quelqu'un nous a suivis, Jem ? Tu as vu une voiture refaire le tour comme nous ?

— Qu'est-ce que j'en sais ?

— Tu dois regarder dans les rétros ! C'est quand même pas si compliqué !

Il avait le front en sueur ; je savais qu'il était stressé.

– Du calme ! criai-je. Je ne vois que des phares qui se ressemblent tous, comment je peux savoir si on nous suit ou pas ?

Il se passa une main dans les cheveux.

– Où est-ce qu'on est ?

– Sais pas. Avance. On finira sûrement par voir d'autres panneaux.

– Pour ce que ça nous sert. Il nous faut une carte.

– Pour moi, ça ne changera rien. Je n'en ai jamais lu de ma vie.

– Cool, on va apprendre. Ça me fera du bien de m'arrêter un peu.

Il emprunta un chemin de traverse et se gara, coupa le moteur puis s'étira longuement, se frotta le visage en soufflant à travers ses doigts.

– La vache ! C'est dur, mon pote !

– De conduire ?

– Ouais, ça fait trop de trucs à penser à la fois. Tout arrive en même temps de tous les côtés. Waouh !

Il s'essuya de nouveau le front avec sa manche, renversa la tête en arrière, ferma les yeux.

– Spider, demandai-je lentement, tu avais déjà conduit avant ça, non ?

– Évidemment ! J'ai fait le tour de la zone industrielle dans la caisse de Spencer.

– Mais je croyais qu'avec tous ces chargements, ces bagnoles fauchées et tout...

– Ouais sauf que je débutais, ils m'ont jamais laissé conduire.

– Non mais j'hallucine ! Tu es taré ou quoi ? On vient de se balader sur une des routes les plus fréquentées du monde et tu m'annonces que c'est la deuxième fois de ta vie que tu conduis ! C'est pas vrai...

J'éclatai d'un rire strident, au bord de l'hystérie.

Il rouvrit les yeux :

— Quoi ? Qu'est-ce qui te fait marrer ? On est arrivés jusque-là, non ?

— Ce n'est pas à cause de toi. Je te jure.

Il avait l'air tellement vexé que je lui posai une main sur l'épaule :

— C'est vrai que tu nous as amenés jusqu'ici. Tu as assuré. C'était trop fort. Si on jetait un coup d'œil dans le sac que nous a préparé ta grand-mère ? On va manger un morceau.

Il sortit pour ouvrir le coffre et vint me déposer le sac sur les genoux. J'y plongeai la main. Pas glorieux : des biscuits salés, des gâteaux au chocolat, des boîtes de conserve mais pas d'ouvre-boîte. Au moins, il y avait un paquet de clopes et aussi quelque chose de lourd au fond. À tâtons, je posai la main sur un goulot de bouteille. Je la sortis. L'expression de Spider s'éclaira.

— Sûrement pas ! m'écriai-je en rangeant la vodka. Ce n'est pas le moment.

— J'ai soif ! Tu vois autre chose à boire ?

Je fouillai encore.

— Non.

— Maigre butin ! s'esclaffa-t-il.

— Pardon ?

— Ce n'est pas ce qu'on dit quand on n'a rien récolté du tout ? Je trouve ça drôle.

Je ne voyais pas pourquoi ça le faisait rire, mais, bientôt gagnée par la contagion, je pouffai à mon tour. Et on resta là comme deux abrutis, à nous bidonner sans savoir pourquoi.

Lorsque la crise cessa, ce fut le silence. On avait trop ri, mais la réalité nous reprenait à la gorge, comme lorsqu'on boit un liquide très froid et qu'on le sent s'insinuer en soi. Le doute m'envahissait. Nous ne savions pas où aller, nous n'avions rien pour nous guider et nous serions bientôt recherchés dans tout le pays. Je n'avais aucune envie de jouer les rabat-joie de service, pourtant je le dis :

— On devrait peut-être retourner là-bas. Ça vaudrait sans doute mieux si on se rendait.

— Non, dit-il en secouant la tête. Je me rendrai jamais. Je peux pas, Jem.

— Ça veut dire quoi, ça ? Bon, ce ne sera pas très marrant sur le moment. Ils vont nous interroger, maintenant qu'on a fauché cette voiture, mais qu'est-ce qu'ils peuvent nous faire de pire ? Nous mettre en taule ?

— Non, Jem, c'est pas la police, même si je suis bon pour la taule cette fois, ils vont pas se gêner. Je te parle pas d'eux. Regarde.

Il sortit de sa poche de poitrine une grande enveloppe pliée en deux qu'il me tendit.

— C'est quoi, ça ?

— Regarde.

Je la dépliai, jetai un coup d'œil à l'intérieur. Elle contenait des billets, un sacré paquet de billets. J'y plongeai la main, en sortis une poignée. Jamais je n'avais vu tant d'argent.

— C'est pour notre avenir, Jem. Enfin, pour les semaines à venir.

Je les feuilletai du pouce. Il y avait là des centaines de coupures usées de cinq et dix livres. Une somme astronomique au total.

– Tu as braqué une banque ou quoi ?

Il me regardait en se mordillant un ongle.

– Qu'est-ce que tu as fait, Spider ?

Il baissa les yeux.

– J'ai pas effectué ma dernière livraison.

– Alors c'est à Baz ? Mais ils vont te tuer !

– Sauf s'ils savent pas où me trouver. C'est pour ça que je peux pas retourner en arrière. On dépend l'un de l'autre, maintenant, Jem. Il faut qu'on se trouve un nouveau coin où vivre. Où tout recommencer.

Je fermai les yeux. Cette fois c'était certain, nous n'avions aucune possibilité de revenir en arrière. Je sentis une main sur mon épaule.

– Ça va ?

Je ne répondis pas, je n'aurais su quoi dire.

– Si tu veux, je te dépose quelque part. Je peux pas rentrer mais toi si. Tu n'as qu'à y aller, Jem.

Il disait ça sérieusement. Il était prêt à continuer sans moi. Mais qui irais-je trouver ? La police ? Karen ? L'assistante sociale ? Je rouvris les yeux pour constater qu'il me fixait avec insistance. Combien de gens voyaient en moi autre chose qu'une ado taciturne ? Combien s'inquiétaient pour moi ? Avec Spider c'était autre chose, j'avais affaire à un mec extravagant, secoué, téméraire. Un type génial.

– Non, répondis-je, c'est bon. Je reste. J'irais bien voir la mer.

Il eut un sourire complice.

– Alors on reprend la route, on trouve de l'essence, on mange quelque chose, on achète une carte et c'est parti.

– D'accord.

Il effectua un demi-tour pour nous remettre sur la voie principale. Au bout d'une dizaine de minutes apparut une station-service. On se gara près des pompes ; après plusieurs essais infructueux, Spider trouva comment manipuler le pistolet et remplit le réservoir. On alla ensemble dans la boutique et j'en profitai pour passer aux toilettes pendant qu'il faisait des provisions de Coca, de chips, de chocolat, de sandwichs. De quoi tenir plusieurs jours. Les gens nous regardaient d'un drôle d'air. *Ils vont sûrement se rappeler ces deux ados les bras pleins de bouffe.*

La file d'attente n'en finissait pas.

Le type au comptoir avait allumé la radio et la musique s'arrêta un moment pour les dernières infos : « Londres reste sous le choc de l'explosion qui a détruit la grande roue… sept morts, de nombreux blessés… la police recherche deux jeunes, un Noir de haute taille et un autre, plus petit et plus frêle. »

J'en avais la chair de poule, comme si d'énormes flèches de néon scintillaient au-dessus de ma tête : « Les voilà. » Je savais que Spider avait écouté, lui aussi, il suffisait de le voir sauter d'un pied sur l'autre, la tête basse, à se mordiller les lèvres. Je m'attendais à voir quelqu'un dire quelque chose, nous désigner du doigt. Ça craignait. J'avais du mal à résister à l'impulsion de tout lâcher pour prendre mes jambes à mon cou. *On se calme.* Nous progressions petit à petit. La musique revint comme nous atteignions la caisse. L'employé ne nous regarda même pas, demanda seulement le numéro de la pompe et enregistra nos achats. Spider paya en liquide et on fila.

Au-dessus de la porte, je repérai une caméra que je fixai un court instant. *Ça y est.* Ils avaient une photo de moi, maintenant, dans l'immonde anorak de Val, avec mes cheveux courts. Avant de regagner la voiture, je m'en débarrassai pour le jeter sur le siège arrière. Spider démarrait déjà.

— On y va. Tiens, regarde la carte et tâche de repérer où on est.

Il me jeta un bouquin sur les genoux et, comme je commençais à protester, il me coupa :

— Jem, il faut qu'on se tire d'ici. Question de vie ou de mort. Essaie de m'aider un peu.

Je feuilletai plusieurs pages avant de tomber sur une large carte du sud de l'Angleterre. Alors je me concentrai en m'efforçant de voir à quoi pouvaient correspondre ces lignes emmêlées censées représenter des routes. Enfin, je trouvai Londres et partis vers la gauche. J'éprouvai un sentiment de triomphe en découvrant Bristol. Il existait tout un réseau entre les deux villes. Restait à trouver la bonne route.

— Continue jusqu'au prochain panneau, Spider. Là je verrai.

Ce fut ainsi qu'on finit par définir notre trajet, non sans nous arrêter plusieurs fois pour vérifier, non sans retourner parfois sur nos pas quand nous nous étions trompés. Chaque fois que j'entendais des sirènes, je vérifiais dans le rétroviseur si personne ne nous suivait. Une fois que j'eus déterminé l'endroit où nous étions, je posai l'index sur la route et je suivis ainsi notre progression.

À Basingstoke, on s'écarta de la route pour aller se garer dans une ruelle tranquille. Spider sortit se soulager et ensuite on pique-niqua à l'intérieur de la voiture. Sandwichs, chips et Coca.

— Il va peut-être falloir se débarrasser de cette bagnole, dit-il la bouche pleine. Elle est trop voyante et tous les keufs du pays doivent la rechercher.

— Dommage, je l'aime bien.

— Ouais, je sais, mais on est cuits si on la garde. On va se trouver un coin tranquille, on roupille et on change de caisse demain matin. Là, je suis crevé.

On roula jusqu'à un discret chemin de campagne où s'ouvrait une petite aire de stationnement. Spider coupa le moteur, éteignit les phares. Une obscurité, un silence irréels tombèrent sur nous.

— Je n'aime pas ça, Spider. Il fait trop noir, ici. On devrait plutôt trouver un coin avec des lampadaires.

— Non, mon pote. S'il y a de la lumière, ça sera trop facile de nous voir et on tiendra pas cinq minutes. Tu verras pas la différence les yeux fermés. Va t'étendre à l'arrière, tu seras bien, là.

— Et toi, où tu vas ?

— Nulle part, je reste ici.

Ses longues jambes semblaient coincées sur les pédales, sa tête touchait presque le plafond.

— Non, dis-je, je suis bien ici, c'est toi qui vas te mettre derrière, tu auras plus de place.

Toute galanterie oubliée, il accepta et sortit, fit claquer sa portière pour aller fouiller dans le coffre. Il m'envoya une couverture.

Je m'y enroulai en essayant de trouver une position confortable, fermai les yeux. Mais je revis aussitôt les images de la télé : l'espace où s'était dressée la grande roue, les lambeaux d'anorak bleu, le sac en paille éventré. Alors me revint le souvenir de la file d'attente, ces visages qui me regardaient. Je rouvris les paupières mais n'en éprouvai aucun soulagement. Il faisait trop noir dans ce chemin de campagne. On n'y voyait rien du tout, n'importe qui, n'importe quoi aurait pu s'approcher sans qu'on s'en rende compte, un mec énorme armé d'un couteau qu'on n'apercevrait qu'à la dernière seconde s'il se donnait la peine de plaquer son visage contre la vitre avant d'ouvrir la portière et...

— Tu es réveillé, Spider ?

— Ouais.

Je l'entendis se retourner.

— Je suis tellement naze que j'arrive pas à dormir, continua-t-il. J'ai le cerveau qu'arrête pas de tourner, comme si je pouvais plus l'éteindre.

— Ça craint. Je ne suis pas bien, ici.

Je le sentis chercher mon siège à tâtons, me tapoter le bras. Sortant les doigts de la couverture, je les joignis aux siens. Il avait la main deux fois plus large que la mienne, longue et osseuse. Il me caressa doucement la base du pouce jusqu'au poignet et je dus m'endormir ainsi parce que je vis ensuite une lumière grisâtre emplir l'habitacle à travers les vitres embuées. Et Spider qui revenait s'asseoir au volant.

— On doit repartir, Jem. On va trouver une bagnole et rouler un bon coup avant que les gens se réveillent.

Il fit demi-tour et reprit la route vers la ville endormie. Je fus projetée en avant lorsqu'il écrasa soudain le frein. Un renard traversait tranquillement devant nous. Spider sourit en le suivant des yeux.

– Heureusement que je l'ai pas touché ! Il est comme nous, Jem, un total voleur, qui se lève tôt. Respect, monsieur Renard !

On se retrouva bientôt au milieu de rues paisibles pleines de voitures garées le long des trottoirs. Spider avait l'œil brillant, inquisiteur, à évaluer chaque véhicule qu'il dépassait. Il finit par s'arrêter et me désigna du menton l'autre côté de la route où stationnait un gros break.

– Voilà ce qu'il nous faut, Jem. Mets toutes nos affaires dans les sacs. On va faire vite et sans bruit.

L'index posé sur sa bouche, il me décocha un clin d'œil. Il aimait ça.

# 13

— Reste là, je vais la regarder de plus près.

Spider traversa la route, fit un rapide tour du véhicule et revint.

— Ouais, ça colle, pas de serrure bizarre ni rien. Ramasse le matos, les couvertures et tout.

— J'arrive.

J'ouvris quand même la boîte à gants pour y récupérer la lettre adressée à McNulty. Je trouvai également un vieux bout de crayon et j'écrivis dans un coin, en lettres aussi petites que possible : « Fin le 25122023 ». Petit cadeau d'adieu pour ce sale bâtard.

— Qu'est-ce que tu fous ? me siffla Spider. Il faut se casser avant que le quartier se réveille. Arrive !

Laissant tomber la lettre sur le sol, je récupérai mes affaires et sortis de la voiture. Spider était déjà devant la portière de l'autre, en train de bricoler la serrure avec une espèce d'outil. On entendit enfin le déclic et il m'ouvrit côté passager. Je fis le tour, rangeai nos affaires à l'arrière et vins m'asseoir en essayant de faire le moins de bruit possible. Spider bricola sous le volant jusqu'à ce que le moteur se mette en marche et, enfin, le break put se glisser en silence à travers les rues endormies.

Il nous fallut un temps fou pour sortir de Basingstoke. Quel cauchemar, aussi, d'avoir tracé de tels méandres, à vous donner l'impression d'être pris à jamais dans ce piège. On faisait des tours et détours depuis au moins vingt minutes lorsque enfin j'aperçus un panneau indiquant Andover, une des villes que j'avais repérées sur la carte. Spider poussa un soupir de soulagement :

— En plus de Londres, on pourrait aussi faire sauter ce bled !

Déjà, à six heures et demie, les voitures se pressaient autour de nous.

— Allume la radio. Qu'on sache ce qui se passe.

Je n'avais aucune envie de le savoir. J'aurais préféré que le monde extérieur reste à l'extérieur, quand on était si bien dans cette bagnole, Spider et moi. Cependant, j'appuyai sur divers boutons jusqu'à ce que je tombe sur des informations :

« Le bilan de l'explosion à Londres a encore augmenté, pour passer cette nuit à onze victimes ; parmi les blessés, vingt-six sont encore traités à l'hôpital, dont deux dans un état critique. Les experts médico-légaux fouillent à présent le site à la recherche de tout indice susceptible de les mettre sur la trace des auteurs, mais aussi leur permettant d'identifier les victimes. La police recherche toujours deux jeunes qui ont été aperçus en train de s'enfuir quelques instants avant l'explosion ; au cours d'une conférence de presse qu'elle compte donner ce matin, elle fournira des photos prises par les caméras de surveillance. »

— Éteins, Jem. Ils disent rien sur la voiture, pas vrai ? Ils ont peut-être pas encore pigé.

— De toute façon, ils ne doivent pas raconter tout ce qu'ils savent. Il n'y en a sûrement plus pour longtemps. Karen aura signalé ma disparition, et avec les caméras de surveillance...

— Le mieux serait de trouver un endroit pour nous cacher, un campement quelque part dans les bois. Partout où il y a des gens, ça devient dangereux pour nous.

Prise de découragement, je me demandais ce que, d'abord, nous connaissions au camping, nous qui n'avions jamais vécu qu'à Londres.

— Spider, tu as déjà campé ?

— Non, mais ça doit pas être trop compliqué. Il faut juste de quoi boire et de quoi grailler, des couvertures, un abri. On se débrouillera, comme des commandos...

— Attends, je n'ai rien d'un soldat, moi !

— Mais non, imbécile, c'est juste que tu vas vivre dans la nature, chasser, cueillir des fruits sauvages. On peut bien faire ça.

— On se retrouvera à l'hôpital dès demain soir si on se met à manger des trucs qu'on ne connaît pas. On va s'empoisonner, si on n'est pas morts de froid avant.

Je regardais tristement par la fenêtre les champs et les haies hostiles qui se succédaient et tout ça me paraissait aussi accueillant que Mars : pas de boutiques, pas de maisons, pas de gens, pas de vie. Si Londres était un dépotoir, au moins on y trouvait de la civilisation, pas comme dans cette interminable campagne cafardeuse.

— Et si on restait dans la voiture ? On n'a qu'à se garer dans un coin tranquille.

– Ouais, tu as peut-être raison. Écoute, on va encore rouler une demi-heure et puis se planquer jusqu'au soir. On a moins de chances de se faire repérer la nuit.

La route serpentait entre vallons et mornes collines, avec des fermes par-ci par-là. De temps en temps, on passait devant un hameau tapi autour de drôles de boutiques tellement vieilles qu'on ne voyait même pas ce qu'elles vendaient. Certaines maisons avaient un toit de chaume qui devait remonter au Moyen Âge ou je ne sais quoi ; ça me faisait penser aux *Trois Petits Cochons*, un conte que ma mère m'avait lu. Il y en avait un complètement dingue qui construisait sa maison en paille et le grand méchant loup venait la souffler. Comme si le loup allait terminer dans la marmite et les trois petits cochons s'en tirer sains et saufs dans leur maison de brique ! Je ne comprends pas qu'on raconte de tels mensonges aux enfants. On a vite fait de comprendre que, dans la vraie vie, le loup l'emporte toujours ; les petits cochons, comme Spider et moi, n'ont aucune chance.

– À quoi tu penses ?

Ça me fit sursauter. Je ne dormais pas, mais j'étais tellement plongée dans mes pensées que j'avais un peu perdu pied.

– À rien, regarde devant toi. Je m'occupe des panneaux.

Je venais justement d'en repérer un qui indiquait une aire de pique-nique. On s'engagea sur le terre-plein caché de la route par des arbres. Il y avait déjà un camion. On se gara juste derrière et chacun de nous avala une grande gorgée de Coca ainsi que quelques biscuits. Sorti des buissons, un type apparut et se dirigea vers l'arrière du véhicule ; il s'arrêta pour allumer une cigarette puis vérifia que sa remorque était bien fermée. Depuis son arrivée, il ne nous avait pas quittés des yeux ; mine de rien, mais c'était le genre de chose qu'on sentait instinctivement. Je m'étais tassée sur mon siège et je ne le lâchai pas du regard jusqu'à ce qu'il ait regagné son habitacle.

– Tu le vois ?

– Quoi ? demanda Spider la bouche pleine. Ce chauffeur ?

– Oui, tu le vois dans sa cabine ?

– Je l'aperçois par son rétro extérieur. Pourquoi ?

– Qu'est-ce qu'il fait ?

– Il fume et il parle dans une espèce de petite radio.

J'en eus la chair de poule.

– Il nous a repérés, Spider ! Il prévient la police.

– Arrête tes conneries ! Les routiers passent leur temps à communiquer dans leurs radios.

– Et si c'était quand même ça ? Qu'est-ce qu'on ferait ?

– Il faut changer de voiture. On va commencer par se barrer d'ici.

Il redémarra et se faufila doucement jusqu'à la sortie, s'engagea sur la route et accéléra aussitôt. Il commençait à prendre le coup de main.

Je regardai derrière nous. Déjà loin, le camion nous suivait.

À vrai dire, des camions, il y en avait partout, à gauche, à droite, devant. Si le type nous avait repérés et avait prévenu ses potes, on était morts. Dès qu'on en croisa un, je regardai le chauffeur dans les yeux, mais il détourna la tête. Il portait des écouteurs et il était en train de parler.

– Spider, ils sont tous derrière nous. Tu as vu celui qui vient de passer, comment il nous surveillait ?

– Non, je m'occupe de la route, moi. C'est pourtant ce que tu m'as demandé, non ?

– Regarde le prochain.

Quelques minutes plus tard, un autre camion arriva en sens inverse. Son chauffeur avait les yeux braqués sur nous. Cette fois, Spider le repéra lui aussi.

Dès qu'on aperçut un chemin latéral, il l'emprunta sur les chapeaux de roues. Accrochée au tableau de bord, je priais pour que personne ne vienne en sens inverse. Il ralentit enfin, se gara sur le bas-côté, à proximité d'un panneau vert indiquant que nous étions sur un sentier piétons. Je tremblais de tous mes membres.

– Prends le matos, on va devoir marcher.

– Sûrement pas ! Pour aller où ? Comment… ?

– On emporte nos affaires, on suit ce chemin, on marche, on trouve un coin pour se pieuter et je nous tirerai une nouvelle caisse dès que possible. Il doit y en avoir dans les fermes du coin. Allez, on ramasse tout.

On rangea ce qu'on put dans les sacs en plastique. Le bouquin des cartes était trop gros alors j'en arrachai les pages indiquant où on pouvait se trouver.

– Bien vu, gamine ! observa Spider.

Il avait l'air tout content de lui, tandis que moi, au contraire, j'étais en vrac… ils nous encerclaient.

On ne pouvait tout emporter. J'enfilai l'anorak et Spider posa une couverture sur ses épaules ; puis, avec un dernier regard sur le break qu'on abandonnait là, on entreprit de remonter le chemin. J'ignore à quoi on ressemblait, probablement à des clochards, en tout cas pas à des randonneurs avec leurs chaussures de marche et leurs sacs à dos, juste à des ados paumés.

Ces sacs se révélèrent vite trop lourds. L'un d'eux me battait les mollets et j'eus beau le prendre de l'autre main, le tourner, rien n'y fit. *Boum, boum, boum.* Je commençais à avoir mal partout, d'autant que le sol était trop inégal sous nos pas avec sa terre, sa boue, ses pierres et sa crête d'herbe au milieu. Plusieurs fois, je me tordis la cheville, alors j'essayai l'herbe. Au début ce fut mieux puis, d'un seul coup, le sol devint glissant, ou il y eut un trou, je ne sais pas, toujours est-il que ma cheville dévia de nouveau. Ce satané sac n'arrêtait pas de me heurter les jambes, au point que j'eus l'impression qu'il le faisait exprès.

On passa ainsi la moitié de la matinée, jusqu'à ce que je me laisse tomber à terre en lâchant les deux sacs. J'avais les paumes rouge vif, sillonnées d'épaisses lignes blanches qui marquaient encore les poignées. Quant à Spider, il continuait tranquillement. On aurait dit qu'il écoutait de la musique : il marchait à son rythme en hochant la tête, les jambes comme montées sur des ressorts. Il finit par se rendre compte que je ne le suivais pas et se retourna :

— Ben quoi ?

— Je ne peux pas aller plus loin. J'en ai marre. On peut se reposer un peu ?

Il consulta sa montre.

— Ça fait six minutes qu'on marche. Si tu retournais à ce virage, tu pourrais encore voir le break.

J'envoyai promener un des sacs.

— J'en peux plus ! Je déteste marcher !

— À Londres on n'arrête pas. C'est pareil ici.

— Non, là-bas c'est Londres, le monde civilisé, avec des trottoirs et des chaussées. Ici, on est dans la merde ! J'ai mal aux chevilles. Ces imbéciles de sacs n'arrêtent pas de me cogner les jambes ! Et regarde mes mains !

Je lui montrai mes paumes boursouflées.

– Écoute, dit-il patiemment, on doit s'éloigner aussi vite que possible de cette caisse, on doit se cacher. On n'a qu'à suivre ce chemin une heure et puis on verra.

– Mais tu n'écoutes pas ou quoi ? Je ne peux pas ! J'en poussai un cri de rage, je crois même que je tapai du pied. J'attrapai l'un des sacs que j'envoyai balader dans les airs. Après un gracieux parcours, il atterrit sur une haie à deux mètres de hauteur.

Spider se jeta sur moi, me plaqua une main sur la bouche :

– Chut ! Tu veux attirer tout le monde ou quoi ?

Il avait pourtant l'air heureux, affichait un large sourire. Il se fichait de moi.

Ça me mit en pétard, je balançai des coups de pied et des coups de poing dans tous les sens en grinçant :

– Arrête de te foutre de ma tronche !

Au lieu de reculer ou de me rendre mes coups, il m'entoura de ses bras et de ses jambes, comme une pieuvre, et serra. Je me retrouvai immobilisée, ligotée, au point d'en oublier ma fureur, de me détendre à son contact, comme s'il absorbait toute mon angoisse, comme si son souffle possédait le pouvoir de m'apaiser.

– Ça va mieux ? demanda-t-il au bout d'un moment.

– Non.

En fait, ça allait beaucoup mieux.

Il me relâcha quand même et alla récupérer le sac sur la haie.

– On va manger un peu de chocolat et on continue. C'est moi qui porterai tes sacs.

Je ne pouvais pas le laisser faire… j'ai trop de fierté !

— Laisse tomber, je peux les porter.

— C'est ça.

Finalement, il se chargea de celui qui me battait les jambes et on repartit sous la lumière jaune qui filtrait à travers les branches ; au loin retentissaient des sirènes.

# 14

Le chemin se terminait sur une barrière et un échalier. On posa nos sacs pour nous pencher et découvrir ce qui se passait derrière. En fait, ce n'était qu'un champ. Le chemin s'enfonçait dans une ravine, si bien qu'on ne voyait pas où il menait, mais au-delà il n'y avait que d'autres champs, à perte de vue. Je n'avais jamais vu un paysage aussi désolé.

— Qu'est-ce qu'on fout là ? marmonnai-je.

— On s'éloigne de la caisse qu'on a abandonnée, m'expliqua Spider, philosophe. On va nulle part.

— On ne peut pas traverser tout ça.

— Pourquoi ?

— Non mais tu as vu ? Pas un arbre, pas une barrière. N'importe qui peut nous voir à des kilomètres à la ronde.

— Tu veux retourner en arrière ? T'asseoir dans la voiture et attendre qu'on vienne nous chercher, qu'on nous fiche à plat ventre, un flingue sur la nuque ?

— Quoi, un flingue… ?

— Ils nous prennent pour des terroristes.

Je m'appuyai la tête sur un bras, fermai les yeux. Si j'avais jamais imaginé à quoi pouvait ressembler une fuite, ce n'était certainement pas à ça. J'étais tellement fatiguée, j'avais tellement mal aux bras et aux jambes…

— On ne peut pas rester ici un moment ? demandai-je, la tête toujours entre les bras.

— Non, mon pote, on est trop près de la bagnole. Il faut continuer. Tiens, je vois des arbres, là-bas. On n'a qu'à marcher jusque-là, et on s'y cachera jusqu'à la tombée de la nuit.

Je relevai la tête pour apercevoir une tache brune à l'horizon, au moins à trente kilomètres de là.

— Quoi ? Là-bas ?

— Ouais. On en a pour une demi-heure, quarante minutes max. C'est pas le bout du monde.

Attrapant les sacs, il les fit passer par-dessus la barrière puis se hissa sur l'échalier. Avec ses grandes jambes, ce ne fut pas trop compliqué pour lui.

Je le suivis en soupirant. La marche de bois grinça sous mon poids et m'arracha un petit cri qui fit rire Spider. Il me tendit une main que je saisis pour enjamber la barrière, avec l'impression que ce fichu dispositif allait craquer à tout instant. De l'autre paume, je m'appuyai sur un poteau lorsque je sentis une drôle de matière glisser dessous. Je la retournai aussitôt, pleine de crotte d'oiseau.

— Et merde ! criai-je alors que Spider s'esclaffait. C'est pas drôle, j'en ai partout maintenant.

J'atterris sur une jambe devant un Spider plié en deux.

— J'avais jamais autant rigolé, hoqueta-t-il. Tu es trop balèze !

— Ta gueule !

Comme je faisais mine de me nettoyer la main sur lui, il recula d'un bond. Je le poursuivis un instant jusqu'à ce qu'il me saisisse par le poignet et me frotte la main dans l'herbe. Tout avait presque disparu et j'essuyai le reste sur mon pantalon. On s'assit l'un à côté de l'autre, moi encore tout essoufflée, jusqu'à ce que mon cœur se remette à battre normalement.

Spider sortit une bouteille de Coca d'un sac et me la tendit. C'était tiède, à moitié dégazé, mais je n'avais jamais rien bu d'aussi délicieux. Ensuite, on reprit notre attirail et on s'engagea dans le *no man's land*.

Vous ne pouvez pas imaginer comme je me sentais mal dans ce champ. Spider avait parlé de flingue et j'avais l'impression d'être visée par une armée de tireurs. Jamais je ne m'étais sentie aussi vulnérable, comme si j'avançais carrément à poil. Il n'y avait strictement rien autour de nous, que l'herbe et le ciel, un ciel immense, écrasant. Dans les villes, on ne se rend pas compte de toute la place que prennent les bâtiments. Quand on les enlève, il ne reste que le ciel, gigantesque et vide. Rien entre votre crâne et les nuages. Ça me fichait la trouille. Je n'avais d'autre solution que de regarder le sol et mes pieds qui arrivaient, l'un après l'autre.

Devant moi, Spider progressait de sa démarche souple, chaloupée. Je me pris à l'observer, de ses longues jambes à ses fesses maigres. Il avait toujours l'air en mouvement, je comprenais qu'il lui soit difficile de contenir tant d'énergie entre les murs d'une école ou d'un immeuble. Tandis que là, il paraissait capable de parcourir des centaines de kilomètres. Ce paysage lui convenait mieux que Londres.

Pas à moi. Je ne cessais de me répéter *je ne peux pas… je n'ai pas envie… j'en ai marre…* À peine arrivait-on au sommet d'une colline qu'un autre se dressait devant nous, comme des vagues qui rouleraient jusqu'à l'horizon.

On atteignit enfin un chemin en bordure d'un champ, entre deux rangées d'arbres. De l'eau coulait non loin de là. Spider déposa ses sacs.

— Attends-moi ici une minute.

Il courut vers un fil barbelé par-dessus lequel il sauta sans hésiter.

— Qu'est-ce que tu fais ? criai-je.

Mais il ne répondit pas, si bien que je restai là, coincée comme une débile. Je m'assis face à l'espace que nous avions parcouru. Et si je voyais des gens qui nous suivaient, qu'est-ce que je devrais faire ? Je n'eus pas le temps d'envisager la réponse car Spider revenait, l'air satisfait.

— Il y a une pente qui donne sur une rivière, Jem. C'est bon pour nous. On n'a qu'à la traverser et s'ils rappliquent avec des chiens, ils nous trouveront pas. L'eau arrêtera notre piste. J'ai vu ça dans des films.

Moi aussi j'avais vu ça, mais jusqu'où fallait-il le croire ? En tout cas, ce n'était pas avec ce genre de question que je découragerais Spider.

— Allez, balance-moi les sacs par-dessus le fil, ensuite je t'aiderai.

Je les lui tendis à travers le barbelé, quant à le franchir moi-même…

— Je sais pas… hésitai-je.

— Allez, tu mets un pied sur le fil, la main sur le poteau, tu grimpes et tu sautes. Je t'attrape.

Comme je ne voyais pas quoi faire d'autre, je suivis ses instructions. Le fil ploya sous mon poids mais je me disais *rien à fiche* et je continuai jusqu'au moment où Spider m'attrapa sous les bras, me souleva et me fit atterrir de l'autre côté, en toute sécurité. On se sourit, on se tapa dans la paume puis on récupéra nos sacs et on fila sous les arbres.

La pente était abrupte ; il y avait en effet une rivière plus bas, plutôt un torrent boueux de quatre ou cinq mètres de large au maximum.

— C'est profond ? demandai-je.

— Sais pas. Le seul moyen de vérifier, c'est de lancer les sacs sur l'autre rive et d'entrer dedans.

— Tu n'as qu'à y aller d'abord ! Si c'est trop profond, on ne pourra pas traverser. Alors mieux vaut ne pas jeter les sacs tout de suite.

— Jem, c'est obligé. On n'a pas le choix. Je te promets que ça se passera bien.

Après avoir noué les poignées du premier sac, il le balança dans les airs avec un soupir d'effort et le regarda atterrir sans problème de l'autre côté. Il sourit et attaqua les autres. Tout fonctionna, jusqu'au dernier qu'il dut expédier un peu trop vite et envoya droit dans l'eau.

— Merde ! s'exclama-t-il.

Il s'assit pour ôter baskets et chaussettes, remonter les jambes de son jean. Puis il s'enfonça dans l'eau en poussant un cri tellement aigu qu'on aurait dit une fille.

— C'est glacé !

Le sac flottait déjà à une dizaine de mètres de là, mais une espèce de rocher l'avait arrêté à proximité de l'autre rive. Spider revint dans ma direction.

— Envoie mes chaussures là-bas, ordonna-t-il. Et les tiennes aussi. Tu peux venir, c'est froid mais ça va.

Je fourrai ses chaussettes à l'intérieur des baskets que je lançai l'une après l'autre tandis que Spider continuait en direction du sac. Je m'accroupis pour enlever les miennes.

– Waouh !

Au milieu de la rivière, il faisait des moulinets.

– Attention, c'est glissant !

– D'accord !

Alors que j'essayais de défaire les nœuds de mes lacets, j'entendais Spider qui jurait, comme d'habitude, et pataugeait. Mais je ne le regardai pas. Quand je me retrouvai enfin pieds nus, je me levai et catapultai mes chaussures. Le sac de plastique était toujours là, à danser sur l'eau qui semblait vouloir l'arracher à ce qui le retenait. Mais je ne voyais plus Spider. Il avait disparu.

# 15

J'inspectai du regard l'autre rive. Rien, pas plus qu'à la surface de l'eau ; j'avais l'impression de décrocher de la réalité, comme si quelque chose dans ma cervelle avait disjoncté : Spider n'avait jamais existé, sinon comment aurait-il pu disparaître ainsi ?

Soudain, sur la gauche, je repérai un mouvement inhabituel dans le courant bouillonnant. J'aperçus quelque chose qui pointait à la surface. Un genou, une épaule. Il se trouvait déjà à trente mètres de moi, ballotté comme une poupée de chiffons ; de temps à autre émergeaient diverses parties de son corps, son bras, son dos, son crâne, mais pas son visage. Celui-ci restait sous l'eau.

Prise de panique, je courais si vite que les branches des arbres me fouettaient quand je ne plongeais pas pour les éviter. Mais au moins, je ne quittais pas Spider de vue ; je l'appelais tout en courant, mais il ne m'entendait pas. Du regard, je cherchais quelque chose à lui tendre. Je tirai sur une longue branche mais je n'étais pas assez forte pour la casser. Il continuait son chemin. À l'idée qu'il soit en train de suffoquer, je sentis mon cœur s'arrêter. Pourtant, son numéro lui laissait encore une semaine. Que se passait-il ? Je me remis à courir.

Je parvins à le rattraper. Il n'y avait personne dans les parages pour nous aider, je n'avais plus le choix : il fallait redescendre vers la rive, entrer dans l'eau. Ce ne fut pas seulement le froid qui me frappa mais aussi la force du courant, ce torrent qui se jetait sur moi avec une telle férocité. Il m'arrivait juste aux cuisses, pourtant j'eus toutes les peines du monde à tenir sur mes pieds. Et puis, de là, il m'était encore plus difficile de repérer Spider. J'inspectai désespérément les flots furieux et finis par apercevoir une silhouette sombre qui arrivait dans ma direction. Il allait passer à ma gauche ; il fallait que je m'avance encore ou il m'échapperait. Cependant, à chaque pas je m'enfonçais davantage et je progressais si lentement que j'en poussai un cri d'effroi. Spider n'était plus qu'à quelques mètres de moi… J'allais le manquer ! Je me jetai vers lui, mais je dérapai sur le lit boueux et, alors qu'il fonçait vers moi, je perdis l'équilibre et tombai à mon tour dans l'eau.

Tout se mélangea d'un seul coup, en haut, en bas, l'air et l'eau, Spider et moi. Alors que je me débattais, je réussis à l'attraper par sa capuche. Tout ce qui pourrait arriver maintenant nous arriverait à tous les deux. Je ne le lâcherais pour rien au monde. Lorsque mon visage revint à la surface, j'avalai une goulée d'air. Je me débattais en essayant de toucher le fond du bout des pieds, mais je ne pouvais résister au courant. Spider n'était qu'un poids mort qui me heurtait, me déséquilibrait un peu plus. Il fallait pourtant que je le sorte de là, que je lui tienne la tête hors de l'eau, mais je n'y arrivais pas. Je ne pouvais même plus respirer. La main toujours agrippée sur lui, je réussis à me mettre sur le dos, de sorte que mon visage restât tourné vers le ciel ; cependant je ne pus en faire autant pour lui et on fut ainsi emportés à travers les méandres agités. Je commençais à me demander si on n'allait pas être ainsi entraînés jusqu'à la mer lorsqu'un douloureux obstacle m'écorcha le dos. Je m'arrêtai brusquement. Sous le choc, je lâchai Spider une seconde mais parvins à le récupérer.

On ne bougeait plus ni l'un ni l'autre. Le torrent nous encerclait, mais il nous avait déposés sur une sorte de rocher qui dépassait d'une rive. Spider reposait la tête sur mes genoux. Je le retournai sur le dos puis le pris sous les bras et parvins à le tirer ainsi hors de l'eau. Il était lourd, un poids mort. Je m'agenouillai près de lui et l'examinai sans y croire. Il avait les yeux clos.

Ce n'était pas possible ! Ça ne devait pas se passer comme ça.

— Spider, réveille-toi ! criai-je. Réveille-toi !

Rien.

— Réveille-toi. Tu ne vas pas me lâcher là, merde ! C'est pas vrai !

Je lui tapai sur l'estomac avec fureur. Sa bouche s'ouvrit. De l'eau en sortit.

Je me redressai, m'appuyai sur sa poitrine de toute la force de mes mains. Encore de l'eau. Je recommençai, encore et encore. Soudain, il expulsa un véritable geyser en émettant le rot le plus abominable que j'aie jamais entendu.

Surprise, j'avais bondi en arrière ; je restai un instant assise sur les talons à regarder sa poitrine monter et descendre. Il ouvrit les yeux, parut chercher où regarder et grogna :

— Pourquoi tu chiales comme ça ? Qu'est-ce qui t'arrive ?

Je ne m'étais pas rendu compte que je pleurais, mais lorsque je portai la main à mon visage j'y sentis des larmes brûlantes.

— Rien, dis-je. Je suis contente.

Il ferma les yeux, les rouvrit.

— Je pige pas. Qu'est-ce qui se passe ?

— Tu es tombé dans l'eau. Je t'en ai sorti.

— Ah, c'est pour ça que je suis froid et tout mouillé. Je me rappelle plus rien. Je croyais qu'on était au milieu d'un champ et je me retrouve sur le dos, trempé et toi en train de chialer… toute contente.

Il tenta de s'asseoir, regarda autour de lui, comme s'il venait d'atterrir sur une autre planète.

— Hé, toi aussi tu es mouillée, observa-t-il avec un mince sourire. Me dis pas que tu m'as réveillé d'un baiser ?

— Ta gueule.

— C'est ça ?

— Non ! Je t'ai tapé sur le ventre comme une malade, jusqu'à ce que tu recraches toute l'eau que tu avais avalée, mais j'aurais mieux fait de te laisser là, espèce de bouffon.

Il tendit la main vers mon crâne rasé, perdit son sourire.

— Tu m'as sauvé la vie, mon pote ! Tu as assuré !

— Bof, n'importe qui aurait fait pareil.

— Qui ça ? Il y a personne d'autre ici. Rien que toi. Sans toi j'étais mort.

— Laisse tomber, tu veux ? Ce n'est rien. Tiens, au moins on est du bon côté de la rivière, maintenant. On n'a plus qu'à remonter chercher nos affaires, prendre des habits secs. Je crève de froid.

À vrai dire, je claquais des dents et Spider aussi. On s'aida mutuellement à se relever et on remonta le courant, à pied cette fois. Spider marchait devant, comme d'habitude, mais il s'arrêtait souvent pour me regarder, souriait en secouant la tête et repartait. Et moi je ne pouvais pas m'empêcher de cogiter. Ainsi les numéros disaient vrai. Ce n'était pas aujourd'hui qu'il devait mourir. Pourtant, si je n'avais pas été là, il se serait noyé ; il était presque mort lorsque je l'avais ramené sur la berge.

J'en avais le tournis. Et s'il avait dû mourir aujourd'hui et que je l'en avais empêché ? Depuis quinze jours, je m'en voulais pour le clochard. Je n'avais pas cherché à lui faire de mal, mais trop tard, ça s'était terminé comme si on l'avait poussé nous-mêmes sur la route. Et si les numéros représentaient une arme à double tranchant ? Et si je n'avais pas que le pouvoir de provoquer la mort… mais aussi celui de sauver des vies ? Et si j'avais sauvé Spider aujourd'hui, ne pourrais-je pas le sauver le 15 ?

# 16

Nos sacs nous attendaient où nous les avions laissés. Spider récupéra avec une branche celui qui était tombé dans la rivière et on enfila tous les deux des vêtements secs en nous tournant le dos pour nous changer. J'avais trop froid pour vraiment m'inquiéter à l'idée qu'il risquait ou non de me regarder et j'étais trop occupée à me sécher pour jeter un coup d'œil dans sa direction. Dans la hâte du départ, je n'avais pas pris de sous-vêtements chez Val – franchement, je préférais ne pas imaginer ce qu'elle pouvait porter sous ses fringues – alors je gardai mon soutien-gorge et mon slip trempés. J'enfilai par-dessus autant de couches que je le pus, auxquelles j'ajoutai l'anorak vert. Ensuite, on rangea nos affaires dans la sacoche de Spider et c'était reparti.

En nous éloignant de la rivière on retomba sur des collines à perte de vue. Notre mésaventure dans l'eau m'avait laissée vannée et mes jambes pesaient des tonnes. D'ailleurs, je remarquai que Spider lui-même ne semblait plus monté sur ressorts.

On visait un autre bouquet d'arbres au sommet d'une butte, mais je commençais à les considérer comme ces mirages dans les déserts, qui disparaissent dès qu'on s'en approche. Jusqu'au moment où Spider poussa une brève exclamation :

– Hé ! On est arrivés.

Je n'arrivais pas à croire qu'on ait pu tant marcher. C'était pourtant vrai.

– Regarde tout le chemin qu'on a fait ! Pas étonnant que je sois dans cet état !

Je me laissai tomber en arrière sans prendre garde à l'endroit où j'atterrissais.

– N'importe qui peut nous voir, ici. Il faut continuer encore un peu.

Je n'y croyais pas ! Voilà qu'il se mettait à raisonner maintenant !

Grognant de fatigue, je me relevai pour le suivre dans le bois. Il rassembla tous les sacs au milieu de quatre troncs d'arbres. On voyait encore la vallée quand on était debout mais, assis, il n'y avait plus que des buissons et des souches de pins. On était bien cachés.

Le sol était dur, inégal. Spider avait étendu sa couverture, mais on sentait encore les irrégularités dessous, à peine atténuées.

Il s'était assis, adossé à un tronc, alors que je m'étais aussitôt étendue pour ne plus regarder que la cime des arbres. Ça faisait drôle. Évidemment, je savais que ces troncs étaient droits, mais ils donnaient l'impression de se rejoindre au-dessus de ma tête avec leurs dentelles de feuilles noires sur le ciel éblouissant. J'en restais un peu hypnotisée, au point de voir toutes mes idées s'emmêler dans ma tête, de m'imaginer que je planais à des centaines de mètres. Le vent bruissait dans les branches par rumeurs apaisantes qui auraient pu provenir d'un cours d'eau ou même de la circulation.

— Quand je pense à ce qu'on vient de faire, finis-je par murmurer.

— Quoi ?

— Marcher tout ce temps.

— Oui, soupira Spider, c'est cool tout ce qu'on peut faire quand on y est obligé. On va peut-être remettre ça jusqu'à la mer.

— C'est à combien ?

— Aucune idée. Loin, mon pote.

Je poussai un gémissement et refermai les yeux pour ne plus me concentrer que sur le vent, rien que le vent…

Lorsque je m'éveillai, j'avais mal à la tête et un goût infect dans la bouche, toute sèche à l'intérieur, collante autour des lèvres. Il me fallut faire un effort pour me rappeler où je me trouvais et, même en m'asseyant et en regardant autour de moi, je n'aurais su dire si on était le matin ou le soir. Ma montre indiquait quatre heures cinq ou plutôt seize heures cinq, sans doute, quoiqu'on pouvait aussi bien être le matin suivant, je n'en savais rien. Spider ronflait en me tournant le dos, pelotonné sur lui-même comme un bébé. Je voyais le côté de son visage. Il avait l'air angélique, paisible, innocent. Un court instant, j'imaginai ce que pouvait ressentir une maman. Ça me fit un peu peur… je n'étais décidément pas faite pour ça. Jamais je ne pourrais prendre de telles responsabilités ; en plus, comment est-ce que j'oserais regarder en face un enfant, mon enfant, pour voir la date de sa mort avant même qu'il ait commencé à vivre ? Jamais je n'en mettrais au monde. Tant pis.

Je me frottai les yeux et le front mais ne pus chasser les douloureux martèlements de ma tête. Je pris le sac, fouillai dedans à la recherche de quelque chose à boire. Le Coca ferait l'affaire, mais j'aurais préféré une boisson chaude, du thé ou un chocolat fumant. Spider avait dû m'entendre m'agiter parce qu'il s'étira et se retourna.

— Il est quelle heure ?

— Un peu plus de quatre heures.

— La vache, on a dormi toute la journée ! J'ai la bouche sèche.

Je lui passai le Coca.

— On n'a presque rien mangé aujourd'hui.

Il avala une longue rasade.

— Aaah ! ça va mieux. On n'est pas suivis ?

— Sais pas. Je n'ai rien entendu.

— On va voir ça. D'abord grignoter un peu.

Une fois de plus, on attaqua chips, biscuits et chocolat.

La bouche pleine, Spider se leva et parcourut le petit bois, revenant prendre des biscuits au passage.

— Je vois rien, conclut-il. J'aurais marché encore un peu, mais il va bientôt faire nuit. On n'a qu'à rester là, on partira demain matin à l'aube.

Je n'allais pas le contredire. Je n'aurais même pas râlé s'il m'avait annoncé que je n'allais plus marcher de toute ma vie.

Il nous restait donc douze heures à attendre sans rien de spécial à faire. Impossible de nous détendre, de patienter tranquillement et il n'était plus question de dormir. Alors on commença par se balader un peu dans le bois, à examiner l'horizon de différents points de vue. Je restai un long moment à observer les nuages qui roulaient dans le ciel. Ils semblaient se déplacer si lentement, pourtant, si on les fixait, on s'apercevait qu'ils allaient plus vite qu'on n'aurait cru. Un peu comme nous à travers champs, à trottiner à la surface de la planète, pour nous apercevoir ensuite qu'on avait parcouru des kilomètres.

— Je n'ai jamais tant vu de ciel, marmonnai-je. Ça me fait tout drôle de marcher dans ces champs avec ce ciel au-dessus de nous.

— C'est cool quand on s'y habitue. Tu peux remplir tes poumons.

Il ouvrit grands les bras.

— C'est comme au bord de la mer, Jem. La plage toute plate, l'eau et le ciel. Tu vas aimer. On se prendra du whisky, et des *fish and chips* tous les jours. On se baladera sur le quai, on écrira des trucs sur le sable. On rigolera bien.

Là-dessus, il entreprit d'escalader un arbre, mais n'alla pas très loin avant de glisser jusqu'au sol. Il essaya de nouveau, même résultat. La lumière et les couleurs s'en allaient du ciel. Et la température baissait.

— La nuit va bientôt tomber, dis-je en frissonnant. Qu'est-ce qu'on fait ?

— On n'aura qu'à dormir.

— Il n'est que quatre heures et demie.

— Je sais, mon pote, mais qu'est-ce que tu proposes ? Regarder la télé ?

J'eus le tournis à l'idée de ce qui nous attendait : le froid, l'obscurité. Je n'avais aucune envie de passer la nuit dehors. Déjà dans la voiture j'avais stressé, mais au moins c'était derrière des vitres, sous un toit.

— On ne va pas rester là, Spider ! Il faut trouver autre chose.

– On n'a plus le temps. Tu y vois encore quelque chose, toi ? On en aurait pour des heures à rejoindre un autre coin et il faudrait marcher dans la nuit. On n'a même pas de lampe.

Autour de nous, l'obscurité faisait passer le paysage au noir et blanc ; bientôt, il ne resterait plus que le noir. Je n'avais aucune idée de ce qu'on pouvait rencontrer la nuit en pleine campagne. Des animaux ? Des chasseurs armés de fusils ? Aucune envie de le savoir. Je commençais à paniquer.

– Pourquoi on n'a pas de lampe, d'abord ? C'était complètement idiot de venir ici sans lampe !

– Tu me traites d'idiot ? Et toi alors ? Regarde-toi dans la glace. On est deux, là, et toi non plus t'y as pas pensé.

On s'engueulait littéralement. Il me postillonnait à la figure mais je m'en fichais. J'étais trop furieuse qu'il m'ait entraînée dans cette situation.

– Dans quelle glace ? Il n'y a pas de glace ici, ni rien d'autre !

– Alors on s'en passera, OK ? Demain, je nous trouverai une voiture, mais ce soir, on est ici et on y reste.

– Je n'ai pas envie de rester ici, tu comprends, pauvre taré ? Je n'ai pas envie de rester ici. Tu ne sais même pas ce qu'on doit faire. Tu ne sais rien du tout.

– Quel plan tu me fais, là ? Arrête de piquer ta crise, tu fais ta gamine avec tes caprices ! Qu'est-ce qui te prend ? À Londres tu assumais mieux. Je préfère partir avant de te mettre ta raclée.

Il s'éloigna en secouant la tête et en remuant les bras.

– C'est ça, barre-toi, toquard !

– Toi-même !

Évidemment, il n'avait nulle part où aller. On était comme deux naufragés au milieu d'une île minuscule. Je voyais sa silhouette qui s'agitait comme dans un dessin animé. J'avais envie de lui crier *tu vas quand même pas te casser sans moi !* Mais plutôt crever. Je me mordis les lèvres et tâchai de mettre un peu d'ordre dans mes idées. De partout, la situation se présentait mal. Alors je retournai à notre campement, m'allongeai, m'enroulai dans la couverture.

Si je fermais les yeux, je ne voyais que des cadavres et des débris : le papy qui valdinguait dans les airs, les bouts de tissu bleu, ma mère. Alors je regardai fixement les feuillages à hauteur de ma tête, j'observai une espèce d'insecte grimper le long d'une tige. Je sentis mes cheveux se hérisser à l'idée de toutes les bestioles, araignées et autres qui risquaient de se promener sur moi durant la nuit. C'était vraiment dégoûtant, la campagne.

J'entendis Spider revenir en faisant craquer des branchages puis se laisser tomber à terre et fouiller dans sa sacoche. Il dut trouver une autre couverture parce qu'il finit par s'installer sans rien dire ; soudain il se remit à fouiller et je perçus un bruit métallique.

*Je ne vais pas lui parler, qu'il fasse ce qui lui chante, je m'en fiche.* Pourtant, je restais totalement attentive à ce qu'il faisait. Soudain, je reconnus un bruit de briquet, je vis la lueur fugitive de la flamme, je sentis l'odeur de la fumée. Tout ça suivi d'un énorme soupir de satisfaction.

Comme je m'asseyais, il s'exclama :

– Je savais que tu dormais pas ! Tu veux une taffe ?

Le bout rougeoyant de la clope s'approcha de moi. Je la pris, inhalai la fumée. Il y avait quelque chose de rassurant dans ce rituel, un sentiment de normalité.

– Ça fait du bien, observai-je.

Je ne parlais pas que de la cigarette, mais aussi du plaisir de reprendre la conversation avec lui. On n'était pas dans la situation idéale pour se faire la tête pour des bêtises.

On se passa la cigarette plusieurs fois, sans vraiment parler, juste contents de savourer le moment. Puis Spider reprit la parole :

– Tu crois que ça existe des fermiers blacks ?

– J'en sais rien, pourquoi ?

– J'aime ce coin. J'aime sentir cette terre sous mes pieds. J'aime voir à des kilomètres.

Tout ça parce qu'on avait passé une journée à marcher dans les champs.

– Arrête, Spider, ça n'arrivera jamais !

– Pourquoi ? Pas besoin d'un brevet pour être agriculteur. Ni d'être blanc.

– Je sais pas. Il doit quand même falloir de la thune. Plein de thune.

– J'aurais pas besoin d'acheter une ferme, juste d'y travailler. Je vais pas passer ma vie à bosser pour des mecs comme Baz. Ça m'intéresse pas, ce business. Faut que je trouve autre chose. Tiens, maintenant qu'on s'est barrés, je veux pas revenir en arrière mais commencer une nouvelle vie.

Il y mettait tellement d'ardeur que ça m'émut. Il parlait certainement du fond du cœur.

– Tu sais, continua-t-il, McNullos avait raison.

– Tu rigoles !

– Non, je te jure. Les gens comme toi et moi, on a notre avenir tout tracé depuis la naissance. Chômage et compagnie, chantiers, aide sociale, la rue. Que dalle. Ça me dit rien.

— Tu vas retourner à l'école passer ton brevet, peut-être ?

— Mais non ! C'est trop tard maintenant. Seulement je veux faire autre chose, de différent, pas juste devenir un Black qui rentre dans les statistiques.

Le nœud qui se formait dans mon estomac commençait à tellement gonfler qu'il me faisait mal. Je ne pouvais supporter de l'entendre ainsi parler d'avenir. Comment pouvais-je rester à l'écouter, alors qu'il ne lui restait même pas une semaine à vivre ? Il avait pourtant raison, il disait enfin des choses sensées. Mais ça venait mille fois trop tard. Si les numéros disaient vrai. Si...

Je me rendis compte que j'étais sur le point de manger le morceau ; j'avais envie de tout lui dire, de me confier, d'essayer peut-être d'y remédier. Mais on ne pouvait rien y changer, n'est-ce pas ? Jamais je ne pourrais dire à quelqu'un quel numéro il portait, sauf aux bâtards genre McNulty. Encore que même cet abruti n'était sans doute pas capable de comprendre de quoi il s'agissait. Je déglutis un bon coup pour tâcher de reprendre le contrôle de mes émotions. *Change de sujet, raconte n'importe quoi...*

— Comment ça se fait que tu vives avec ta grand-mère, si je peux te poser la question ?

— Ouais, mon pote. C'est pas un secret. Ma mère s'est barrée avec un mec quand j'étais encore bébé. Je me rappelle même pas comment elle était. Alors je peux pas dire qu'elle m'a manqué. J'ai toujours eu mamie.

— Elle est trop cool.

— Ouais, grave.

— Tu ne crois pas que tu devrais l'appeler ? Lui dire que ça va ?

— Non, ce serait trop dangereux. Rien de plus facile que de tracer les appels sur les portables. Mamie le sait. Elle s'en fait pas.

Je la revis au bord du trottoir alors que nous partions. Dire que ça ne remontait qu'à la veille !

— J'ai entendu ce que tu lui as dit à propos de ta mère, reprit-il. Désolé.

— Tu n'y es pour rien.

— Je sais mais…

— C'est peut-être mieux comme ça. Ma mère était… compliquée.

Je préférai me taire. Je ne disais pas la vérité. J'aurais préféré vivre avec elle, même si elle m'avait mené une vie d'enfer, plutôt que de passer d'un foyer à l'autre. D'être l'enfant de personne.

On bavarda ainsi pendant des heures. Nos voix semblaient toutes petites en plein air, mais elles semblaient nous protéger des monstres et des fantômes qui rôdaient dans les parages. Les silences se faisaient de plus en plus fréquents à mesure que nous glissions vers le sommeil.

Je devais être profondément endormie lorsqu'un hurlement strident m'éveilla en sursaut. J'ouvris les yeux, mais ça ne changea pas grand-chose : on n'y voyait rien.

— Tu as entendu ? soufflai-je.

— Il faudrait être mort pour pas entendre.

Et ça recommença, un cri aigu qui déchirait la nuit, si fort que je le sentis tout près, autour de nous. J'étais complètement réveillée maintenant, mais trop terrorisée pour bouger. Spider se glissa près de moi, j'entendis les feuilles craquer sous son poids, je sentis son odeur.

— C'est quoi, d'après toi ? demanda-t-il dans mon oreille.

— J'en sais rien.

— Tu crois aux sorcières ?

— Ta gueule !

Oui, en ce moment, je croyais aux sorcières, et aussi aux fantômes, aux loups-garous et à tout ce qui pouvait apparaître dans la nuit.

Encore un cri à vous glacer les sangs, cette fois suivi par deux longs hululements.

— C'est un hibou, Jem. C'est la première fois que j'en entends. Comment ils font du boucan, ces bestiaux ! Trouve-moi une pierre.

Il se redressa, chercha à tâtons autour de lui puis se leva et envoya quelque chose dans les arbres au-dessus de nous. Quelques secondes plus tard, le cri retentit de nouveau, mais de plus en plus éloigné à mesure que l'oiseau cherchait un endroit moins dangereux où se percher.

— Tu es un vrai paysan, toi ! Jeter des pierres sur un hibou !

— C'est vrai, ils leur jettent toujours quelque chose ou ils leur envoient les chiens. Je serais trop bien, ici.

Le cri du hibou retentit encore, mais assez loin maintenant. Il ne faisait que souligner à quel point nous étions seuls dans ce noir. Et puis ce froid qui nous glaçait. Peut-être qu'on tiendrait cette nuit, mais il faudrait trouver autre chose pour la suivante.

J'étais réveillée à présent, il n'était plus question de me rendormir. Je ne pus que rester là, à écouter, à essayer de ne pas trop penser.

Je croyais que Spider dormait ; pourtant, au bout d'un moment, je sentis une paume chercher la mienne à tâtons sur la couverture. Ensuite, il ne me lâcha plus et on resta là, main dans la main, à attendre que l'aube se lève. Du coup, on était tous les deux réveillés quand on entendit un nouveau bruit retentir dans l'air lourd de la nuit... un hélicoptère.

# 17

– Tu entends ? demandai-je.

Question débile.

– Hum.

– Tu crois que c'est juste un hélicoptère ?

Il savait parfaitement ce que je voulais dire. Juste un hélicoptère qui emmenait quelqu'un d'un point A à un point B.

– J'en sais rien.

Il s'éloigna de moi en rampant sous les buissons. On était encore en pleine nuit, mais une lueur bleue apparaissait au loin, dans la direction d'où nous étions venus la veille. C'était aussi de là que provenait le grondement.

– Il fait du surplace, Jem. Il balance de la lumière. Et j'en vois d'autres maintenant.

Spider revint vers moi pour ramasser sa couverture, la rouler.

– Viens, Jem. Faut qu'on se bouge. On dirait qu'ils nous cherchent.

– Il fait trop noir. Tu sais qu'on n'a pas de lampe.

— On va se débrouiller. N'importe comment, c'est mieux de se déplacer dans le noir.

— Oui, mais...

J'allais évoquer la boue, les barrières, les fils barbelés lorsqu'un autre bruit m'interrompit. Un chien qui aboyait. Derrière nous. Des lumières, des hélicoptères, des chiens. J'en avais la nausée. C'était de la pure chasse à l'homme. Alors je la fermai et pliai à mon tour mes affaires.

On sortit de l'abri des arbres pour dévaler la colline. On ne voyait pas où on posait les pieds et le sol était si dur qu'on trébuchait sans cesse. Jusqu'au moment où mon pied s'enfonça dans une crevasse. Je laissai tomber mes sacs, les bras en avant pour tâcher de retrouver mon équilibre. Ma main droite trouva quelque chose à quoi s'accrocher, mais ça s'enfonça dans ma chair et je tombai en avant. Je m'écorchai le visage au passage et atterris sur le sol dans un juron.

— Tu es où ? lança Spider non loin de moi.

— Là. J'en sais rien, bordel !

— Bouge pas, j'arrive.

Il finit par trouver son chemin et j'aperçus son ombre qui s'approchait de moi, je distinguai bientôt l'expression inquiète de son visage.

— Merde, Jem, tu es tombée sur du barbelé ! Attends...

Il me prit par la main, me tira pour me lever.

Quand il appuya sur la blessure de ma paume, je poussai un gémissement.

— Tu as un mouchoir ou quelque chose ?

Je trouvai un vieux bout de tissu dans ma poche. Il le prit et m'essuya doucement le visage. Ça me faisait un mal de chien et ma main me brûlait au moins autant. Spider fouilla dans sa sacoche, en sortit un tee-shirt qu'il déchira pour nouer un bandage autour de ma paume. Comme toujours, il s'occupait de tout. Mais ça n'y changeait rien, j'étais dans un sale état.

— On est cuits, Spider, non ?

— Ça veut dire quoi, ça ?

— Ils vont nous trouver. En plus, les chiens vont sentir l'odeur du sang.

— Je sais pas. C'est pas des requins, non plus. N'importe comment, on a une longueur d'avance et on est de l'autre côté de la rivière. On devrait continuer, trouver un endroit pour nous cacher, une sorte de bâtiment pour que l'hélico nous voie pas. Tu sais, ils ont des caméras qui repèrent la chaleur des gens, mais je crois pas que ça fonctionne dans les maisons. Tiens, je te prends tes sacs si tu veux bien continuer encore un peu, d'accord ?

— Ouais, faut voir.

Il repartit et, cette fois, je le suivis de près. À cause des nuages, la lumière mit un temps fou à venir. Il m'arriva de me retourner pour tâcher de distinguer ce qui se passait derrière nous, mais ça ne servait à rien à cause des collines qui nous bouchaient la vue. Quelle idée, aussi, de vouloir voir les gens qui nous suivaient ! C'était nul. Je rejoignis vite Spider et on traversa d'autres champs.

Si je m'étais sentie en danger la veille, là, on pouvait multiplier par dix. Que l'hélico repasse avant qu'on ait trouvé un abri et on était fichus. J'en avais de la sueur dans le dos malgré le froid. On avançait sans rien dire, qu'est-ce qu'il y aurait eu à dire, de toute façon ? On longea deux fermes, mais tous leurs bâtiments étaient reliés : maisons, poulaillers, hangars. Ils auraient vite fait de les fouiller. Il nous fallait quelque chose de plus isolé.

On mit plusieurs heures à trouver une grange, au bout d'un champ, montée sur pilotis métalliques, au toit ondulé et sans murs latéraux. Elle était toute seule, à côté d'un petit bosquet, sans aucune autre maison à des kilomètres à la ronde. Elle était tellement bourrée de bottes de foin que ça formait de véritables parois sur les côtés. En nous approchant, on distingua autre chose dessous, une clôture de métal délabrée qui entourait des vaches. Elles levèrent la tête à notre arrivée, en soufflant de l'air chaud. Je n'en avais jamais vu d'aussi près, sauf à la télé. C'étaient des bêtes énormes, impressionnantes.

— Ah non ! lançai-je à Spider. Pas là, avec ces machins.

— Elles peuvent pas passer, avec la barrière.

En fait, il ne paraissait pas tellement plus rassuré que moi.

— Attends ! Ça ne tient que par un bout de fil.

Les vaches nous regardaient toujours, comme si elles attendaient quelque chose. Tout d'un coup, l'une d'elles s'énerva et recula vers sa voisine qu'elle heurta brutalement et toutes les autres s'affolèrent, se mirent à remuer avant de se regrouper.

— Tu rigoles, on ne va pas rester là ! Elles vont nous piétiner.

— Tu as bien vu qu'on avait nulle part où aller, Jem ! Au moins, ici, on est à l'abri. On n'a qu'à grimper dans la grange. Ça grimpe pas, une vache.

— J'en sais rien.

On finit par s'asseoir sur une botte de foin sans quitter les animaux des yeux. Il y en avait deux qui ne cessaient de nous fixer, mais la plupart s'étaient remises à manger. L'une d'elles leva la queue et répandit tranquillement un jet brunâtre. Je n'avais jamais rien vu d'aussi dégoûtant. J'en avais le cœur tellement soulevé qu'instinctivement je portai une main à ma bouche. Je détournai les yeux pour constater que Spider contemplait la scène bouche bée, complètement horrifié lui aussi.

— Elle est malade, balbutia-t-il. Ou alors on a dû lui donner du curry. Je te dis pas, la dernière fois que j'ai mangé du curry…

— Arrête !

Je m'éloignai courbée en deux, m'immobilisai, les mains sur les genoux, pour tenter d'apaiser ma nausée et de respirer un peu. J'entendis Spider me rejoindre.

— Ça va ?

— Non.

Je sentis sa paume qui allait et venait doucement sur mon dos, pour m'apaiser. Bientôt je me sentis mieux, mais je restai penchée en avant car je n'avais pas envie qu'il arrête sa caresse. Je n'ai jamais été très amatrice de contact physique, pourtant, là, ça me faisait du bien, ça me réchauffait. Quand je me redressai, il resta près de moi, sans me regarder, les yeux perdus dans le lointain, et enleva sa main de mon dos. Le vent balayait les champs avec une agressivité qui me surprit.

— Ça va mieux ?

— Non, enfin, oui…

J'avais envie de lui dire merci de m'avoir calmée, de m'avoir aidée à me sentir mieux, mais ç'aurait été trop gentil. Alors je le suivis dans l'étable en demandant d'un air dégagé :

— Tu crois qu'il nous reste combien de temps avant qu'on nous attrape ?

— Sais pas. J'entends plus l'hélico.

140

On se tut un instant en prêtant l'oreille pour s'assurer que le vent n'en masquait pas les grondements. Je frissonnai et Spider me posa un bras sur l'épaule.

– Viens, on va chercher un coin tranquille pour se cacher dans le foin.

Dès qu'il avait quelque chose à faire, il paraissait mieux dans sa peau. Il entreprit aussitôt de réinstaller les bottes de foin, les empilant d'un côté, me lançant des instructions. Il préparait une sorte de tunnel ; il disparut un instant, revint chargé d'une autre botte, un sourire béat aux lèvres.

– Tiens, va t'installer.

Je dus faire la grimace car il ajouta :

– Ça craint rien. Vas-y ou je t'y entraîne de force.

Je me mis à quatre pattes pour m'y glisser. Ça piquait un peu les paumes, aussi je n'appuyai que les doigts de la main droite. Il faisait noir, là-dedans, mais pas complètement, et puis le tunnel n'était pas trop long. Au bout de cinq ou six mètres, il ouvrait sur une sorte de petite pièce, ou plutôt une grotte. Il y avait là juste assez de place pour nous tenir assis, Spider et moi. Je ne le voyais pas vraiment, mais je sentais son odeur. Il avait dû transpirer en trimballant ce foin, sans compter les heures de marche qu'on s'était tapées et le fait qu'il ne s'était plus lavé depuis le Déluge – à part un plongeon dans un torrent boueux et glacé – si bien qu'il puait comme jamais.

– Alors, qu'est-ce que tu en penses ? Cool, non ? On n'a plus qu'à fermer à l'autre bout et on est chez nous. Tu veux que je le fasse tout de suite ?

Je n'aurais pu supporter l'idée de me retrouver bloquée là-dedans avec lui.

– Non, ça va. On verra plus tard.

De retour dans la grange, je respirai un bon coup. Il ressortit à son tour, l'air d'un chien idiot. J'avais mal à la main, j'étais fatiguée, j'avais peur, alors je laissai tomber, sans plus réfléchir :

— S'ils nous trouvent ici, on est fichus.

Il changea instantanément d'expression et je m'en voulus un peu.

— Ouais, Jem, s'ils nous trouvent, on est faits comme des rats.

Il se leva et vint s'asseoir près de moi, se prit la tête dans les mains. Et là, il se mit à parler, d'une voix grave que je ne lui connaissais pas :

— Je te jure, Jem, je me laisserai pas faire. Je résisterai de toutes mes forces.

Je savais qu'il avait un couteau sur lui et je compris qu'il comptait s'en servir.

— Ça n'en vaudrait pas la peine, dis-je, la gorge serrée. Si on est coincés, on se rendra et puis voilà. Qu'est-ce qu'ils ont contre nous, de toute façon ? Ce n'est pas nous, pour la grande roue. Ils ne peuvent pas nous mettre ça sur le dos. Tu as fauché du fric, d'accord, mais ça m'étonnerait que la police soit au courant. On a tiré deux bagnoles. Et alors ? Tandis que si tu résistes, si tu blesses un flic, là, ce sera autre chose. Tu te prendras la totale.

— De toute façon, je me retrouverai en taule. Toi, tu t'en sortiras peut-être ; les bagnoles, c'est pas toi. Il y a bien cette histoire de lame, à l'école, mais une petite Blanche comme toi, avec Karen et l'assistante sociale de ton côté, tu risques rien. Tandis que moi, au premier coup d'œil ils me trouveront la tête du jeune délinquant. Pas besoin de se poser des questions, ils me fourreront au trou pour des mois. Piégé dans le système. À la poubelle.

Il grimaçait comme s'il allait pleurer. Furax, oui, mais en même temps il avait peur.

— Jamais je me laisserai prendre, Jem. Plutôt crever.

— Ne dis pas ça, mon pote. Arrête !

Je ne pouvais m'empêcher de penser *c'est comme ça que ça va se faire ?* À mon tour, je lui passai la main dans le dos, comme il l'avait fait pour moi. Il était si maigre ! Je sentais chacun de ses os à travers ses vêtements.

Il renifla un bon coup, s'essuya le nez du revers de la manche. Soudain il se tourna vers moi :

— C'est pour aujourd'hui, Jem ?

Je fis celle qui ne comprenait pas :

— Quoi ?

— C'est aujourd'hui que tout va s'arrêter pour moi ? Tu le sais, non ? Ils vont nous trouver ?

J'en eus les larmes aux yeux.

— Ne me demande pas ça, Spider ! Tu sais que je ne peux pas te répondre.

— Oh, merde ! murmura-t-il.

Il joignit les mains devant sa bouche, comme s'il priait, la respiration lourde, promenant les yeux de droite à gauche, complètement paniqué. Je ne pouvais supporter de le voir dans un tel état. Alors je finis par enfreindre les règles que je m'étais imposées :

— Ce n'est pas pour aujourd'hui, dis-je doucement. Tu m'écoutes, Spider ? Pas pour aujourd'hui.

Il laissa retomber ses mains, posa sur moi un regard rougi d'effroi.

— Merci, souffla-t-il. J'aurais pas dû te demander ça et j'arrête là, promis.

Il avait l'air d'un petit garçon, appliqué et solennel.

J'avais envie de le prendre dans mes bras, de le rassurer. D'un seul coup, je pensai à Val, la femme qui l'avait rassuré durant son enfance, je repensai aux paroles qu'elle m'avait dites (il n'y avait que deux jours, comment le croire ?) : *Veille bien sur lui, Jem. Protège-le.* Ça commençait à faire beaucoup. Je n'arrivais plus à suivre.

On finit de manger nos provisions perchés sur des bottes de foin. Je tournais le dos aux vaches pour qu'elles ne me dégoûtent pas de la nourriture. On partagea la fin du paquet de chips et on prit chacun une barre chocolatée, une dernière gorgée de Coca. On avalait lentement pour que ça dure le temps d'un vrai repas, mais à la dernière bouchée on sut tous les deux que, maintenant, c'était fini. On n'avait plus rien. Il allait falloir prendre une décision demain. Plus le choix.

Ensuite, il ne resta pas grand-chose à faire. Encore une fois. On parla un peu, mais il n'y avait pas non plus grand-chose à dire. Sans doute parce qu'on craignait trop ce qui nous attendait. On finit par aller se réfugier dans l'abri qu'il nous avait installé, on y étala nos couvertures et on s'enveloppa dedans, chacun de son côté.

Il faisait complètement noir, cette fois, alors qu'il ne devait pas être plus de dix-sept heures. On échangea deux, trois paroles, on écouta les vaches. Ça rassurait un peu de les entendre exhaler l'air par leurs gigantesques naseaux poilus, de les entendre remuer sans jamais cesser de manger. Chaque fois que l'une d'elles pétait, Spider était mort de rire. Il y a des gens qui se rassurent avec un rien.

Impossible de dire combien de temps on resta là. Je n'arrivais pas à trouver une position confortable. Les bottes de foin étaient très dures sous la couverture et les brins de paille piquaient à travers nos vêtements. Avec toute la saleté accumulée depuis deux jours, j'avais horriblement envie de me gratter. Sans parler de mon crâne rasé. Je me sentais toute poisseuse, immonde.

— Je prendrais bien un bain ou même une douche, marmonnai-je en changeant de posture pour la trentième fois.

— Moi ça me dérange pas.

— Ça, c'est sûr.

— Ça veut dire quoi ?

— Que tu pues ! sans vouloir te vexer, mais c'est la vérité. Et moi aussi je pue maintenant, et je n'en ai pas envie.

Depuis un moment, un bruit montait en arrière-plan. Maintenant que j'avais cessé de parler, je perçus le tambourinement sur le toit d'étain. Il pleuvait. L'eau faisait un boucan pas possible en tombant sur le métal. Je sortis du tunnel et m'assis sur une botte de foin après avoir ôté mes pulls et déboutonné mon jean.

— Qu'est-ce que tu fiches ? demanda Spider en émergeant à son tour.

Mon jean sur les chevilles, j'attaquais les lacets de mes baskets.

— Je vais me laver. Viens faire un tour dehors.

Je me retrouvai pieds nus, en soutien-gorge et petite culotte.

Je sortis en courant. Il pleuvait à torrent. Je pataugeais dans la boue glacée mais ça m'était égal, ça me faisait un bien fou. J'offris mon visage au ciel, le frottai ainsi que mon

145

crâne de mes mains ; je me sentais revivre. Alors j'ouvris la bouche pour boire ces gouttes fraîches.

D'un coup d'œil vers l'étable, j'aperçus Spider adossé à un pilotis, en train de m'observer en souriant.

— Tu disjonctes complètement !

— Mais non ! C'est super ! Viens.

— Pas moi. Je me suis assez mouillé comme ça hier.

Je courus vers lui, riant, lorsque je faillis déraper dans une flaque. Il recula mais je l'attrapai par le bras et l'attirai dehors. Une fois qu'il eut reçu un peu d'eau, il cessa de résister et se déshabilla à son tour en jetant ses vêtements dans l'étable.

— J'y crois pas ! cria-t-il. T'es dingue !

Je me mis à tourbillonner, les bras écartés. En caleçon, Spider vint me rejoindre. Il était d'une maigreur à faire peur. On voyait ses muscles, pas à cause de la gonflette mais parce qu'il n'avait que la peau sur les os. Il resta là, les bras croisés, sans oser me regarder. Quant à moi, toute timidité oubliée, je n'étais qu'euphorie, mais ma joie n'arrivait pas à le débrider.

— Ça gèle ! couina-t-il.

— Oui mais c'est trop bon, répliquai-je.

— Ça pique comme des aiguilles.

— Profites-en pour te frotter. Ça fait du bien.

Il se frotta un bras sans conviction, remonta vers l'épaule.

— Ouais, tu as raison.

Il se prenait au jeu, se passait les mains dans les cheveux, levait le visage comme moi, fermant les yeux, laissant échapper un soupir de joie. Avec de grands gestes souples, il étalait l'eau sur son corps. Soudain, l'évidence me frappa : il était beau gosse.

Cela me fit un choc. J'avais l'impression de le voir pour la première fois, de le découvrir au-delà de tout ce qui sautait aux yeux : ses tics, sa grande gueule, son attitude bizarre.

Je me rendis compte qu'il me dévisageait.

— Quoi ? dit-il.

— Rien.

— Tu as froid ?

— Non. C'est bon.

— Faut bouger, sinon tu vas geler.

Il se mit soudain à tourner sur lui-même comme un cinglé. Je me joignis à lui en dansant et en riant aux éclats. Il me prit par la main, me fit tourbillonner sur moi-même avant de m'attirer contre lui et de m'entraîner dans une valse de fous. Tout ça sous des trombes d'eau. C'était complètement dingue.

— Il y a quelqu'un là-haut qui t'aime bien, me cria-t-il à l'oreille.

— Comment ça ?

— Ils te balancent une douche juste au moment où tu le demandais.

— C'est la pluie qui tombe. Il n'y a personne là-haut.

— Qu'est-ce que tu en sais ?

— Personne ne s'est occupé de moi en quinze ans, pourquoi ça commencerait maintenant ?

On s'arrêta de danser, mais il gardait un bras autour de moi.

— Je veillerai toujours sur toi, déclara-t-il.

Ses paroles m'allèrent droit au cœur et j'en fus toute retournée. En même temps mes yeux commençaient à me piquer. Il n'y aurait pas de « toujours » pour ce garçon. Je détournai la tête pour qu'il ne voie pas mes larmes.

147

— Je te jure, Jem.

— Je sais…

Il me prit le menton, tourna doucement ma tête vers lui. Il était tellement grand à côté de moi que, si je regardais droit devant, je ne voyais que sa poitrine. Il souleva mon menton, se pencha vers moi.

J'eus à peine le temps de penser *c'est pas vrai !* que je sentis ses lèvres se poser sur les miennes. Je fermai les paupières comme il bougeait légèrement la bouche, comme son nez effleurait le mien. Le sentant se détacher, je rouvris les yeux. Il était encore tellement près que je le voyais tout déformé, mais son numéro était là, toujours le même. Alors qu'il reculait, je retrouvai sa physionomie habituelle, le Spider que je connaissais. Il se rembrunit, leva les deux mains.

— Pardon, dit-il. Excuse-moi.

— Non, répondis-je vivement. Ça va.

Je lui saisis la nuque pour le pencher à nouveau vers moi et on s'embrassa encore. Et puis nos regards se perdirent l'un dans l'autre, on ne fit plus qu'examiner des traits qu'on croyait pourtant si bien connaître, sous la pluie, dans l'obscurité, au cœur d'une dimension inconnue.

# 18

Allongée sur la couverture, je croisais instinctivement les bras sur mes seins. Il essayait de me toucher à cet endroit, de m'embrasser. Je savais que mon geste le lui interdisait et je n'y tenais pas vraiment, mais je ne pouvais pas m'en empêcher. Je me disais que si on faisait ça j'allais devoir lui accorder ma confiance, m'abandonner à lui. Alors je m'efforçai de lever les bras au-dessus de la tête, de poser les mains sur le foin. C'était un acte délibéré, je m'ouvrais à lui. Sans se faire prier, il se jeta sur moi à coups de langue et de baisers. C'était merveilleux. Et atroce. Trop nouveau, trop dingue. J'avais l'impression de me dédoubler, de nous observer de loin, nus dans cette grange malodorante, la peau et le ventre vibrant de sensations ; et je riais d'excitation.

Spider s'arrêta en plein mouvement, l'air sérieux comme jamais.

— Ça te fait marrer ?

— Non.

Pourtant, je ne pus me retenir de pouffer encore.

— J'ai fait un truc que j'aurais pas dû ?

— Mais non. Seulement… je… je n'ai pas l'habitude. Excuse-moi.

Lorsque mon rire me quitta, je vis que je l'avais blessé.

— Ça va, avouai-je. C'est ma première fois. J'ai le trac. Allez, vas-y.

En fait, j'étais au bord des larmes, toutes mes émotions à fleur de peau. Je l'attirai contre moi en l'embrassant tendrement, c'était mieux quand on s'embrassait. Ça nous détendait et ça me ramenait vers mon corps, vers Spider.

Il me caressait de ses doigts tremblants. Dans le noir complet, on alla jusqu'au bout. Vraiment, sur ces couvertures râpeuses, dans la poussière du foin et l'odeur des vaches. La terre ne trembla pas pour autant, peut-être simplement les bottes assemblées pour nous former un lit de paille. Ça faisait drôle, ce mouvement mécanique ; ça ne dura pas plus de quelques minutes. Ensuite, pourtant, on n'était plus les mêmes. À cause non du sexe mais de la proximité, de l'intimité. On s'abrita autant qu'on le put sous les couvertures et le vieil anorak vert, on se serra l'un contre l'autre. Spider ne sentait plus mauvais, la pluie l'avait débarrassé de sa crasse, il ne lui restait qu'une agréable odeur musquée que je humais en blottissant ma tête sur sa poitrine.

— Tu l'avais déjà fait ? lui demandai-je.

— Ouais, évidemment, plein de fois.

Il mentait tellement mal qu'il rectifia tout de suite :

— Enfin, une fois… bon, d'accord, une fois, ici, avec toi.

Je souris et le serrai dans mes bras.

Après ça, il débordait encore d'énergie, il ne savait plus où mettre les mains, à travers mes cheveux si courts, sur mes bras, sur mon ventre, sur ma taille. Il se retourna, si bien qu'on se retrouva face à face, et il traça de l'index le contour de mon visage.

— C'est drôle comme tu as encore plus l'air d'une fille avec tes cheveux courts. Ça se voit mieux.

Il m'embrassa le front, le nez, le menton.

— Ton joli visage.

Personne ne m'avait jamais dit que j'étais jolie. Et je suis certaine que personne ne l'avait jamais pensé.

— Je croyais t'avoir demandé de ne plus rien me dire de gentil.

— Ah oui, c'est vrai ! J'ai promis. Mais cette fois, ça compte pas.

— Pourquoi ? Une promesse est une promesse.

— Ouais, mais c'était avant que je tombe amoureux de toi.

Là, c'était trop, trop nouveau, trop inattendu. Je réagis comme je l'avais toujours fait. Je dis ce que je disais toujours :

— Ta gueule.

— C'est bon, oublie.

Il semblait tellement blessé, tellement affecté que je le vis se rétracter, se replier sur lui.

Qu'est-ce que j'avais fait ?

— Excuse-moi ! Je ne sais jamais ce qu'il faut dire.

— Ça va, Jem.

Il ne me reprit pourtant pas dans ses bras.

— Non, ça va pas. J'ai été nulle.

Si je lui avais répondu, si je lui avais dit moi aussi que je l'aimais. Si… si… si…

Sans sa chaleur, la couverture devenait carrément désagréable ; le froid qui me mordait les pieds et les mains se répandit sur moi et me fit frissonner violemment. Je m'assis, cherchant à tâtons mes vêtements, maudissant une fois de plus l'absence de lampe. J'enfilai tous les habits que je trouvai, sans soutien-gorge ni culotte, juste une chaussette, qui devait appartenir à Spider, un pull, mon jean ; le reste attendrait le matin. À un mètre de moi, il en faisait d'ailleurs autant. On aurait dit que quelque chose était brisé entre nous. J'avais tout gâché.

Je me pelotonnai sur moi-même mais j'avais encore autant froid. Aussi quelle idée d'être allée danser à poil sous la pluie en plein décembre pour ensuite folâtrer dans une grange ! Pas étonnant que j'attrape un rhume après ça ! Sans compter que la faim ne devait pas aider. J'entendis Spider se tourner à plusieurs reprises, pousser un soupir de fatigue, que je sentais aussi marqué de dépit, de colère et de tristesse. J'avais envie de lui tendre la main mais je craignais qu'il ne me repousse.

Alors on resta étendus en silence. Même les vaches ne faisaient plus de bruit ; elles s'étaient assises au milieu de leur foin et de leurs bouses et elles ruminaient tranquillement. J'avais trop froid pour pouvoir dormir et je ne savais que faire avec ce mur de silence qui nous séparait. J'avais pourtant besoin de lui.

— Tu es réveillé ? murmurai-je.

— Ouais.

— Je gèle.

— Je sais. Moi aussi.

Une pause. Une longue pause.

— Allez, viens, reprit-il.

Je me réfugiai contre lui et il m'enveloppa de ses longs bras.

— Je suis désolée pour tout à l'heure, insistai-je.

— C'est bon, Jem, oublie. On va pas y revenir.

— Oui mais… je ne voulais pas dire ça. Je ne voulais pas te blesser.

— Je sais. Ça va. C'était juste une dispute d'amoureux.

Il m'embrassa sur le bout du nez, descendit vers ma bouche et, soudain, tout alla bien de nouveau.

J'enfouis la tête dans ses cheveux. *Des amoureux, voilà ce qu'on est.* On respirait ensemble le même air. Et on resta enlacés l'un contre l'autre. J'avais les mains encore froides, alors il les prit, les glissa sous ses vêtements, à même sa peau, pour les réchauffer.

— Ce serait sympa si on pouvait tout recommencer, observai-je. J'ai l'impression que ma vie est finie avant d'avoir commencé.

— C'est à moi que tu dis ça ? Mais on a déjà recommencé, Jem. Sans toi, je me trouverais coincé entre came et pilules, à fumer du crack et à m'injecter des saloperies, en prison, à l'hôpital. C'est comme ça que j'aurais fini, mais toi tu m'as sauvé. Maintenant, tout sera différent pour nous.

Je lui plantai les ongles dans le dos et les larmes me brûlèrent les joues.

— Aïe ! s'exclama-t-il. À quoi tu joues ? Tu veux me marquer ?

— Non, je te retiens, c'est tout.

Et il me retenait lui aussi. On fit encore l'amour, lentement, tendrement. Cette fois, je ne restai pas bêtement allongée à subir, je participai, en bougeant, en l'embrassant, en le caressant, en soupirant. Je me laissai aller à être enfin moi-même, devant l'unique personne qui m'ait jamais trouvée, qui ait vu en moi celle que j'étais. Et moi aussi je le voyais. Il était beau.

Ensuite, je demeurai au creux de ses bras, ma main posée sur sa poitrine ; il restait immobile, plus de tics ni de soubresauts. Nous étions tous les deux tranquilles, apaisés ; alors je m'endormis, la joue baignée de son souffle tiède, son cœur battant près du mien.

# 19

J'émergeais, je sortais doucement de mes rêves sans plus trop savoir où se situait la réalité. J'entendais les vaches bavarder tranquillement entre elles et j'avais les narines pleines d'odeurs agricoles, mélange animal et végétal pas trop ragoûtant. Allongée en chien de fusil, comme d'habitude, j'avais pour une fois le dos tiède parce que je me blottissais contre quelqu'un qui m'enveloppait la taille de ses bras.

Le jour se levait. Les vaches se redressaient sur leurs pattes en faisant crisser la paille, ce qui avait dû me réveiller. J'attrapai le poignet de Spider pour le serrer un peu plus contre moi. Ce petit mouvement le tira de son sommeil et il me déposa un baiser sur le front.

— C'est le matin, dis-je. Il faudrait se lever.

— Ouais, grogna-t-il. Encore cinq minutes.

On s'offrit donc encore cinq minutes, ce qui me laissa largement le temps de me repasser le film de la nuit. Tout ça était réellement arrivé ? J'étais vraiment une autre ? Spider s'était rendormi, je le sentais au poids de son bras, au rythme lourd de sa respiration.

Je commençais à m'inquiéter à l'idée qu'on puisse nous trouver ici. Il faudrait bien que quelqu'un finisse par venir s'occuper des vaches. On ne les laissait sûrement pas livrées à elles-mêmes des jours entiers. Je me retournai, frottai le torse de Spider pour le réveiller.

— Viens, faut qu'on y aille.

Il ouvrit une paupière paresseuse.

— Tu es pressée ?

— On doit partir. Il va bientôt faire jour.

Je me débarrassai de son bras, m'assis. On n'avait pas dormi dans l'abri douillet mais à même des bottes de foin, et nos vêtements traînaient partout autour de nous, des chaussettes abandonnées sur le sol répugnant de l'étable. Elle était bien là, la réalité.

Je récupérai les affaires qui m'appartenaient en les frottant comme je pouvais puis me dévêtis afin de me rhabiller dans l'ordre. Ma nudité me gêna davantage dans la lumière froide du jour et j'enfilai en hâte mon tee-shirt avant de me tortiller pour fermer dessous mon soutien-gorge.

— Qu'est-ce que tu fiches ? interrogea une voix endormie. Je t'ai vue, là, c'est bon. Pas besoin de te cacher.

— Je sais. J'ai froid. Lève-toi vite. Tiens…

Je lui envoyai sa chaussette que j'avais portée toute la nuit.

— Ouais, ouais.

Une fois prêts, il ne nous restait qu'à partir. On n'avait rien pour le petit déjeuner, même pas à boire. Alignées le long de leur clôture, les vaches nous regardaient curieusement et leur souffle blanc s'élevait dans l'air froid du matin. On rangea les couvertures dans les sacs et on s'en alla. Il s'agissait de retrouver la civilisation, autrement dit de reprendre le chemin qui menait à la route. Spider se chargea de deux sacs dans une main et on prit chacun une anse du plus lourd des miens. On se mit en marche, l'un à côté de l'autre, sans échanger une parole. Lorsque le sentier devenait plus étroit, il passait devant, une main derrière pour tenir le sac avec moi. Ça faisait un peu gnangnan, genre petit copain et petite copine. Pourtant on était juste ensemble, rien d'autre.

Arrivés devant la route, on la longea, levant le pouce chaque fois qu'on entendait arriver une voiture. Maintenant, on risquait à tout moment d'être reconnus. Personne ne s'arrêta. Les gens étaient pressés, ils semblaient traverser le comté comme s'ils faisaient la course, effectuaient un détour pour nous éviter, quand ils ne klaxonnaient pas. Comme si on n'avait pas le droit de se trouver sur cette route ! Où est-ce qu'on devait marcher, d'après eux ? Dans le fossé ? *Branleurs !*

Il ne pleuvait plus, mais le sol restait trempé et de grosses flaques s'étalaient sur les bas-côtés de la route. Mon pantalon devenait plus lourd à mesure qu'il se détrempait. Ce n'était pas facile de marcher l'estomac complètement vide. D'autant que j'avais les jambes encore fatiguées de la veille et que mon corps se rebellait contre ce que j'exigeais de lui. J'avais toujours des renvois, mais rien qui me rappelle ce que j'avais pu manger la veille, juste des aigreurs.

Il était huit heures vingt lorsqu'on s'arrêta. On ne pouvait s'asseoir nulle part, c'était trop mouillé, mais on se mit sur un chemin écarté qui menait à une ferme. Spider déposa les sacs et alluma une de nos dernières cigarettes qu'on partagea en silence, en essayant d'éviter l'eau qui coulait des arbres voisins.

— C'est plutôt relou, tout ça, finit par marmonner Spider. On pourrait peut-être risquer d'utiliser un téléphone. Pour appeler un taxi.

— Tu veux rire ! On sera tout de suite repérés.

— Qu'est-ce que tu veux qu'on fasse d'autre ? On est coincés, là, dans ce trou.

— J'en sais rien. Mais tu penses bien qu'ils doivent nous guetter pour le téléphone.

Il jeta le mégot, l'écrasa.

— J'ai faim, Jem. Et froid.

— Moi aussi.

On alluma une autre clope qu'on se repassa, petit réconfort dans ce monde sinistre. Deux minutes après, on entendait des pneus crisser dans le chemin derrière nous. On se regarda. Pas le temps de bouger, un énorme 4×4 surgissait du virage ; il freina face à nous puis nous contourna. Je vis alors sa conductrice d'une trentaine d'années, assez élégante, les cheveux tirés en queue-de-cheval, un morceau de toast coincé entre les lèvres. Il y avait deux enfants à l'arrière qui faisaient plutôt penser à des poupées posées dans ce monstrueux engin.

La femme nous regarda, l'air un peu surprise, un peu agacée et, alors qu'elle allait s'engager sur la route, recula dans notre direction. Sa vitre s'abaissa, elle ôta sa tartine de la bouche et demanda :

— Vous attendez quelqu'un ?

C'était dit d'un ton sec, presque accusateur. Le crime d'être des étrangers. Le crime d'être jeunes.

Spider leva la main :

— On voudrait juste que quelqu'un nous dépose en ville.

Qu'elle ne nous demande surtout pas laquelle, parce que nous l'ignorions.

La femme parut hésiter.

– Désolée, je ne peux rien pour vous.

Sa vitre remonta et la voiture repartit.

– Salope ! lançai-je.

Spider tira une bouffée en hochant la tête.

Alors qu'elle s'était engagée sur la route, elle s'arrêta trois mètres plus haut et recula. Cette fois, une autre voiture arrivait derrière, qui klaxonna furieusement en nous doublant. La vitre du 4×4 s'abaissa côté passager :

– Allez, montez ! ordonna la conductrice d'un ton brusque. Je vais en ville. Mettez vos sacs dans le fond. L'un de vous ira derrière, à la place du milieu.

On échangea un regard avec Spider et il alla ouvrir le coffre pendant que je grimpais dans le véhicule. Les gamins nous regardaient avec des yeux ronds. Je m'efforçai de ne pas les fixer – je ne supporte pas de lire les numéros des enfants. Ils portaient des uniformes bon chic bon genre : blazers, chemises et cravates, et me dévisageaient comme si j'étais une extraterrestre.

– Heu… excusez-moi… vous permettez… ?

Le gamin assis à côté de moi tourna les jambes sur le côté et s'adossa à son siège. Je passai devant lui pour aller m'asseoir entre eux deux. La petite fille s'écarta également pour ne pas avoir de contact avec moi.

Spider alla s'installer à l'avant.

– Merci, c'est sympa. C'est même super cool.

Il accompagnait chaque mot d'un hochement de tête. J'avais envie de lui dire de la boucler, sinon on allait passer pour des tarés.

– C'est trop sympa. Il faisait un putain de froid dehors.

J'entendis le gamin étouffer un soupir et le vis, du coin de l'œil, prendre un air scandalisé. La conductrice répondit d'un ton pénétré :

– Écoutez, je suis ravie de vous rendre ce service, mais on ne dit pas de gros mots dans cette voiture.

Spider plaqua une paume sur sa bouche :

– Oh, pardon ! Désolé. J'ai pas fait exprès, m'dame. D'accord, les enfants ?

Un large sourire aux lèvres, il se tourna vers eux :

– C'est pas bien d'utiliser des mots pareils, d'accord ? Pas cool.

Je crus percevoir un petit cri de la part de la fillette. Elle avait l'air terrifiée, sans doute au point d'en faire pipi dans sa culotte. Elle n'avait peut-être jamais vu un Black de sa vie, en tout cas pas un géant mal embouché comme celui-ci. Déjà, il pouvait paraître intimidant en temps normal, mais là, après trois jours de fuite et trois nuits plus ou moins à la belle étoile, il devenait carrément effrayant.

En plus, il était trop excité pour arriver à se contrôler :

– C'est très gentil. De vous arrêter pour nous. Très sympa.

– J'ai bien compris.

La conductrice semblait regretter son impulsion.

– Où allez-vous ?

Mon cœur se serra à l'idée qu'on ne s'était même pas mis d'accord sur ce point. Deux jours dans la nature et on re-plongeait dans le monde réel. Spider se jeta à l'eau :

– À Bristol, chez ma tante. Ouais, elle habite à Bristol.

– Comment se fait-il que vous vous retrouviez à Whiteways ?

– Euh… On a fait du stop. On nous a laissés sur la route et on marche depuis deux jours.

Alors qu'il bavardait, moi je contemplais la tartine entamée laissée par la femme à côté du levier de changement de vitesse. J'en eus l'eau à la bouche. Je ne pouvais plus la quitter des yeux. Ni m'empêcher de la saisir et de la fourrer dans ma bouche en m'enfonçant dans mon siège. Elle était froide, un peu ramollie mais je n'avais jamais rien mangé de meilleur. Le beurre ne me fit que saliver davantage et j'en eus quelques gouttes graisseuses qui s'échappèrent du coin des lèvres.

C'en fut trop pour le gamin.

– Maman ! couina-t-il. Il a mangé ta brioche !

*Il ?*

– Oh ! ce n'est pas grave, Freddy. J'avais fini.

Je m'essuyai le menton du revers de la manche, avalai à regret – j'aurais gardé ça dans ma bouche pendant des heures.

– Pardon, lâchai-je. Je… j'avais un peu faim.

– Ce n'est pas grave, dit-elle.

La petite fille se mit à pleurer doucement.

– Allons, les enfants. Nous sommes presque arrivés. Presque.

Pas besoin qu'elle ajoute « Dieu merci », ça s'entendait.

On arrivait dans les faubourgs d'une ville. Ça faisait du bien de voir enfin des maisons, de savoir qu'il y avait des boutiques et des cafés tout près.

La voiture se gara au bord d'un trottoir.

– On doit dévier pour l'école. Je vous dépose ici. Vous êtes à cinq minutes de marche du centre-ville. Et de la gare.

– Bon, merci, vous êtes très aimable.

Je passai devant Freddy qui s'aplatit au point de ne plus apparaître qu'en deux dimensions. On sortit nos sacs du coffre et on regarda la voiture repartir.

— La vache, le bol qu'on a eu ! s'exclama Spider.

— Combien je te parie qu'elle ne prendra plus jamais d'auto-stoppeurs ?

— Ça veut dire quoi ?

— Rien, juste qu'on n'est pas son genre.

— Ouais ! s'esclaffa-t-il. Même qu'ils t'ont prise pour un garçon ! Ils ont besoin de lunettes.

— Tu crois qu'ils ont compris qui on était ?

— Non, elle nous aurait jamais pris.

Avec toute cette circulation, je recommençai à me sentir en danger ; au moins, dans la nature, on ne risquait pas d'être reconnus à tout bout de champ. Au bout de deux jours, qu'est-ce que les gens avaient pu entendre sur notre compte ? Qu'est-ce qu'ils avaient vu à la télévision ? Lu dans les journaux ? Et si, dans une de ces voitures qui nous croisaient, quelqu'un appelait déjà la police ? J'avais les boules.

— Il faudrait qu'on trouve une boutique et ensuite on disparaît pour de bon, Spider. On ne doit pas traîner.

— Ouais, je sais.

Il attrapa les sacs et repartit de sa longue démarche cadencée. Je devais trotter pour rester près de lui. Arrivés à hauteur des premiers magasins, on chercha un petit supermarché ou une épicerie quelconques. C'est alors qu'on lut le panneau : « Chez Rita – casse-croûte à toute heure ».

Spider s'était arrêté net. Il déchiffrait le tableau noir en se léchant les babines. Je voyais très bien ce qu'il allait dire :

— Je sais qu'on doit pas traîner, Jem, mais merde ! J'ai trop faim. Ça te dit ?

162

On avait beau savoir qu'on devrait s'en tenir au plan A, acheter en vitesse de quoi nous alimenter, sandwichs, eau, barres de céréales et ce genre de trucs, ensuite trouver une grange ou un garage pour pique-niquer, ni lui ni moi n'avions envie de résister à la tentation.

— Et merde ! maugréai-je. Même les condamnés ont droit à leur dernier repas.

Le large sourire de mon pote revint.

— T'as trop tout capté !

Et il récupéra les sacs pour entrer direct chez Rita.

# 20

Je ne suis jamais allée en Afrique, je n'ai jamais vu d'hyène déchiqueter une carcasse d'antilope, mais je suis sûre que ça m'aurait rappelé Spider en train de dévorer un vrai petit déjeuner. Il se servait de sa fourchette comme d'une pelle, sans prendre le temps de respirer entre deux bouchées, trop occupé à se remplir l'estomac. Il leva soudain les yeux vers moi. Je n'avais pas touché à mon assiette.

— Qu'est-ce que tu nous fais, là ? s'exclama-t-il, la bouche pleine d'œuf. Me dis pas que t'as pas faim !

— Non, j'aime bien la regarder. C'est hallucinant.

Après ces deux journées de folie, à se nourrir de chips et de petits gâteaux, ça faisait trop plaisir : deux énormes saucisses dégoulinantes de graisse, des œufs sur le plat de rêve, parfaitement bombés ; des tranches de bacon grillé ; une montagne de haricots avec la sauce qui se répandait sur tout le fond.

Il poussa un soupir, avala une autre bouchée qui lui macula le menton de jaune d'œuf.

— Tu délires grave. Mange.

164

De sa fourchette, il désigna la femme derrière son comptoir, sans doute Rita, et lança :

– Hé, on pourrait avoir du pain grillé, aussi ?

– Ça vient ! répondit-elle avec empressement.

Elle semblait contente de nous voir apprécier sa cuisine.

Je coupai le bout d'une saucisse et ne pus m'empêcher de soupirer de bonheur en la goûtant. Et puis je continuai à manger jusqu'à ce qu'il n'y ait plus rien devant moi. Rita nous apporta du pain grillé. Elle faisait partie de ces gens qui ont l'air plus larges que hauts, avec son énorme poitrine qui tenait à peine dans une chemise d'homme à carreaux fermée par un tablier. Les jambes nues sous une jupe en jean droite, elle marchait dans d'épaisses pantoufles de fausse fourrure rose maculées de taches de graisse.

– Je vous les remplis ? demanda-t-elle en désignant nos tasses à thé.

– Allez-y, dit Spider en lui tendant la sienne.

Le liquide brun coula en fumant de la théière. À part nous, il n'y avait personne dans la salle et notre hôtesse n'avait pas l'air pressée de regagner son comptoir.

– Alors comme ça, vous avez couché dehors ?

Ce n'était pas une accusation, juste une question amicale. À laquelle on répondit en chœur :

– Ouais.

Elle s'installa sur une chaise au bout de la table.

– Vous ne voulez pas téléphoner à quelqu'un, les enfants ? Vous pouvez utiliser l'appareil, ce sera gratuit pour vous.

Spider posa un instant sa fourchette :

– C'est bon, on a nos portables.

Je ne pouvais m'empêcher de penser à Val, perchée sur son tabouret dans la cuisine, son cendrier plein de mégots ; et puis je la revoyais sans cesse sur le trottoir, nous regarder partir.

— S'il y a quelqu'un, quelque part, qui attend de vos nouvelles, les enfants, il faudrait lui donner un coup de fil. Pour lui faire savoir que vous allez bien. Croyez-moi, mes bouts de chou, je sais ce que c'est que de rester à guetter son téléphone toute la journée. Ça vous brise le cœur.

Elle ne nous observait plus ni l'un ni l'autre ; elle avait tourné la tête en direction d'une photo sur le mur, mais même ça, elle ne le voyait pas, elle était ailleurs, et elle souffrait.

Je fis semblant de me plonger dans le journal abandonné sur une table voisine. Je n'avais aucune envie d'entendre les récits larmoyants des autres. Quant à Spider, il était trop occupé à saucer son assiette avec le reste du pain pour poser des questions, mais elle dut interpréter notre silence comme un encouragement car elle se lança :

— Voyez-vous, c'est ce qui m'est arrivé. Avec mon Shaunie. Bon, on se disputait quelquefois, ça arrive à tout le monde, pas vrai ? Alors il sortait plusieurs heures et il revenait quand il s'était calmé. J'aurais jamais cru qu'il finirait par s'en aller pour de bon.

Elle avait le visage luisant, sans doute la chaleur de la cuisine, ou le chagrin que lui avait causé son fils. Elle s'essuya le front avec son tablier.

— Enfin, voilà, un jour c'est arrivé. On s'était accrochés je ne sais même plus pourquoi, et il est parti. Au début, je ne me suis pas trop inquiétée, je me disais qu'il finirait par revenir. Je lui ai préparé son dîner, comme d'habitude, que j'ai mis au four pour le garder au chaud. Je l'y ai retrouvé le lendemain matin, tout desséché, collé dans l'assiette. Alors j'ai appelé la police. Ils n'avaient pas l'air de s'affoler. À dix-sept ans, on peut faire ce qu'on veut. J'ai téléphoné à ses potes, partout où il aurait pu aller. Rien. Il avait disparu, tout simplement. Je ne l'ai jamais revu. Je ne sais même pas s'il est vivant ou mort.

Sa voix tremblait maintenant. Elle se tut et resta là, à pousser de gros soupirs.

Gênée pour elle, je gardais les yeux fixés sur le journal de la table voisine. Alors seulement, je pris conscience du contenu des gros titres : ATTENTAT À LA BOMBE DE LONDRES — POURQUOI ONT-ILS FUI ?

Au-dessous, la photo granuleuse prise à partir d'une caméra de surveillance de gens en train de faire la queue dans un magasin. L'appareil devait se trouver à hauteur du plafond car on ne voyait pas leurs visages, à part celui d'une personne qui levait la tête et fixait l'objectif, moi, bien sûr. C'était à la station-service. Et maintenant en première page des journaux.

Spider avait englouti la dernière bouchée de pain grillé.

— C'est terrible, commenta-t-il. Désolé.

Rita hocha la tête.

— Tenez, ajouta-t-il.

Il lui tendit un Kleenex sale.

— Merci, mais j'en ai quelque part.

Elle plongea la main dans la poche de son tablier, en sortit un énorme linge blanc dans lequel elle se moucha bruyamment.

— Ça vous bouleverse la vie, ces choses-là, continua-t-elle d'une petite voix. On n'ose même plus s'éloigner du téléphone, des fois qu'il sonnerait, on ne dort plus que d'une oreille, en guettant le bruit de la serrure. Parfois, on croit qu'on perd la boule quand on aperçoit quelqu'un qui lui ressemble de dos ou qu'on entend rire comme lui. On se retourne, mais ce n'est jamais lui.

De nouveau, son front transpirait, et elle utilisa le même linge pour s'éponger le visage.

— Alors si vous avez quelqu'un comme moi quelque part, qui endure ce que j'endure, il faut lui téléphoner.

Moi aussi, je me sentais transpirer, mais pas pour les mêmes raisons. Ses paroles me passaient par-dessus la tête alors que je déchiffrais l'article sous le titre : « Voici les premières photos des deux jeunes qui se sont enfuis de la grande roue de Londres quelques minutes avant l'explosion de la bombe. La police insiste pour ne les considérer actuellement que comme des témoins clés qui pourraient détenir des informations vitales sur les terroristes et les prie de se faire connaître de toute urgence. »

Rita ne disait plus rien, tordant son tablier entre ses paumes humides. Pendant un moment, ce fut le silence.

— C'est parce que les appels téléphoniques, ça laisse des traces, déclara soudain Spider.

— Et vous ne voulez pas qu'on vous retrouve.

Elle nous dévisageait l'un après l'autre, sans nous juger. Je me dis que son Shaun devait être un abruti pour laisser tomber une mère comme ça.

Je regardai son numéro. Encore quinze ans à vivre. Reverrait-elle son fils ou était-elle bonne pour quinze anniversaires manqués, quinze Noëls solitaires ? Je préférai ne plus y penser. Ce n'était pas mon problème.

– Je vais vous dire, reprit-elle. Indiquez-moi où je peux appeler la personne une fois que vous serez partis. Je le ferai au bout d'une ou deux heures, demain si vous préférez. Je lui dirai que je vous ai vus et que vous allez bien.

– Ouais, approuva Spider. Ça serait cool. Laissez-nous le temps de partir.

– Je vais chercher un papier et un crayon.

Là-dessus, Rita se releva.

Je me penchai par-dessus la table de Formica :

– Tu disjonctes, là ?

– Quoi ?

– Tu ne vas pas lui donner le numéro de ta grand-mère ?

– Attends, elle va appeler demain, quand on sera partis depuis longtemps. C'est bon.

Sans répondre, je lui passai le journal.

– Quoi… ? Oh, merde !

Il venait de voir la photo.

On jeta ensemble un coup d'œil vers le comptoir. Rita nous tournait le dos, occupée à chercher de quoi écrire. Je fourrai le journal dans mon anorak et, sans rien dire, on récupéra doucement nos sacs, on se leva en essayant de ne pas faire de bruit.

Arrivée devant la porte, je vis que Spider était toujours devant la table. À quoi jouait-il ? Il sortit de sa poche deux billets de cinq livres. *Magne-toi !* avais-je envie de lui crier. *On n'a pas le temps.* Je tournai la poignée et tirai en espérant qu'on n'allait pas être trahis par une quelconque clochette. Mais non, tout se passa bien et je me glissai dehors. Spider me rejoignit vite.

– Cours pas, Jem. Marche. Reste cool.

On n'avait pas franchi trois mètres qu'on entendait la voix de Rita par la porte restée ouverte :

— Qu'est-ce que… ? Hé, revenez !

On pressa le pas.

— Regarde pas derrière toi, Jem. Marche.

Pas besoin de regarder derrière moi. Je la voyais dans ma tête, debout sur le seuil de son café, à nous suivre des yeux un instant, puis à rentrer, à ramasser les billets sur la table, à les serrer dans ses mains moites en se laissant tomber sur une chaise, en poussant soupir après soupir, en pensant à nous, à Shaun… jusqu'à ce qu'elle s'aperçoive que le journal avait disparu, qu'elle comprenne de quoi il retournait et qu'elle se précipite vers son téléphone.

# 21

La rue grouillait d'informateurs. Tous les passants représentaient une paire d'yeux, un téléphone mobile. Tant qu'on était restés isolés dans la campagne, j'avais conservé l'obscur espoir qu'on était paranos, qu'on se faisait du cinéma. Ma photo en première page des journaux disait le contraire. La vérité, c'était que tout le monde nous recherchait. On n'en avait sans doute plus pour longtemps. Même au cœur du petit marché endormi de ce bled perdu, il y avait des centaines de gens qui allaient et venaient, des gens qui regardaient les informations, qui surfaient sur Internet et lisaient les journaux.

Et ce n'était pas tout. Malgré mes efforts pour ne pas les regarder dans les yeux, je ne pouvais tous les éviter et leurs numéros me sautaient alors à la figure, me racontant la destinée d'inconnus. Si j'avais pu, j'aurais avancé les yeux fermées pour ne plus les voir. Je n'avais aucune envie de me rappeler sans cesse que tout le monde autour de moi allait mourir un jour. Sans compter le plus important, qui marchait à côté de moi la main dans la mienne, Spider. Pour la première fois de ma vie, je tenais à quelqu'un. La date indiquée sur le journal m'avait frappée comme une gifle : on était le 11 décembre. Plus que quatre jours.

— Écoute, me pressa-t-il. On va se dépêcher d'acheter des provisions et ensuite on se casse. Ici, tout le monde nous voit.

Comme il disait. Peut-être que certaines personnes, perdues dans leurs pensées, ne faisaient pas attention à nous, mais les autres nous avaient repérés. Rien de plus facile, en fait : deux ados débraillés, l'un trop grand, l'autre qui avait l'air d'un nain à côté. Et, comme je m'en étais déjà doutée dans la voiture, ils ne devaient voir un Noir qu'une fois tous les trente-six du mois. Ce devait être le seul dans les parages. Ça faisait penser à ces émissions de télé, mais à l'envers : vous savez, quand un Blanc se rend dans un village africain et que les enfants accourent pour le voir, toucher sa peau claire et ses cheveux. Sauf que personne ne se précipitait vers nous. Une femme qui venait dans notre direction nous jeta un rapide regard et fit passer son enfant de l'autre côté, loin de nous. *Va te faire voir, on n'est pas contagieux, espèce de grosse vache !*

Devant un marchand de journaux, Spider me donna plusieurs billets de dix livres pour que j'achète du chocolat et des chips, mais aussi de l'eau, des jus de fruits et des barres de céréales.

Coincée entre un magasin d'antiquités et un stand de fruits, l'échoppe sentait le moisi. Elle était remplie, du sol au plafond, de sucreries et de boissons, de journaux et de magazines dont des tonnes de pornos. On se serait cru à Londres pour quelques minutes. Pendant que je choisissais, le type à la caisse faisait mine d'être plongé dans un journal, mais je savais très bien qu'il me surveillait.

Je déposai mon marché sur le comptoir et avisai les cartouches de cigarettes derrière lui. Puis je repérai autre chose : trois ou quatre lampes de poche exposées à côté. J'en pris deux avec les piles assorties. Il déposa le tout dans deux sacs tout en me regardant chercher mon argent. *Il sait, il a vu qui j'étais.*

Il prit les billets en grommelant un merci d'une voix rocailleuse attaquée par cinquante années de clopes. Alors que je me tournais pour partir, il lança :

— Attendez…

Je compris que c'était fini. Qu'allait-il nous faire ? Un vieux salaud comme lui ne nous rattraperait jamais. Je continuai mon chemin.

— Hé ! cria-t-il plus fort, vous oubliez votre monnaie !

Je retournai la chercher sans un mot.

Dans la rue je tendis à Spider l'un des deux sacs et il saisit ma main libre.

— Viens, dit-il. On se tire.

On s'enfonça dans une ruelle entre deux boutiques, qui tournicotait parmi des maisons de plus en plus éloignées l'une de l'autre, jusqu'à un chemin de halage au bord d'un canal. On le suivit un moment. Derrière une clôture, on entendit passer un train, puis on aperçut un tunnel. Un trottoir étroit serpentait entre la muraille humide et une balustrade pour nous empêcher de tomber dans le canal.

Spider me lâcha la main :

— Passe devant.

Je distinguais de plus en plus mal le sol caillouteux où je posais les pieds ; à plusieurs reprises, je me tordis les chevilles pour garder mon équilibre, jusqu'au moment où je me crispai pour de bon. Une silhouette se matérialisait à l'autre bout du tunnel, massive et haute, à en cacher presque toute la lumière. Prise d'un doute, je me retournai, sûre d'en voir une autre derrière nous… là, le piège se refermerait, on ne pourrait plus s'enfuir nulle part et personne ne nous entendrait crier.

Pourtant, il n'y avait que Spider. Finalement, on ne faisait que croiser un type qui passait par là.

Alors qu'on s'approchait de lui, j'eus l'impression qu'il ne m'avait même pas vue parce qu'il marchait au milieu de l'accotement sans faire mine de s'écarter, comme s'il était prêt à me rentrer dedans. *Il est black, c'est pour ça que je n'arrive pas à voir son visage.* On était à moins de six mètres l'un de l'autre lorsque je tressaillis d'horreur en m'apercevant qu'il n'était pas noir mais bleu.

Une face grouillante de tatouages.

Je fis volte-face :

– Spider, on dégage ! Vite !

Mon pote dut percevoir la terreur dans ma voix parce qu'il obtempéra sans discuter. Alors qu'on courait comme des malades sur le gravier, l'autre nous emboîta le pas en soufflant tout ce qu'il savait. Le chemin était tellement étroit que nos sacs raclaient la paroi.

Spider ralentit une seconde et j'arrivai à sa hauteur.

– Laisse tomber les sacs, Jem.

Je lâchai tout ce que je portais et repris ma course tandis qu'il lançait tout notre chargement à la tête du type. J'entendis des grognements de fureur et les lourdes chaussures qui écrasaient boîtes et bouteilles. On se retrouva bientôt à la lumière, sur le chemin de halage par lequel on était

174

arrivés. Si nos projectiles avaient ralenti notre poursuivant, ils ne l'avaient pas arrêté. Je ne pus m'empêcher de jeter un coup d'œil derrière moi, et je l'aperçus qui fonçait sur nous, penché en avant comme un rugbyman.

Spider me prit par la main et me poussa vers la gauche, sur une pente qui grimpait vers le pont sur la voie ferrée.

— Viens vite !

On escalada les marches métalliques tandis qu'un train passait, sans doute un express parce qu'il fit un bruit de tonnerre qui masqua les pas du Tatoué, mais, alors qu'on atteignait l'autre escalier pour redescendre, on sentit la lourde vibration de sa course sur le pont. Il ne tarderait pas à nous rejoindre.

On déboucha sur une rue bordée de maisons qui longeaient le chemin de fer. Ça voulait dire qu'il y avait des gens dedans. Ce monstre n'allait tout de même pas nous tuer devant des témoins ! Je me mis à hurler tout en galopant :

— Au secours ! Appelez la police ! À l'aide !

Aucune réaction. Soit les maisons étaient vides, soit les gens préféraient ne pas nous entendre et mettaient la télé plus fort.

Spider me rejoignit :

— Hé, tu es dingue ? Ferme-la ! On s'en fout, de la police !

— Il va nous tuer si personne ne vient.

Avais-je aperçu un rideau qui bougeait ? Il n'y avait pas quelqu'un qui nous regardait maintenant ?

— Je vais pas vous tuer ! s'exclama le Tatoué. J'ai juste envie de bavarder un peu, les enfants. C'est tout.

Par-dessus mon épaule, je vis le gros type s'arrêter au milieu de la rue, penché en avant mais les yeux fixés sur nous, les mains sur les cuisses, à essayer de reprendre son souffle. Évidemment, je distinguai son numéro. Je l'avais déjà vu, à la soirée. 11122010. Quatre jours avant Spider. La date sur le journal de ce matin. Aujourd'hui.

Ce n'était pas seulement l'adrénaline qui me chauffait les veines, mais aussi ce bourdonnement, cette sensation plus puissante que toutes les drogues du monde. Qu'est-ce que ça signifiait ?

Quoi qu'il arrive, Spider allait sortir vivant de l'affrontement et pas le Tatoué. Bien sûr, je ne savais pas pour moi. Peut-être que seulement lui allait s'en tirer…

On s'était arrêtés et on se dévisageait les uns les autres sans plus trop savoir que faire.

— Qu'est-ce que tu veux ? demanda Spider.

— Tu le sais, dit l'autre. Tu as quelque chose qui ne t'appartient pas. Quelque chose qu'un de mes amis voudrait récupérer.

L'argent.

— On peut en parler comme des gens civilisés. Pas besoin de nous faire remarquer.

Il s'approchait lentement de nous et j'entendis le sang me battre les oreilles. C'est alors qu'à sa droite quelqu'un ouvrit une porte, un gars d'une cinquantaine d'années qui retenait un gros chien par le collier.

— Qu'est-ce qui se passe ? cria-t-il.

Le Tatoué s'arrêta, se tourna vers lui en levant les deux mains :

— Rien, juste une petite mise au point. Mon fils a fait des bêtises, vous savez ce que c'est. Les enfants !

Le gars le dévisagea en tâchant de le cerner.

— Vous voulez que j'appelle la police ?

— Pas la peine ! sourit le Tatoué. On n'en est pas là. On va s'arranger.

Pendant ce temps, Spider se pencha vers moi en murmurant :

— Viens, on se tire.

On redescendit discrètement la rue et, alors que les deux autres semblaient avoir terminé leur conversation, on s'enfuit à toute vitesse, sans plus penser à respirer.

Le Tatoué se lança à notre poursuite, mais on avait pris une bonne avance. Alors qu'on dévalait la rue, Spider ôta sa veste.

— Qu'est-ce que tu fiches ?

— Par ici.

Il la lança par-dessus la balustrade et me tendit les mains jointes pour me faire un marchepied et m'envoyer par-dessus. J'atterris de travers, me tordis le genou, mais déjà Spider escaladait la clôture et sautait à son tour. Il reprit sa veste et m'aida à me relever.

— Ça va ?

Je hochai la tête. Pas question d'avouer que je m'étais fait mal.

— Allez, viens.

Il m'entraîna vers la voie ferrée.

Je m'efforçais de le suivre mais je souffrais trop ; je finis par m'écrouler à quatre pattes et me mis à ramper en m'appuyant surtout sur les mains. Arrivé sur les rails, Spider se retourna :

— Qu'est-ce que tu fous ?

— Je me suis blessée. Mon genou...

J'essayai de me relever en grimaçant.

— Tu pouvais pas le dire ?

Il remonta mais j'entendis un bruit lourd sur la balustrade. Le Tatoué venait de sauter.

Prise de panique, je me dirigeais vers Spider lorsque je fus littéralement soulevée de terre par un bras d'acier qui m'enserrait la taille comme si je ne pesais pas dix grammes. Je sentis un objet froid et dur sur ma gorge. Ce bâtard avait sorti une lame.

Spider s'immobilisa en pleine course.

— Non, non, mon pote, pas la peine ! Laisse tomber le couteau. Viens, on va discuter.

— Il n'y a rien à discuter. Tu me donnes le fric et je lâche ta petite amie.

Spider fit un pas et l'autre m'étreignit encore plus fort. Je pouvais à peine respirer. Je dois avouer qu'il m'avait si bien surprise que je me balançais devant lui comme une poupée ; je me mis à gigoter pour me débattre et la pointe de la lame s'enfonça dans mon cou.

— Personne ne bouge !

— C'est bon, dit Spider en reculant sur les rails.

— Donne-lui l'argent !

Je ne reconnaissais pas ma voix.

Il me regarda un instant, l'air désespéré.

— Je peux pas, Jem. C'est tout notre avenir qui est là. Une chambre d'hôtel, un grand lit. Des pintes de bière dans un pub, des *fish and chips* sur les quais. Comment tu veux qu'on ait ça si j'ai plus le blé ?

Une boule dans la gorge, je me dis que ce n'étaient pas de grands rêves mais qu'on n'aurait même pas droit à ça.

Et voilà que je me mis à pleurer, des larmes brûlantes de déception, de colère envers la destinée.

— Pardon, reprit-il. Pardon, j'aurais jamais voulu te faire de mal. Pardon ! Tu as raison, Jem, c'est que de la thune. On en trouvera d'autre. Laisse-la, toi ! Je vais te donner ton fric.

— C'est ça, mon grand, ne me prends pas pour une brêle. Tu donnes l'argent d'abord, je la lâche ensuite.

— On fait ça en même temps, d'accord ?

— Non, tu donnes l'argent.

Connaissant Spider, je savais ce qui allait se passer ; je le voyais déjà au ralenti dans ma tête, mais pas le Tatoué. Il laissa échapper un cri de rage lorsque mon pote ôta la liasse de son enveloppe et l'envoya s'éparpiller dans les airs.

D'un seul coup, il lâcha tout, moi, le couteau, pour se ruer vers la voie ferrée.

À mon tour, je courus vers Spider qui me récupéra au vol et me serra contre lui.

— C'est bon, je te tiens, Jem !

Sa voix tremblait tellement que je le sentis lui-même au bord des larmes.

— On s'en va. Qu'il se démerde.

Quand on arriva en haut de la pente, il m'aida à franchir la balustrade. J'attendais qu'il me rejoigne mais il restait là, une main sur le métal.

— Viens ! le pressai-je. On s'en va.

Il regardait en bas. Je geignis :

— Non, s'il te plaît ! Laisse. C'est juste de la thune.

— Je vais en récupérer au moins cent livres, Jem. Tu te rends compte de tout ce qu'on pourrait faire avec cent livres ?

Je l'attrapai par la manche :

— Non, Spider !

Il déposa un baiser sur mes doigts :

— Rien que cent livres. Je reviens dans une minute.

Et il dévala à nouveau la pente. Le Tatoué leva la tête vers lui :

— Tu en as encore, c'est ça ?

— Non, j'en veux juste un peu. Ma part...

— Rien du tout, petit con ! Tu retournes voir ta copine ou je te mets ta raclée.

Spider le toisa de toute sa hauteur :

— Tu me fais pas peur !

— Ha ! Ha ! C'est ce qu'a dit ta grand-mère quand je suis allé la voir.

— Quoi ?

— Je voulais savoir où tu étais. Elle ne s'est pas montrée très coopérative. Elle a pris ses grands airs, comme toi. Elle disait plus rien quand je l'ai laissée...

— Qu'est-ce que tu lui as fait, bâtard ?

Sans attendre la réponse, Spider lui fonça dedans tête baissée. Il parvint à le déséquilibrer et tous deux roulèrent sur la voie ; je n'entendis plus que des coups de poing mats, chair contre chair, des cris bestiaux, des grognements. Dans le lointain montaient d'autres bruits, le grondement d'un train qui approchait, mais aussi des sirènes, d'innombrables sirènes.

— Spider ! criai-je. Laisse-le ! Va-t'en !

J'ignore s'il m'entendit ou non.

D'un seul coup, tout arriva à la fois. Deux voitures de police et une camionnette qui s'arrêtaient au milieu de la rue pour laisser s'échapper une foule d'agents en uniforme qui escaladèrent la barrière. En bas, à cinquante mètres, un train surgissait à pleine vitesse.

– Spider, va-t'en !

Ma voix semblait presque inaudible dans tout ce vacarme. Il ne m'entendait pas, ou ne m'écoutait pas. Je me détournai en tombant à genoux. Je ne pouvais pas voir ça.

Autour de moi, les gens criaient et s'interpellaient. Dans un sifflement suraigu, la locomotive tenta de freiner pendant des heures. J'attendis jusqu'à ce qu'il n'y ait plus de bruit. Il allait falloir que je regarde. Je devais savoir. Je m'efforçai d'abord de respirer un peu, trois inspirations, trois expirations, et puis je me retournai.

Le train s'était arrêté, son dernier wagon à peu près à ma hauteur. La police retenait le Tatoué ; ils devaient s'y prendre à trois pour l'empêcher de trop gigoter. Mais pas trace de Spider. Malgré moi, j'inspectai les rails, sous les roues. La police devait penser la même chose que moi parce que certains agents marchaient le long du convoi en regardant dessous. J'avais la bouche sèche.

– Oh non, pas ça…

Je perçus alors un mouvement sur le talus d'en face, quelque chose qui se déplaçait de buisson en buisson. Je crus d'abord que c'était un animal et puis je le vis : Spider à quatre pattes.

Il remonta la pente et s'enfuit vers la droite. Lorsqu'il n'eut plus nulle part où s'abriter, il se jeta à plat ventre et rampa. Je me levai et partis dans sa direction, l'air aussi dégagé que possible. Je boitais mais ne faisais pas attention à la douleur. Je regardais tellement Spider qu'il finit par me capter et me vit. Je levai un pouce pour lui signifier qu'on s'en sortait bien. Il arriva en haut, sauta la barrière.

Derrière lui, une voix cria :

– Ici ! L'autre est là ! Arrêtez-le !

Il se mit à courir et je fis de même… autant que je pus. On galopa ainsi en parallèle pendant un certain temps, mais il disparut un instant, derrière une palissade. On finit par se rejoindre, une centaine de mètres plus loin, sur un pont. Il me prit par la main et on repartit, à l'aveuglette, aussi loin que nos jambes pourraient nous porter.

# 22

On n'avait plus rien à trimballer. Rien pour nous ralentir, et l'adrénaline nous poussait de nouveau. Après quelques virages, on se retrouva dans un parc. Ça allait mieux : beaucoup moins de gens, juste des vieilles dames qui promenaient leurs chiens. Alors on se mit à marcher tranquillement dans les allées, en cherchant un endroit où nous cacher. Spider m'envoyait de temps en temps vérifier les buissons alentour.

— Tiens, va voir.

— Vas-y toi-même !

— Arrête ! Tu es plus petite que moi. Va jeter un œil.

Je m'exécutai, non sans râler encore :

— Il y a cent ans, les gens comme toi envoyaient les gens comme moi grimper dans les cheminées. Tout ça parce que je suis petite !

— Non, les gens comme cette bonne femme qui nous a pris dans sa bagnole nous faisaient nettoyer leurs maisons ou cirer leurs chaussures, ou frotter leurs fesses. Surtout moi, j'aurais été un de leurs esclaves.

Bien vu.

On finit par trouver un endroit où se réfugier, entre un buisson touffu et un vieux mur, assez large pour nous permettre de nous asseoir sur le sol sec. Personne ne pouvait nous voir. On y serait tranquilles un certain temps.

On s'adossa au mur. À l'instant où je me posai à terre, toutes mes forces m'abandonnèrent. Morte de fatigue. Je fermai les yeux.

— Tu as une clope ?

— Non. Rien.

Plus envie de réfléchir, de sentir ou de voir. Je ne voulais plus courir ni me cacher.

— Ça va ?

Sa voix me parvint à travers un épais brouillard. Je venais juste de m'endormir. Je soulevai les paupières.

— Je suis crevée.

Il me passa un bras derrière le cou, m'attira contre lui.

— Tu as entendu ce qu'il a dit, ce bâtard ?

— À propos de ta mamie ?

— Ouais. J'aurais dû le massacrer, Jem, tant que je pouvais. J'étais tellement furax, j'allais le tuer. J'avais oublié ma lame ; j'aurais dû le planter, une bonne fois.

— Qu'est-ce que ça aurait changé ? Tu l'aurais eu, et alors ? Ça t'aurait juste rapporté des ennuis.

— Rien à foutre. Avec ce qu'il a fait, c'est tout ce qu'il mérite. Il avait pas le droit…

— Je sais, mais je suis contente que tu l'aies pas tué. De toute façon, il…

J'allais dire *de toute façon, il va mourir aujourd'hui*. Je m'arrêtai juste à temps. Si le Tatoué avait dû y passer, c'est ainsi que ça se serait produit ; Spider l'aurait planté, ou il lui aurait tranché la gorge, ou le train lui aurait roulé dessus. J'étais certaine d'avoir vu son numéro, certaine que c'était aujourd'hui. Alors je ne comprenais pas, je n'étais plus sûre de rien : ces numéros n'existaient-ils que dans ma tête ou étaient-ils vrais ? Si je n'avais fait que les inventer, tant mieux, je pourrais alors les ignorer, ou même essayer de les changer. Je pourrais oublier le chronomètre qui marquait les jours de Spider. S'ils étaient réels, ça voudrait dire que sa grand-mère allait bien, puisqu'il lui restait des années à vivre. Tout se mélangeait dans ma tête. En même temps, j'avais une solution pour réconforter Spider :

— Je crois qu'elle va bien, ta mamie.

— Qu'est-ce que tu en sais ? Elle est peut-être morte.

— Spider, je te dis qu'elle va bien.

— À cause de son numéro ?

— Oui.

— Et si tu étais pas la seule à les voir ? Et si quelqu'un d'autre en voyait des différents ? Et si le sien avait changé ?

— Sûrement pas.

J'hésitai, vérifiai le sien. Oui, c'était toujours le même.

— Ils ne changent pas.

— Alors la date de notre mort est fixée depuis notre naissance ? C'est ça que tu veux dire ?

Ça commençait à m'agacer. J'essayais de le rassurer et il me posait des tas de questions auxquelles je ne savais pas quoi répondre.

— Je ne veux rien dire du tout. C'est toi qui dis des choses.

— Justement, c'est parce que ça veut rien dire pour moi.

— Quoi ?

— Comment tout est déjà prévu. D'après toi, je peux faire ce que je veux, ça changera rien ?

— Peut-être. C'est comme ça.

185

J'avais envie qu'il se taise, mais il était comme un chien avec un os.

— Alors tout est déterminé ? C'est écrit ?

— J'en sais rien.

— Cette bombe devait exploser. Ce bâtard devait faire du mal à ma grand-mère. Tu trouves ça cool, Jem ? J'y crois pas !

Il parlait de plus en plus fort. Il avait ôté son bras de mon épaule et faisait de grands gestes. Il semblait plus immense que jamais dans cet endroit minuscule.

— Je ne trouve pas ça bien du tout.

— C'est archinul ! postillonna-t-il.

— C'est bien ce que je dis.

— Quoi ?

— Que ça ne signifie rien. Que rien ne veut rien dire. On naît, on vit, on meurt. C'est tout.

Ma philosophie en trois mots.

Ça le fit taire une minute. On resta assis l'un près de l'autre, les bras croisés, mais, si je ne bougeais pas, lui n'arrêtait pas de remuer la tête, ce qui entraînait des mouvements dans tout son corps, ses épaules heurtant les miennes. Maintenant que je savais comme il pouvait se tenir tranquille quand il se sentait heureux, ça m'ennuyait de le voir si agité. J'avais l'impression d'y être pour quelque chose et ça me donnait envie de le consoler.

— Spider, écoute. Peut-être que je me trompe.

J'étais mal à cause de ce que j'allais dire. Les paroles s'échappaient de ma bouche comme des cafards.

Pris dans son monde obscur, les bras repliés autour de sa poitrine, il continuait de s'agiter. Je m'assis sur les genoux, face à lui, et lui posai les mains sur les épaules.

— Spider !

Il ne m'entendait pas. Je montai les paumes jusqu'à son visage que je tins fermement, mais, si je parvins à ralentir son mouvement, je ne pus l'arrêter.

— Ce que j'ai dit. Ce n'était pas vrai non plus.

Au moins, il m'écoutait. Il posa sur moi un regard triste :

— Comment tu le sais ?

— Ça ne peut pas être juste le hasard.

J'inspirai profondément avant d'ajouter :

— Parce qu'on était faits pour se rencontrer, tous les deux.

Ses yeux s'emplirent de larmes ; il rouvrit les bras pour m'en entourer la taille, enfouit le visage dans mon épaule. À genoux devant lui, je lui caressais le dos et les cheveux et on pleura ensemble. Aucun mot n'aurait pu exprimer ce que nous ressentions ; nos larmes parlaient pour nous, de terreur, de soulagement, d'amour et de chagrin à la fois.

Plus tard, beaucoup plus tard, on se détacha l'un de l'autre. Il faisait maintenant très sombre dans notre grotte feuillue et je ne discernais de lui qu'une vague silhouette.

— Faut qu'on sorte de là, Jem. Même si on l'avait voulu, on aurait pas pu attirer plus l'attention sur nous.

— Je sais.

Pourtant, je n'avais le courage de rien. J'avais mal à la main, mal au genou. Je n'avais pas envie qu'on nous trouve, en même temps ce serait tellement plus facile de se blottir là, entre les bras de Spider, d'attendre l'inévitable.

— Le mieux serait de tirer une autre bagnole.

— Et alors ?

— On roulerait jusqu'à Weston. On doit pas être loin, maintenant. Tu vas aimer.

187

Malgré la nuit, je sus qu'il souriait de nouveau. J'avais envie de partager son optimisme mais je ne pouvais pas, j'avais trop froid, trop peur.

— Qu'est-ce qu'on va faire à Weston, Spider ? Là aussi, les gens ont la télé et des journaux, tu sais, et la police a des chiens et…

Il posa un long index sur mes lèvres :

— Je te l'ai déjà dit : on va manger des *fish and chips* et on va se promener sur le quai.

Comme s'il y croyait une minute !

J'éloignai doucement son poignet de mon visage, caressai sa paume, ses doigts.

— Qu'est-ce que tu fais ?

— Rien. Tu as de belles mains.

— Tu es canon, tu sais ?

Il m'embrassa.

— Bon ! lança-t-il, comme s'il venait de prendre une décision. Je sais que tu es crevée. Alors tu vas rester ici. Tu auras qu'à bouger quand je reviendrai te le dire. Je vais nous trouver une gova, pas de problème. J'en ai pas pour longtemps.

Il se mit à ramper sous les buissons.

— Spider.

— Quoi ?

— Gaffe.

— Sûr. Prépare-toi, j'en ai pour cinq minutes.

Il disparut dans la nuit qui tombait. J'entendis les branches craquer, ses pas s'éloigner.

# 23

Je restai là, l'oreille tendue, prête à bondir au premier signal. Je guettais ses pas, le bruissement des feuilles, une directive à voix basse. Le moindre bruit prenait de l'importance, les murmures de la circulation, un appel dans le lointain, des sirènes de police. Qu'est-ce qui se passait à la fin ? Où était-il ?

Les deux minutes se transformèrent en dix, puis vingt. Je commençais à m'ankyloser ; je remuai, posai la tête sur les genoux, respirai plus lentement, comme si je pouvais suspendre le temps et tout le reste jusqu'au retour de Spider.

Combien de temps ai-je ainsi attendu avant de comprendre qu'il ne reviendrait pas ? Je ne sais pas, mais cette idée finit par me pénétrer aussi sûrement que la pluie glacée qui commençait à tomber. Il lui était arrivé quelque chose. Comme je n'en avais pas été témoin, je ne ressentais pas de choc, pas encore ; mais quelque chose de plus noir que la nuit m'envahissait et je frissonnai jusqu'aux os. Je ne bougeai pourtant pas, je ne fis pas un bruit ; je restai assise là, tapie sur moi-même, à me balancer d'arrière en avant.

J'ai dû finir par m'endormir parce que je m'éveillai soudain, allongée sur le sol, une seule idée dans la tête : *il est parti*. J'avais froid, j'étais trempée, tapie à même le sol boueux. Je portai les mains à mon visage, me couvris le nez et la bouche pour me réchauffer de mon propre souffle, sans cesser de répéter :

— J'y crois pas ! J'y crois pas !

Je ne savais que faire, je flippais trop pour pleurer.

Mes propres paroles emplirent mes oreilles jusqu'à ce que, soudain, me parviennent d'autres voix, d'autres bruits, des frôlements, des pas. Il y avait quelqu'un dans ces buissons.

— J'en tiens un, l'autre ne doit pas être loin.

— Ce n'est pas souvent qu'on attrape un terroriste, pas vrai ?

— Tu crois que c'en est un ? Un gosse comme ça ?

— Possible. On les forme de plus en plus jeunes de nos jours.

— Il n'avait pas l'air très brillant quand on l'a arrêté à la gare.

— Pas besoin d'être brillant. En fait, il ne vaut mieux pas. On leur bourre le crâne. Ils croient n'importe quoi, ces gamins. On se demande s'ils réfléchissent, quelquefois.

C'était donc ça. Il s'était fait choper et jeter en taule. La gorge serrée, je déglutis alors que les voix se rapprochaient. Des faisceaux de lampes jaillissaient de temps en temps.

— On va fouiller ce parc, ensuite on passera l'école de Manor Road au peigne fin.

— Compris.

Je me redressai en m'efforçant de me plaquer contre le mur. À quelques mètres de moi, des pieds écrasaient des branches. Je retins mon souffle… c'était nul, mais on ne réfléchit pas toujours dans ce genre de situation.

Soudain, un objet me frôla le visage, peut-être à vingt centimètres, m'arrosant des gouttelettes amassées sur les feuilles. Un bâton – ils fouillaient les buissons avec des bâtons.

– Regarde par terre, aussi.

– D'accord.

Le bâton balaya la surface du sol ; parti de loin, il revenait vers moi par demi-cercles. Je rentrai mon ventre autant que je le pus ; il dut passer à un centimètre de moi mais ne me toucha pas, puis s'éloigna. L'air que je n'osai souffler se tassa dans mon estomac. J'étais au bord de l'explosion. La bouche fermée, j'expirai par le nez tout en essayant de contrôler mon souffle mais fus incapable de retenir une expiration. Elle retentit comme une bombe nucléaire à mes oreilles, mais elle passa inaperçue sous le bruit de leurs pas. Ils ne m'avaient pas repérée. Maintenant, je les entendais s'éloigner.

Je ne peux pas dire que je me détendis, mais je respirai mieux. J'étais encore affolée, seule, complètement seule. Spider et moi, ça n'avait duré que trois jours. Pourtant j'avais l'impression d'avoir éternellement vécu avec lui. On en avait vu plus que la plupart des gens durant une vie entière. Par-dessus tout, j'avais appris à me reposer entièrement sur lui ; en fait, il avait pris à peu près toutes les décisions. Alors que maintenant, c'était à moi de réfléchir.

Je commençai par me rasseoir, lentement, en m'efforçant de ne pas faire de bruit. Peut-être que ces deux-là, avec leurs bâtons, étaient partis, mais comment savoir s'il n'y en aurait pas d'autres ? Au moins étais-je à peu près en sécurité dans ce refuge improvisé. Je pourrais attendre le temps qu'il faudrait. Mais attendre quoi ? Spider ne reviendrait pas.

J'essayai d'imaginer ce qu'il m'aurait dit de faire. Mais si je me le représentais, je ne le voyais plus qu'en train de se battre, les bras et les jambes dans tous les sens. Je le voyais emmené, plaqué au sol, battu, bouclé dans une cellule. Je n'avais pas envie de penser à lui ainsi, je voulais le voir en train de gambader dans les champs, ou près de moi, me serrant dans ses bras... Le Spider blessé, capturé, enfermé, je le chassai de ma tête. Il fallait que je bouge. J'allais devenir folle.

Je ne pouvais lui rendre de meilleur hommage que de poursuivre notre voyage. Il avait parlé de Weston comme du Saint-Graal. Il y croyait, il croyait qu'on y serait heureux. Alors j'y serais heureuse. J'allais continuer, et je m'accrocherais à l'espoir que je finirais par le revoir là-bas. Car il saurait certainement que j'allais m'y rendre. Et qu'on s'y retrouverait. Je ne savais pas comment, mais je savais quand : avant le 15, avant la fin, on serait réunis.

J'attendis jusqu'à ne plus rien entendre, pas de pieds sur le sol, pas de voix graves, pas d'hélicoptères, pas d'aboiements de chiens. Au-delà de l'épuisement et du désespoir, je me sentais revigorée par un sursaut nerveux. Je me représentais l'instant où j'allais émerger du buisson, en rampant dans le parc obscur et désert. D'un côté, j'avais vraiment envie de sortir de là, de l'autre, j'avais les boules.

Je me mis à quatre pattes, sans aller trop vite pour ne pas m'égratigner le visage aux branches des buissons, en essayant de ne pas penser à tous les chiens qui avaient dû s'y soulager. Il faisait trop noir pour que j'y voie grand-chose, à part des ombres derrière le bac à sable des enfants et la pelouse. J'hésitais encore. Je trouvais trop triste de quitter cette cachette. Était-ce mon imagination ou bien est-ce que je sentais encore l'odeur de Spider ?

*Salut, mon pote,* dis-je dans ma tête. *On se revoit à Weston.*

# 24

Je traversai l'allée aussi vite que possible pour retourner vers le centre-ville, essayant de repérer les dangers qui pourraient encore surgir devant moi. Je ne repérai que trop tard les silhouettes qui venaient de traverser la pelouse mouillée.

– Hé, toi ! lança une voix féminine sur ma gauche. Tu sais que tout le monde te recherche, même mon père ?

Elle était jeune, avec cet accent de faux péquenot qu'on n'entendait que dans les séries télé. Je m'arrêtai net pour lui faire face.

– Et alors ?

Prendre des grands airs, surtout ne pas montrer d'appréhension. Je les distinguais maintenant, ces trois ados qui émergeaient de l'obscurité. À peu près de mon âge, en jean et sweat trop larges.

– Alors je vais lui faire gagner du temps. Ça me rapportera du blé en plus pour la semaine.

Les deux autres éclatèrent de rire. Deux filles, avec un clou dans la narine et des anneaux aux lèvres.

Il n'y a pas longtemps, je me serais sans doute enfuie, ou j'aurais lâché prise et baissé la tête ; mais là, je résistai, je soutins leurs regards. Évidemment, leurs numéros m'apparurent. Elles avaient toutes entre soixante-dix et quatre-vingts ans à vivre ; leurs piercings n'étaient que des signes superficiels de rébellion, une existence confortable les attendait, peut-être même un mari et deux enfants virgule quatre chacune.

— T'as pas l'air d'une terroriste, reprit la première. C'est toi ou c'est pas toi ?

— Quoi ? La roue ? Bien sûr que non !

— Alors pourquoi tu t'es enfuie ?

— J'aime pas les flics, désolée pour ton père.

Elle sourit presque :

— C'est pas grave. Mais tu t'es enfuie avant que la bombe saute.

— Ouais, tu sais, ça arrive. Enfin, tu vois...

— Non. Quoi ?

Je n'avais pas le courage de lui mentir :

— C'est... Je... J'avais senti qu'il allait se passer quelque chose.

— Et ça s'est passé.

— Oui.

— Tu devines souvent quand des choses vont se passer ?

— Ça m'arrive.

— Alors tu sais si on va te dénoncer ou pas ?

J'hésitai une ou deux secondes. Pas question que je les supplie.

— Je crois pas que vous allez le faire.

— Ah bon ? Pourquoi ?

— Vous avez pas l'air de balances.

Compliment destiné à les flatter. Ça marcha.

— Non, c'est vrai. Mais je peux te dire que si tu continues dans cette direction, tu tiendras pas cinq minutes. Y a trop de monde dans ce quartier. Où tu veux aller ?

— En principe vers Bristol.

Je préférais ne pas préciser Weston. C'était notre secret, à Spider et à moi.

— En car ?

— À pied.

— Tu rigoles ? T'as faim ?

Depuis quelque temps je me nourrissais si mal que je ne savais plus où j'en étais. À vrai dire, mon dernier repas remontait au petit déjeuner chez Rita, mais ça me paraissait être il y a des siècles.

— Ouais, un peu.

— Attends, j'ai une idée. On va aller chez mes vieux.

Les deux autres écarquillèrent les yeux.

— Hé, tu dérailles ! dit l'une.

— Mais non ! C'est génial au contraire. Personne ira la chercher là-bas.

— Mais tu seras mal s'ils la retrouvent !

— T'inquiète, c'est cool.

Coupant court à toute discussion, elle tourna les talons et repartit vers la pelouse.

— Tu viens ? me siffla-t-elle.

Je lui emboîtai le pas, suivie des deux autres. J'ignorais si je pouvais lui faire confiance ou non, mais je n'avais pas vraiment le choix. On marcha vite, en silence, sur les chemins du parc, le long des clôtures et des aires de jeux. Soudain, elle s'arrêta et on lui rentra toutes dedans.

— Je vais voir ce qui se passe. Attendez-moi ici.

Elle disparut. Je n'avais pas grand-chose à dire à ses amies ; elles semblaient trop se méfier de moi et j'étais trop fatiguée pour m'en préoccuper.

— C'est bon, revint-elle nous annoncer. Papa n'est pas là et maman reste collée devant la télé. On va passer par-derrière.

Les deux autres se regardèrent.

— Britney, tu es dingue ! Nous, on rentre.

— Je peux compter sur vous ?

Elles hochèrent la tête.

— Bon, comme vous voudrez. Mais attention, pas un mot à personne. Personne !

— Mais non !

— Alors à demain.

— Ouais, ça marche.

Elles repartirent sans se faire prier.

— Tu leur fais confiance ? demandai-je.

— Oui. De toute façon, elles savent que je les tuerai si elles la bouclent pas. Elles oseront pas. Viens.

On franchit la palissade du jardin pour entrer par la cuisine et monter directement au premier. Sur une porte, une petite plaque bordée de roses indiquait « Chambre de Britney » ; dessous, on avait ajouté un crâne sur deux os croisés et un panneau : « Défense d'entrer ». À l'intérieur, des murs violets, tapissés de posters et de photos découpées dans des magazines : Kurt Cobain, les Foo Fighters et les Gallows ; d'innombrables coussins et une espèce de couvre-lit noir, tout mousseux, occupaient le lit. Je trouvais ça cool, surtout quand je pensais à ma dernière chambre, chez Karen, à mes quelques affaires réduites en miettes.

— Tu peux t'asseoir sur le lit ou sur le pouf, comme tu veux.

Je me posai au bout du lit et Britney se mit à côté de moi.

— Voilà, commença-t-elle. Donc, je m'appelle Britney. Et toi, c'est... Jemma ?

— Jem.

— Bon.

Maintenant qu'elle m'abritait dans sa chambre, je ne trouvais plus cette fille si redoutable que ça. À vrai dire, elle m'avait l'air plutôt anxieuse, beaucoup moins sûre d'elle qu'elle ne voulait le paraître. En fait, elle s'inquiétait, autant que ses deux amies. Au bout d'une dizaine de minutes, elle se décida à nous mettre de la musique puis dit qu'elle allait nous préparer à dîner. Alors elle me laissa seule.

Je continuai de regarder autour de moi. Chouette, la chambre. Il y avait aussi cette petite coiffeuse avec ces bijoux et ce matériel de maquillage, et ces photos encadrées de toute sa famille et de ses chiens. Deux portraits la représentaient en compagnie d'un garçon plus jeune qu'elle ; sur l'une il portait d'épais cheveux bouclés, sur l'autre il était chauve, mais toujours avec un grand sourire. Ainsi, elle avait un frère quelque part ?

Après ces quelques jours dans la nature, le chauffage m'étouffait un peu. Je commençais à transpirer et j'étais certaine de sentir mauvais. J'ôtai l'anorak vert mais je suffoquais encore, alors je me débarrassai de mon sweat, que je laissai tomber ; par terre, ça faisait un peu dégoûtant toutes ces fringues sales. D'ailleurs, à y regarder de plus près, mon jean et mes chaussures n'avaient pas meilleure allure. Même si la pièce n'était pas d'une propreté immaculée, j'avais l'impression d'être une intruse.

Britney revint armée d'une énorme pizza, d'une bouteille de Coca et de deux verres. Si l'effluve me mit l'eau à la bouche, il me donna en même temps la nausée. Elle me tendit une assiette.

— Juste fromage et tomate. Ça ira ?

— Oui, super !

Je pris une part sans trop savoir si j'arriverais à la manger ou non. Elle attaqua la sienne sans cesser de me regarder en douce. Je goûtai la pointe, mâchai lentement, avalai. La bouchée s'installa tranquillement dans mon estomac et y resta. Si bien que je terminai ma part et pus m'en servir une autre. Ça me faisait drôle de manger comme ça, avec cette fille inconnue ; en principe, on aurait dû rire et bavarder, comme dans les films, quand deux ados bouffent de la pizza dans une chambre. Mais non, on ne savait pas quoi dire.

Je ne pouvais m'empêcher de penser que j'étais tombée dans un piège. Alors je finis par lui poser la question :

— Pourquoi tu fais ça ? Pourquoi tu es si gentille, et tout ?

Elle reposa sa pizza dans son assiette :

— C'est la première fois que je rencontre quelqu'un de célèbre.

— Ça veut dire quoi ?

— Enfin, toute la ville parle de toi ! Tout le pays, même ! On répand des tas de rumeurs sur Internet ; il y a des photos de toi ; on raconte ta vie. Tu es la personne la plus recherchée en ce moment.

— Mais je n'ai rien fait.

— Oui, mais ça, on ne le sait pas. Sans compter que tu peux avoir vu des trucs. Tu pourrais servir de témoin.

Elle mordit à nouveau dans sa pizza.

— Tu as vu quelque chose ?

Je réfléchis à ce qui s'était passé cet après-midi-là. J'avais l'impression que ça remontait à l'année dernière, avant d'avoir volé ces bagnoles, avant d'avoir marché des kilomètres, avant d'avoir dormi dans les bois, avant d'avoir trouvé cette grange…

— Ça va ? Tu es d'une drôle de couleur.

Sans doute la chaleur, la nourriture et la fatigue… j'avais l'impression que tout tournait autour de moi.

— J'ai un peu le vertige.

Britney se précipita pour me prendre mon assiette.

— Là, allonge-toi. Ça ira mieux.

Mais ce fut pire ; à peine allongée, je sentis remonter si vite pizza et Coca que je n'eus pas le temps de me relever pour filer aux toilettes et que je renvoyai tout sur son beau couvre-lit noir. Elle en fut horrifiée et, franchement, moi aussi. Elle avait été plus gentille avec moi que je n'aurais pu l'espérer et voilà que je lui massacrais sa chambre. Je m'assis toute droite.

— Pardon, excuse-moi…

Pas étonnant que personne ne veuille de moi nulle part.

— T'inquiète, je vais chercher quelque chose.

Britney sortit pendant que j'ouvrais la fenêtre pour aérer. Je restai un moment à respirer l'air frais. Lorsqu'elle rentra, armée d'un seau d'eau et d'une éponge, je me précipitai pour tout nettoyer moi-même. Sans grand résultat, je dois l'avouer.

— Écoute, intervint-elle, si tu allais plutôt prendre une douche ? Je m'occupe du lit. Pas de souci pour le bruit, maman va croire que c'est moi.

Elle me montra la salle de bains, ouvrit la douche.

— Attends, je vais te donner des fringues propres.

200

Elle disparut pour revenir avec un petit tas de vêtements directement sortis du placard, ainsi qu'une épaisse serviette de toilette.

— Dépêche-toi, l'émission de maman se termine dans dix minutes.

Elle disparut de nouveau et je m'enfermai. La pièce s'emplissait de vapeur. Je passai un essuie-main sur la glace au-dessus du lavabo. Il y avait bien là quelqu'un qui me regardait, mais je ne reconnus pas cette fille presque chauve aux yeux cernés qui paraissait au moins vingt ans, peut-être même vingt-cinq. Je me déshabillai et entrai sous la douche.

L'eau tiède qui me coulait sur le corps me soulageait. Les yeux fermés, je saisis la première bouteille de shampooing qui me tomba sous la main, m'en versai dans la paume et m'en frottai aussi bien le crâne que le corps. Tout d'un coup, alors que je me débarrassais de toute cette saleté, je songeai *je suis en train de le chasser de moi*. Et ça me rendit toute triste. Car, depuis vingt-quatre heures, je portais l'odeur de Spider sur ma peau, en moi. Et voilà qu'elle s'en allait dans les égouts.

Je fermai la douche, sortis et m'enveloppai dans la serviette, me frottai la tête jusqu'à ce que j'entende doucement frapper à la porte :

— Ça va ?

C'était la voix de Britney.

Je déverrouillai, entrouvris. Nos visages se retrouvèrent étrangement proches l'un de l'autre et on eut toutes les deux le même mouvement de recul.

— J'arrive dans une minute, annonçai-je.

Je refermai, achevai de me sécher, m'habillai. Elle m'avait prêté de superbes vêtements, du genre dont j'avais toujours rêvé. Un peu grands mais sympas. Je rassemblai les vieux dans la serviette et filai sur la pointe des pieds jusqu'à la chambre de Britney.

Elle avait fait ce qu'elle avait pu, mais on voyait encore la trace de mes dégâts.

— Excuse-moi, répétai-je.

— C'est pas grave. Ça va mieux ?

— Oui.

— Je me disais que tu ferais bien de dormir ici ; tu partiras quand il fera jour.

Elle était folle ? Elle voulait donc attendre le retour de son père ?

— Non, il faut que j'y aille.

— Tu ne verras rien. Tu n'as qu'à te lever tôt, deux heures avant tout le monde.

Elle avait raison, mais je me voyais mal passer la nuit dans la maison d'un flic.

— Personne ne va entrer ici ? demandai-je.

Elle sourit :

— Non. Ils oseraient pas. Un : je leur ai dit de jamais me déranger. Deux : ils auraient trop peur de ce qu'ils pourraient trouver. En fait, il y a rien du tout, ni drogue, ni capotes, ni pilules, ni même des cigarettes. Rien que moi. C'est peut-être ce qui les angoisse, justement. Ils comprennent rien aux ados. Tu vois que tu peux rester. Tu risques rien, ici.

À croire qu'elle me suppliait. Elle n'avait pas l'air de saisir que c'était elle qui avait le pouvoir ici. Elle tenait ma sécurité dans sa fragile toile d'araignée ; il lui suffirait de souffler dessus pour tout casser. Elle n'avait qu'à élever la voix, appeler sa mère, et j'étais fichue.

— Et ton frère ?

— Oh… non, il est mort l'année dernière.

Moi et ma grande gueule.

— Excuse-moi, j'ai vu les photos…

— C'est rien. Tu ne pouvais pas savoir.

Elle était en train de sortir des draps et des couvertures.

— Depuis combien de temps tu n'as pas dormi dans un lit ?

— Euh… trois nuits.

La tiédeur de la douche, le confort douillet de cette maison m'avaient ramollie. Je n'avais pas le courage de retourner dans le froid et la nuit.

— Alors tu dors dedans. Je serai très bien là.

Elle s'installa dans le pouf, s'enveloppa d'une couverture.

— Arrête ! C'est ta chambre. Je ne pourrai pas…

— Mais si. Tu as du sommeil à rattraper.

— Je te jure que je ne pourrai pas. Je préférerais m'en aller que te virer de ton lit.

— Bon, d'accord.

Elle s'allongea tandis que j'essayais de me pelotonner dans le pouf, mais je regrettai aussitôt ma décision. On était très mal dans ce truc.

Britney éteignit.

— Bonne nuit, lui dis-je.

— Bonne nuit, Jem.

Des vagues de nausée et de fatigue me remontaient dans la poitrine. J'avais peur d'être encore malade. Les événements de la journée m'emplissaient la tête… ce matin je m'étais réveillée dans les bras de Spider. Ça semblait si loin maintenant. C'était trop dur.

203

Les lumières de la rue filtraient à travers les rideaux et je restai là, les yeux grands ouverts. Qu'est-ce que ça ferait d'être cette fille ? D'avoir un papa et une maman, une chambre cool, des potes ? Et un frère mort. C'était toujours la même chose, la vie n'avait pas été tendre avec elle non plus. On ne pouvait échapper à la mort : elle finirait par nous rattraper. Ce qui me ramena à Spider. Où était-il en ce moment ? Ça me faisait mal rien que d'y penser. J'aurais voulu être avec lui.

Quelque part, le tic-tac d'un réveil me harcelait la tête, emplissait la chambre. Plus que trois jours.

# 25

Je n'arrivais pas à m'endormir dans la douce lueur de la chambre de Britney. Elle s'était recroquevillée dans son lit, les yeux fermés. Malgré sa respiration régulière, je ne pouvais dire si elle était assoupie ou non. En même temps, ma fatigue me gardait complètement réveillée. Je n'avais pas envie de déranger Britney, mais je n'en pouvais plus de rester ainsi.

Au bout d'un quart d'heure, je fus soulagée d'entendre sa voix murmurer :

– Tu dors ?

– Non.

– Moi non plus.

– Je n'y arrive pas.

– Viens t'allonger. T'as qu'à poser ton oreiller à mes pieds, on va se mettre tête-bêche.

Après tout, c'était sans doute une meilleure solution que ce pouf. Ainsi je pus m'étendre et ce fut tout de suite un soulagement même si je m'efforçais de prendre le moins de place possible. Quelques jours auparavant, je n'aurais jamais fait ça, entrer dans le lit d'une inconnue, mais, maintenant, ça m'était égal. Ça faisait du bien de pouvoir se fier à quelqu'un.

— Je faisais ça avec mon frère quand on était petits. Et maman nous lisait une histoire. Tu as des parents ?

— Je vis dans une famille d'accueil, avec une femme et ses jumeaux.

— Elle est comment, ta mère d'accueil ?

La réponse sortit toute seule, instinctivement :

— Karen ? C'est une conne.

— Ah bon ?

Un court instant, je pensai à Karen. Comment était-elle, au juste ?

— Enfin, pas à ce point-là. Elle a été très gentille avec moi. Elle a fait ce qu'elle a pu. Sauf… sauf qu'elle faisait tout de travers. Elle ne me comprend pas.

Dans la semi-obscurité, Britney hocha la tête :

— Je connais. Je me demande parfois si mes parents ont été jeunes. On dirait qu'ils avaient déjà quarante ans à leur naissance.

— Mais ils sont sympas, non ?

— Ouais. Ils en ont bavé. Je devrais peut-être les lâcher un peu.

— Britney, dis-moi de la fermer quand ça te saoule, mais… mais… si tu avais su que tu n'avais que quelques années à partager avec ton frère, ça aurait changé quelque chose ?

Elle poussa un soupir et je me dis que j'avais dépassé les bornes, pourtant elle finit par répondre :

— On le savait. Du moins mes parents ; moi, ils ne me l'ont révélé que presque à la fin. Mais je suis pas sûre que ça aurait changé quelque chose. Même quand il était malade, on s'amusait bien, entre les traitements on partait en vacances, comme tout le monde.

Elle marqua une pause, mais je ne dis rien parce que je sentais qu'elle n'avait pas fini de parler :

— Et puis on savait ce qu'il y avait d'important. Jim savait que je l'aimais et je savais qu'il m'aimait. Pas besoin de fleurs ni de cœurs pour le dire, ça se passait normalement, entre frère et sœur. Quelquefois, il savait trop m'embêter, enfin jusque, jusqu'à…

— Pardon, tu n'as pas besoin…

— Non, ça m'aide d'en parler. La mort, c'est normal, je ne vois pas pourquoi les gens font tant d'histoires avec ça. Tout le monde a perdu quelqu'un, mais personne n'en parle.

— Ma mère est morte quand j'avais sept ans, m'entendis-je lâcher.

C'était plus facile de bavarder dans l'obscurité. Je ne me sentais pas gênée du tout, les paroles sortaient toutes seules. À moins que ça n'ait été l'attitude de Britney. Elle savait se confier, elle savait écouter aussi. Je pouvais lui dire ce que je voulais.

— Mais je ne ressens pas les mêmes choses que toi. Moi, ce serait plutôt… je sais pas… un vide, de la colère. Comme si elle m'avait abandonnée. Elle l'a bien voulu.

— Elle était malade ?

— Non. Overdose. C'était un accident. Enfin, j'en suis presque sûre. Je ne crois pas qu'elle voulait mourir, mais je ne crois pas non plus qu'elle s'accrochait beaucoup à la vie. Pour elle, rien ne comptait davantage que sa prochaine dose… moi, je n'arrivais qu'après. Je l'ai toujours su, mais je ne l'ai jamais dit à personne. Entre l'héroïne et moi, elle a choisi l'héroïne.

– Attends, elle a pas choisi, Jem. Tu viens de me dire qu'elle était accro. Elle y pouvait rien. Elle était malade, autant que Jim.

– N'empêche qu'elle m'a laissée tomber. Je la déteste.

– Depuis le temps... tu pourrais peut-être la lâcher, toi aussi.

Je réfléchis à ce qu'elle venait de dire. Elle devait trop regarder les talk-shows à la télé. La vie n'était pas si simple. On ne quittait pas si facilement une colère qui vous soutenait depuis si longtemps dans la vie.

Sauf que, désormais, j'avais autre chose. Spider... cet impérieux besoin de le revoir, de le sauver... Il m'avait apporté une nouvelle raison de vivre.

Un lourd choc retentit dans l'escalier, qui nous fit tressaillir toutes les deux.

– Ce doit être papa qui rentre, je vais voir.

Britney sortit du lit, enfila sa robe de chambre et descendit. Comme elle avait laissé la porte entrouverte, je pris le réveil pour le mettre dans le rayon de lumière. Deux heures et quart. Leurs voix montaient jusqu'à l'étage, le léger accent de Britney, le timbre grave de son père. Je ne saisis que des bribes de mots par-ci par-là, mais elles suffirent à me faire bondir ; j'allai m'accroupir derrière la porte, le cœur battant.

– ... devenu fou furieux... on s'y est mis à huit... drôlement fort...

J'ouvris davantage la porte, tendis l'oreille autant que je pus. Les voix se mêlaient au souvenir de ce que m'avait dit Spider : « Je te jure, Jem, je me laisserai pas faire. Je résisterai de toutes mes forces. »

Qu'avait-il fait ?

– ... mort dans sa cellule... enquête...

208

Oh, non ! Il s'était défendu, comme il l'avait promis. Je lui avais dit de ne pas résister. Comment était-ce possible ? Comment tout avait-il pu s'arrêter si brutalement, trois jours trop tôt ? J'avais envie de hurler... je me fichais maintenant qu'on me retrouve ou pas. Si Spider était mort, il ne me restait rien. Tout mon corps n'était plus qu'un cri, ma peau devenait électrique. On nous avait volé nos dernières heures ensemble, notre ultime chance de nous dire adieu... c'était insupportable.

Les voix se rapprochaient. Elles résonnaient maintenant juste derrière la porte. Je n'avais même pas remarqué qu'ils étaient montés.

– Bonne nuit, ma grande. Tâche de dormir. Je vais prendre une douche.

– D'accord, bonne nuit, papa.

Britney rentra dans sa chambre et elle tressaillit en me voyant par terre. Je la vis écarquiller les yeux et porter un index à ses lèvres. Elle ferma doucement derrière elle et je restai là, muette, les joues baignées de larmes. Elle s'accroupit près de moi.

– Qu'est-ce qui se passe ? souffla-t-elle.

Je ne pus articuler un mot.

Il était parti.

Tout était fini.

– Écoute, tu vas me raconter ça dans une minute, quand mon père sera sous la douche. Retourne au lit. Je t'ai apporté du thé. Tiens.

Elle posa une tasse par terre, puis m'aida à me relever avant de me conduire vers le lit.

Je ne pouvais rien avaler, j'arrivais tout juste à respirer. Quand on entendit la porte de la salle de bains se fermer et la douche se mettre à couler, Britney s'assit près de moi, posa les mains sur mes jambes.

— C'est bon, tu peux parler maintenant. Qu'est-ce qui t'arrive ?

— Il est mort, c'est ça ? Je vous ai entendus. Il est mort.

J'articulais tant bien que mal mais elle comprit.

— Mais non, banane ! C'était l'autre.

— Quoi ?

— L'autre type qu'ils ont arrêté. Un gros lard plein de tatouages.

Le Tatoué ?

— Il est devenu fou dans sa cellule, il s'est mis à tout casser. Il a fallu huit hommes pour l'arrêter et il est mort dans la bagarre.

— Il est mort ?

— On ne sait pas s'il a été frappé ou s'il a eu une crise cardiaque ou quoi. En tout cas, il a fichu le bordel dans le commissariat. Papa faisait partie de ces huit hommes... maintenant, il est suspendu.

Le Tatoué, pas Spider. 11122010.

— Britney ?

— Oui ?

— Tu sais quand c'est arrivé ? À quelle heure ?

— Juste avant minuit, avant la fin du service de papa.

Voilà que les choses se remettaient en place. Pendant un moment, j'avais eu l'impression que le sol se dérobait sous moi, que plus rien ne fonctionnait. Maintenant, on revenait sur la terre ferme, avec ces cauchemars écœurants mais réels. Les numéros correspondaient à la pure vérité. Spider était encore vivant... pour trois jours.

— Ça va ?

– Ouais, plus ou moins.

– Viens dans mes bras.

Je ne lui avais rien demandé, pourtant elle se pencha et m'étreignit ; je me raidis un peu et elle dut le sentir, mais ça ne l'empêcha pas de me souffler :

– T'en fais pas. Tout va bien se passer. Tiens, bois.

Elle me tendit la tasse et j'avalai jusqu'à la dernière gorgée ce thé fort et sucré, absolument délicieux. Après quoi on s'allongea chacune de son côté. Je m'étais calmée, cependant j'avais l'esprit encore si embrouillé que je n'arrivais plus à penser à rien. J'étais complètement épuisée et le sommeil m'envahissait par vagues.

– Britney, soufflai-je.

– Hmmm ?

– Merci.

– De rien.

– Si, de beaucoup.

– Laisse tomber et dors.

Elle parlait comme moi. Ça me fit sourire et je plongeai dans un sommeil sans rêves, loin du monde, loin du tic-tac de la pendule.

# 26

Je pris le réveil et le tins devant mon visage. Presque six heures et demie. Il faisait encore nuit mais plus pour longtemps. Je me retournai en tâchant de vérifier comment je me sentais.

— Tu es réveillée ? souffla Britney.

— Oui.

À vrai dire, je me sentais plutôt mal. J'avais eu quelques bonnes heures de sommeil, mais j'étais encore fatiguée, un peu nauséeuse.

— Attention à ne pas faire de bruit.

— D'accord.

De toute façon, on était toutes les deux habillées. Alors on se leva dans le noir et on sortit sur la pointe des pieds.

— Je descends la première, pour être certaine de ne pas alerter Ray.

Ray ?

Elle ouvrit la porte de la cuisine et je l'entendis chuchoter. En fin de compte, j'étais prise au piège. J'aurais dû me douter que c'était trop beau pour être vrai. Les gens finissent toujours par vous laisser tomber. Un coup d'œil dans l'entrée me permit de vérifier que je pourrais filer sans peine par la porte.

— C'est bon, arrive.

Britney me faisait signe de venir dans la cuisine.

Sans trop savoir pourquoi, je lui fis confiance et me dirigeai vers le carré de lumière provenant de l'autre côté de l'escalier. Elle était penchée sur un énorme berger allemand qu'elle retenait par le collier. Je ne suis pas très animaux. Je n'en ai jamais eu, je n'y connais rien. Ça me fait toujours drôle de voir comment les gens leur parlent, les caressent. Ils ne voient pas qu'ils n'ont affaire qu'à des êtres différents, non humains.

— Ferme la porte derrière toi, murmura Britney. Voici Ray, le chien policier de papa.

Je n'y croyais pas ! Je me retrouvais enfermée dans une pièce de trois mètres sur deux en compagnie d'un chien policier !

— Lui aussi, il te cherchait hier, n'est-ce pas, Ray-Ray ? Tu l'as trouvée maintenant, regarde ! Tu es le meilleur ! Jem, dis-lui bonjour.

— Bonjour… balbutiai-je sans le regarder dans les yeux.

Britney pouffa.

— Mais non, pas comme ça ! Caresse-le, sur l'épaule, pas sur la tête. Vas-y, il sait que tu es une amie.

— Il ne va pas me mordre ?

Elle sourit en faisant non de la tête.

Même si je m'attendais plus ou moins à ce qu'elle finisse entre ses massives mâchoires, je tendis la main vers lui, lentement, la posai sur le poil épais de son cou. Je sentis son corps tiède, vibrant de vie et, par-dessus tout, je découvris l'extraordinaire douceur de sa fourrure. J'avais l'impression de toucher un lion.

— Salut, Ray. Tu es un bon chien.

Mes paroles étaient aussi empruntées que mes gestes. Il me renifla le pied et, brusquement, frotta son long museau sur mon jean, manquant de me renverser au passage.

— Hé, qu'est-ce qu'il fait ?

— Rien. Il t'aime bien. Il dépose son odeur sur toi. Laisse-le faire.

Je n'avais pas l'intention de l'en empêcher, alors je le laissai me marquer, comme si je lui appartenais. Pas très futé, le clebs : il ne se doutait même pas qu'il pactisait avec l'ennemi.

Britney trafiquait je ne sais quoi dans son coin ; quand elle se retourna, ce fut en brandissant fièrement un sac à dos noir avec toutes sortes de badges cousus dessus.

— Je t'ai mis des trucs dedans. Tes vêtements, de quoi manger et de l'eau. J'ai aussi une couverture, mais elle ne veut pas rentrer. Je vais l'attacher au-dessus.

Elle ouvrit un tiroir, en sortit une pelote de ficelle qu'elle déroula pour fixer la couverture. Je ne savais quoi dire.

— C'est à toi ?

— C'est mon sac de classe.

— Tu n'en as pas besoin ?

— J'en ai un autre qui a perdu une attache. Ça ira.

À l'étage, quelqu'un ouvrit et referma la porte de la salle de bains. Il fallait que je m'en aille, mais Britney tendit la main pour m'arrêter. Après un bruit de chasse d'eau, une voix masculine retentit dans l'escalier :

— Qui est là ? C'est toi, Britney ?

214

Je restai figée tandis qu'elle ouvrait la porte et lançait :

— C'est moi, papa ! Le chien geignait. Je vais le faire sortir.

— D'accord. Merci, ma grande.

Elle referma, acheva d'accrocher la couverture au sac à dos puis prit la laisse et ouvrit sur le jardin en me faisant signe de la suivre. Je tirai doucement la porte derrière nous et fus frappée par le froid qui me fouettait de nouveau le visage. Si je m'étais sentie étouffer à l'intérieur, maintenant que je retournais vivre dehors je trouvais la réalité plus inconfortable que jamais.

Britney m'accompagna tout en promenant le chien. Nous marchions en silence sur l'étroit chemin. Devant le muret du fond du jardin, elle libéra Ray qui escalada l'obstacle comme si de rien n'était. On le suivit, quoique moins aisément. Dans la nature, le chien me parut moins facile à dominer. Et s'il allait me reconnaître et faire enfin son boulot ?

— C'est pas grave s'il court comme ça ?

— C'est bon. Il reviendra quand je l'appellerai.

— Mais… je ne risque rien ?

— Non, tu es son amie maintenant. Il ne te touchera pas. Il a plutôt envie de trouver un lapin. Continue sur ce chemin.

Maintenant qu'on avait atteint les champs, je m'attendais à la voir retourner chez elle, pourtant elle fit un bout de chemin avec moi. On ne parla pas beaucoup, on s'était déjà presque tout dit pendant la nuit ; mais c'était sympa de marcher ensemble.

— Tu vas où, au juste ? finit-elle par demander.

— Je préfère ne pas te le dire… mais ce n'est pas parce que je n'ai pas confiance en toi…

— T'inquiète, je comprends.

— C'est un endroit dont on a parlé, avec Spider. Même s'il est en prison en ce moment, je veux m'y rendre. Je ne sais pas pourquoi, mais je crois qu'on va s'y retrouver, tous les deux.

— Je l'espère, Jem.

De nouveau, on avança en silence et elle reprit :

— Là-bas, c'est le canal. Tu repasses cette clôture et tu verras un pont, de l'autre côté. Traverse-le et prends le chemin de halage, sur la gauche. Il mène directement à Bath, à environ quinze kilomètres. Maintenant, il faut que je ramène Ray. Mes parents ne vont pas tarder à se lever.

Cette fois, il allait falloir se dire au revoir.

— Merci ! soufflai-je.

Si j'avais jamais été sincère, c'était bien là.

— C'est bon, dit-elle en tournant la tête vers le canal. Bonne chance, Jem. Je ne t'oublierai jamais. Tu as été super cool.

Pour un peu, je l'aurais embrassée, mais j'avais peur de la gêner. Elle devait ressentir la même chose parce qu'on resta toutes les deux les bras le long du corps, un peu figées, jusqu'à nous sentir trop nulles.

— J'y vais, lançai-je. Moi non plus, je ne t'oublierai pas, Britney.

Je descendis le chemin jusqu'à la barrière que j'escaladai.

Une fois en haut, je me retournai. Elle n'avait toujours pas bougé et me regardait. Je lui adressai un signe, auquel elle répondit ; je trouvais ça sympa de pouvoir dire au revoir à quelqu'un, au lieu de filer en douce, comme d'habitude. Elle garda la main levée un petit instant, puis appela son chien et s'en alla. Je sautai de l'autre côté, mis le sac sur mon dos et partis vers le pont.

# 27

Le chemin de halage simplifiait tout. Pas besoin de réfléchir pour trouver ma direction, il me suffisait de le suivre, c'était tout droit. Maintenant qu'ils avaient mis la main sur Spider, je savais que ce n'était plus qu'une question de temps pour moi ; bientôt mon tour viendrait et, franchement, ça ne m'affolait pas plus que ça. Le pire était derrière moi : j'avais perdu Spider, je m'étais retrouvée à dormir au milieu de nulle part, sans un sou. Et j'avais survécu aux douze premières heures – mieux que ça, je m'étais fait une amie. Pas mal, non ?

Je marchai toute la journée, croisai des quantités de bateaux, quelques pâtés de maisons, parfois des joggeurs ou des cyclistes. Je ne les regardais pas ; la tête basse, je mettais un pied devant l'autre, sans chercher à me faire remarquer.

Pour un peu, j'aurais trouvé drôle de constater que j'avais marché toute la journée sans chercher à me cacher ni à me reposer. Malgré l'émotion qui me travaillait, la maigre nourriture et ma triste forme, j'arrivais à poursuivre ma route, tel un zombie, trop épuisée pour beaucoup réfléchir, juste occupée à avancer, chaque fois un peu plus. C'était tellement plus facile avec un sac à dos. Quand je pense aux complications inutiles qu'on s'était imposées avec Spider, en portant tout notre barda à bout de bras ! Quelle bande de tarés ! J'avais les larmes aux yeux rien que de penser à lui. Qu'est-ce qu'on lui faisait en ce moment ? Je ne pouvais poursuivre qu'en avançant, pas à pas, vers l'ouest.

Je compris que j'approchais de la ville lorsque les passants se multiplièrent autour de moi : des familles, des enfants à bicyclette, d'autres qui promenaient leurs chiens, des couples bras dessus, bras dessous, heureux de profiter du soleil de ce dimanche après-midi, en plein décembre. Même la tête basse, je percevais leur curiosité, l'inquiétude des mères qui éloignaient leurs enfants.

Un gamin me heurta les jambes et resta planté devant moi, à me dévisager. Je sentis presque mes cheveux se dresser sur la tête. Cette petite chose qui me fixait ainsi, de ses énormes billes noires, avec son nez qui coulait. 04032053. Il allait mourir à un peu plus de quarante ans, ce petit qui ne savait même pas encore ce qu'était la mort.

Je fis un pas de côté pour échapper à ses mains poisseuses et repris ma route tandis que, derrière moi, ses parents le réprimandaient affectueusement. Deux minutes après, je sentais encore l'empreinte tiède de ses paumes à travers mon jean.

L'angoisse me reprit bientôt. C'était dangereux, tous ces gens. Parfois, on pouvait traiter avec l'un ou l'autre par-ci, par-là, mais, dès qu'on avait affaire à une groupe ou, pire, à une foule, il fallait se méfier. J'essayai de presser le pas, mais je n'avais plus de jus, d'autant que le soir allait bientôt tomber.

Le paysage s'altérait. Les bâtiments proches des collines restaient encore à peu près éclairés, mais, autour de moi, les réverbères commençaient à s'allumer, répandant leur lueur orange sur les rues. J'étais presque arrivée à Bath. Je n'avais pas envie de passer la nuit seule, dans l'obscurité.

Moi qui n'avais jusque-là eu peur de rien, après que la vie m'eut infligé le pire des malheurs à l'âge de sept ans, depuis quelques mois je découvrais ce que signifiait le mot « angoisse », surtout ces derniers jours. Maintenant je n'avais qu'une envie : trouver un coin tranquille où passer la nuit, me pelotonner et dormir. J'avais envie de tout éteindre, d'échapper un peu à ce monde. Je frissonnai. N'était-ce pas ce que faisait ma mère en se shootant : rechercher quelques heures d'évasion ? Parce qu'elle ne pouvait plus supporter sa vie ? Devoir s'occuper d'une gosse ? Habiter un appart minable ? Toujours seule au monde ? Je n'avais pas compris jusque-là pourquoi elle avait fait ça. Maintenant, je commençais à saisir à quel point l'oubli pouvait parfois ressembler au paradis... sauf que je n'avais pas envie de le découvrir comme elle...

Cette ville m'étonnait. Là d'où je venais, les canaux étaient des endroits malsains, qui coulaient derrière des cours d'usines et des fonds d'entrepôts. Pas ici. Ici, ils étaient bordés d'une balustrade blanche et surmontés de jolis ponts sculptés.

Bientôt, le chemin de halage s'en éloigna pour mener à une rue parallèle ; en fait, je me retrouvai sur une colline qui dominait les rues et les quais. On n'y voyait plus grand-chose, mais je devinais encore les bateaux arrimés. Je ne savais pas trop où me pieuter ; je ferais mieux de me trouver un parc ou un bout de jardin privé. Je quittai la route pour m'engager dans une ruelle tranquille qui rappelait un peu ce qu'on voyait dans les films, pavée, avec de hautes maisons de chaque côté.

C'était l'heure où les gens allumaient chez eux mais ne tiraient pas encore les rideaux. Derrière chaque vitre ou presque, j'apercevais un spectacle différent, un ado face à son ordinateur, un type qui regardait la télé, un enfant qui lisait.

Je me sentais de plus en plus seule. Eux, ils étaient au chaud et en sécurité dans leurs maisons bien chauffées. Ils allaient bientôt dîner, ils avaient une famille, une adresse, une histoire. Je m'obligeai à marcher encore… inutile de penser à ce que les autres possédaient alors qu'il fallait me trouver un endroit pour dormir.

De l'autre côté de la rue, il n'y eut bientôt plus de maisons. Une clôture donnait directement sur un champ. Je cherchai un moyen de la franchir sans me prendre encore des barbelés. J'étais tellement fatiguée que j'en avais le vertige. La brise s'était levée, j'avais de plus en plus froid. Je devais m'abriter, sinon, le lendemain, ce serait mon cadavre congelé qu'on retrouverait.

Je traversai pour suivre cette clôture et finis par trouver un échalier que j'escaladai en hâte. De l'autre côté, mon pied se posa sur quelque chose de mou, de glissant, de puant… encore de la bouse de vache. Bien joué !

L'herbe s'enfonçait dans la nuit. Je suivis quelque temps la barrière ; de là, on apercevait toujours les réverbères, ça me donnait l'impression d'être moins dans le noir. Arrivée au coin du champ, je n'avais plus le choix, il fallait s'éloigner de la ville. Le ciel semblait avoir disparu, bloqué par la colline. Alors j'aperçus un petit bois, derrière une autre barrière que je n'eus qu'à escalader pour atterrir dans des buissons qui déchirèrent mon jean, jusqu'à ce que je trouve un coin plat sous les arbres. Je vérifiai si l'endroit était propre et me laissai tomber.

Je m'enveloppai de la couverture que Britney m'avait donnée, m'y cachai le visage, mais c'était à peine si elle me protégeait du vent. Comme d'habitude, je me dis que je ne m'endormirais jamais tant je pensais à Spider. Est-ce qu'il dormait, en ce moment, ou est-ce qu'il était comme moi, tout éveillé, à respirer trop fort ? Combien de respirations lui restait-il ? Peu à peu, mon corps se réchauffa et je glissai vers l'obscurité silencieuse d'un sommeil sans rêves.

# 28

Quelqu'un me pourchassait, si proche que j'entendais sa respiration, que je la sentais sur ma nuque. Jamais je n'avais couru aussi vite. Ma poitrine allait exploser, pourtant je courais encore ; il allait réussir à m'attraper et tout serait fini. C'était trop. Je n'en pouvais plus. Je remontai à la surface et pris conscience de ce qui m'entourait, ouvris les yeux pour apercevoir les lueurs grises de l'aube.

Finalement, j'avais quand même rêvé. Ce qui n'empêchait pas le bruit de rester réel, tout près de moi ; cette respiration... Spider ? Un court instant, je crus qu'il était bel et bien près de moi. Spider... Je roulai sur le dos pour découvrir une silhouette noire au-dessus de moi, une espèce d'animal qui me reniflait. Une vache ? Je croyais qu'elles étaient dans l'autre champ. Mais non, il s'agissait d'un chien, très intéressé par mon sac à dos.

Paralysée, je me disais que Ray n'était qu'un agneau comparé à cette grosse bestiole efflanquée aux muscles saillants.

Et puis retentit une voix de femme :

– Sparky ! Viens ici ! Ici !

Je le vis dresser les oreilles. Il l'avait entendue, mais le reste du pain que Britney m'avait offert devait lui sembler plus intéressant. Sa maîtresse apparut à l'angle du sentier : bottes de caoutchouc, manteau de fourrure, écharpe. En nous voyant, elle accéléra le pas :

— Oh, merde ! Ici, Sparky !

Il leva un instant la tête puis reprit sa fouille. Il n'allait bientôt plus avoir le temps. Sa dernière chance d'avaler une bouchée. Les doigts de la femme se plantèrent sur son collier et elle le tira brutalement.

— Pardon, je suis désolée. C'est la nourriture. Ça le rend fou. Mon Dieu ! Il a mangé votre repas. Je suis désolée.

Un énorme silence s'abattit sur le bois. J'étais toujours allongée sur le dos, abrutie de sommeil, et cette femme et son chien me dominaient de toute leur taille. Elle attendait que je réponde quelque chose, elle s'inquiétait de ma réaction. Je m'assis en essayant de m'écarter d'eux autant que je pus.

— Je suis désolée qu'il vous ait réveillée, reprit-elle. Il vous a fait peur. Rassurez-vous, il ne mord pas. Il ne s'intéressait qu'à la nourriture. Écoutez, j'habite tout près d'ici. Venez donc prendre le petit déjeuner, boire du thé…

Je ne la sentais pas très sincère, elle devait dire ça juste pour essayer de se faire excuser.

— Non, marmonnai-je. Ça ira.

— Il a mangé votre repas. Je pourrais vous apporter quelque chose…

— Non, c'est bon. Pas besoin…

— Je n'ai malheureusement pas d'argent sur moi.

Elle fouilla dans ses poches.

– Attendez… Tenez, vous pourrez vous payer un petit déjeuner avec ça.

Elle me tendit une poignée de monnaie. Moi, j'avais envie que tout ça s'arrête, qu'elle se barre avec sa fichue bête et sa charité chrétienne.

– Gardez votre putain d'argent, ça va comme ça !

Cette fois, elle avait compris.

Elle recula, fixa la laisse du chien.

– C'est bon, d'accord. Je m'excuse encore.

Tous deux s'éloignèrent en effectuant un arc de cercle à travers champ pour rejoindre la porte de la barrière. Là, ils s'arrêtèrent un instant. La femme détacha le chien qui s'en alla en gambadant. Elle le suivit dans le chemin tandis que je me levais pour mieux les suivre des yeux. Le chien revenait dans sa direction, tournait trois fois autour d'elle avant de repartir comme un jeune poulain noir. Je me sentis alors plus seule que jamais ; je n'aurais pas cru que ce soit possible.

Le vent avait complètement cessé, laissant un ciel bleu pâle où brillaient encore les dernières étoiles ; des nuées cotonneuses tapissaient l'horizon au-dessus duquel se détachaient des tours orange, comme des îles au milieu d'une mer déchaînée. Je n'avais jamais vu un tel spectacle. Quelque part, sous cette nappe de brouillard, des gens dormaient, des gens s'éveillaient, se grattaient, se rasaient, crachaient ; mais, au-dessus, c'était comme Disneyland.

Moi qui avais eu le trac à l'idée d'entrer dans cette ville, maintenant je me sentais toute ragaillardie. Que pourrait-il m'arriver de mauvais dans un endroit pareil ? Je roulai ma couverture, la rattachai à mon sac à dos. J'avais les doigts engourdis par le froid. Tout ce que je portais, tous mes vêtements étaient humides de rosée.

Je descendis la colline vers la barrière, suivant les traces de la femme et de son chien. Alors que j'allais l'ouvrir, je vis une pile de pièces de monnaie au sommet du poteau adjacent. Finalement, elle m'avait laissé cet argent. Je le fourrai dans ma poche. Je trouvais ça un peu sordide, loin de l'attitude de Britney. Là, je me sentais comme une mendiante.

Je remontai à travers champ jusqu'à la ruelle. Complètement déserte à cette heure-là, elle menait au centre-ville en passant sous un pont de voie ferrée. Brusquement, je me retrouvai plongée en plein XXI$^e$ siècle, devant une route où passaient des flots de voitures et de camions. Tout ce bruit, toutes ces lumières me portaient à la tête. Je n'étais encore qu'à moitié réveillée. Je restai un moment à les regarder passer, avant de reprendre mon chemin.

Sur ma droite, un coup de Klaxon me fit sursauter, m'envoyant une poussée d'adrénaline dans le sang, me balançant le cœur dans la gorge. D'où est-ce qu'il venait, celui-là ? Je me mis à courir comme s'il me poursuivait, pour ne m'arrêter que sur un pont qui traversait une rivière brunâtre. De l'autre côté, il y avait des hôtels et des bars, des boutiques genre attrape-touristes avec leurs guirlandes de Noël qui scintillaient déjà alors que rien n'était ouvert.

Ma montre n'indiquait que huit heures moins dix. Il n'y avait pas beaucoup de gens par ici. Juste des laveurs de carreaux, des éboueurs, des employés chargés d'ouvrir les magasins, d'autres qui se rendaient à leurs bureaux, la tête baissée ; certains goûtaient déjà leur première cigarette de la journée. Personne ne fit attention à moi. C'est l'heure où l'on ne veut pas s'occuper des autres. Quand on se lève si tôt, c'est qu'on a quelque chose à faire, et on y va, le plus vite possible.

Mon genou me faisait encore affreusement mal, mais il n'était pas question que je m'arrête. Alors je traversai la ville. Je croisai un groupe de clochards installés sur un perron, en train de vider des canettes de bière en guise de petit déjeuner.

— Ça va, chérie ? lança l'un d'eux.

*Il croit que je suis comme lui, il m'interpelle comme une collègue. Au fond, il a raison.*

— Très bien.

J'avais répondu les yeux baissés, sans le regarder, tâchant juste d'éviter les canettes qui gisaient au pied des marches.

Je poursuivis le long de la grand-rue, sous les guirlandes éteintes, jusqu'à tomber sur la seule enseigne animée, un McDo. J'avais assez d'argent pour m'offrir un thé, des œufs et un McMuffin. J'avais toujours aimé cette odeur, pourtant, alors que j'attendais que le type derrière son comptoir prenne ma commande, elle me donnait envie de vomir. Lorsque je ressortis avec mon paquet, je fus contente de respirer à nouveau l'air frais.

Je suivis encore la rue jusqu'à une voûte ouvrant sur un square plein de chaises et de bancs avec un arbre énorme planté au milieu. Je me trouvais juste en face d'une église et de son clocher. Pas plus mal qu'autre chose. Je m'assis, posai ma boisson à côté de moi.

J'ouvris le muffin. Le jaune d'œuf s'était cassé et répandu à travers le paquet. J'avais faim, mais je ne pouvais pas manger ça, alors je le posai sur le banc et pris mon thé que je bus à petites gorgées après en avoir ôté le couvercle. Il était chaud et ça ne me fit que sentir davantage à quel point j'avais froid.

Je contemplai le bâtiment massif sur ma gauche. Des pancartes de chaque côté indiquaient qu'il s'agissait de l'abbaye de Bath. Au milieu se dressait un énorme portail en bois, surmonté d'un gigantesque vitrail. Tout le long, il y avait des statues sculptées dans la masse qui donnaient un peu l'impression de gens perchés sur des échelles. D'ailleurs, c'était exactement ça, des gens qui grimpaient. Ils n'étaient pas tous entiers, mais certains avaient des ailes. Des anges ? En tout cas, ils essayaient de s'élever, même si quelques-uns n'avaient pas pris la bonne direction et semblaient sur le point de tomber. Quels abrutis, pourquoi est-ce qu'ils ne s'envolaient tout simplement pas ?

Je bus mon thé tout en continuant d'observer ces drôles de sculptures. Je commençais à me réchauffer un peu, à me sentir davantage un être humain. Je repris le muffin, maintenant froid, avec son jaune d'œuf congelé. J'en mordis un peu, mais pas moyen. Je recrachai ma bouchée dans le papier.

Il y avait un peu plus de gens maintenant. Beaucoup se dirigeaient vers l'abbaye, pour ouvrir de petites échoppes de bois autour de l'entrée. Je sentis les regards en coin, le malaise, et ce fut moi qui en éprouvai le plus de gêne. C'était le moment de me bouger, de trouver un autre coin pour m'asseoir, jusqu'à ce que je sache quoi faire. Je me levai, enfilai mon sac à dos. J'allais partir lorsque je me ravisai, récupérai mon gobelet vide et le muffin pour aller les jeter dans une corbeille à quelques mètres de là.

— Merci de laisser propres les alentours de l'abbaye, dit un type avec un long manteau.

Il me salua de la main et s'éloigna vers un portillon de bois. Il portait un énorme trousseau de clés pendu à la ceinture. Je pris un chemin qui menait à la sortie du square.

À l'autre bout, il y avait un mec en uniforme.

Faisant volte-face, je retournai sur mes pas.

Deux hommes en costume arrivaient dans ma direction ; ce pouvaient aussi bien être des employés qui se rendaient à leur travail que des flics lancés à ma recherche.

Merde, je m'étais trompée tout à l'heure ; tous ces gens faisaient semblant de ne pas me voir et m'observaient en douce. Et cette bonne femme dans le champ… la sale fouineuse, c'était elle qui m'avait dénoncée ? J'avais envie de crier *non !* et d'entendre ma voix se répercuter à travers le square. Je vérifiai s'il y avait du monde derrière moi. Le type aux clés venait d'entrer et s'apprêtait à fermer lorsque je courus vers lui.

— Attendez, s'il vous plaît !

Il leva la tête, surpris, passa la main sur le rebord de la porte comme pour mieux s'arrêter.

— Aidez-moi, je vous en prie ! J'ai peur. Laissez-moi entrer.

Ma voix se cassa. Il me dévisagea de ses yeux bleu pâle puis, soudain, regarda derrière moi, hésita un court instant avant de m'attraper par le bras pour me faire entrer. Je trébuchai dans la semi-obscurité tandis qu'il repoussait le panneau et le claquait avant de tirer le verrou. De l'autre côté retentirent des pas sonores, des coups furent frappés contre le bois.

Et puis des interjections :

– Police. Ouvrez !

Alors que ma vision s'adaptait à l'obscurité, je vis mon sauveur adossé à la porte. Il porta les mains à sa bouche.

– Qu'ai-je fait ? souffla-t-il en me regardant. Seigneur Dieu, qu'ai-je fait ?

# 29

— Ça va ? me demanda-t-il.

Je fis oui de la tête.

— C'est vraiment la police, derrière ?

De nouveau, je hochai la tête.

— Alors il faut que j'ouvre. Que je les laisse entrer.

Je fermai les yeux… après tout ce cinéma, il allait donc me lâcher.

— Vous m'avez l'air épuisée. Vous voulez un peu de temps pour vous reprendre ?

Je ne comprenais pas trop ce qu'il entendait par là, mais un peu de temps ne serait pas de refus.

— Oui.

— Passez par cette porte et allez vous asseoir dans l'abbaye. Je vais leur dire ce qui se passe.

Je ne savais pas trop.

— Ne vous en faites pas. Allez-y.

Je tirai sur une large poignée de métal et ouvris la porte intérieure. Moi qui m'attendais encore à un lieu obscur, je fus presque éblouie par la lumière de l'église ; je me retrouvais au cœur d'une forêt de colonnes qui s'élançaient vers d'immenses éventails de pierre, éclairées par des vitraux colorés à leur base mais transparents dans les hauteurs et qui reflétaient en ce moment le ciel bleu clair. J'ôtai mon sac à dos et m'assis sur un banc. J'entendis derrière moi les verrous du portail qui s'ouvraient. Bientôt, les flics allaient surgir. Je n'avais pas envie de voir ça, alors je fermai les yeux et attendis.

Des voix résonnèrent, mais je ne compris pas tout ce qu'elles disaient. Le portail se referma, le verrou suivit. Des pas retentirent à l'intérieur de l'église.

— Ils vont attendre. Ils ne sont pas contents mais ils vont attendre. J'ai dit que vous invoquiez le droit d'asile dans la maison du Seigneur et qu'ils ne pouvaient passer. Un pieux mensonge, croyez-moi…

L'entendant rire doucement, je rouvris les yeux sans oser le regarder. Il lui fallut un certain temps pour se rendre compte que je ne comprenais pas un mot de ce qu'il disait.

— C'est ce que vous voulez, non, l'asile ? Un coin où vous soyez en sécurité.

Il était plus jeune que je ne l'avais cru tout d'abord. Il ne devait pas avoir trente ans, mince, aux cheveux bruns ondulés, une pomme d'Adam qui remuait à chacune de ses paroles et des yeux bleu délavé.

— Oui, murmurai-je. Un coin tranquille.

Il se rembrunit :

— Pourriez-vous m'expliquer pour quelle raison la police vous recherche ? Enfin… rien ne vous y oblige, si vous ne préférez pas…

— Ils croient que j'ai fait quelque chose de mal, mais ce n'est pas vrai.

— Quelque chose de grave ?

— Ils croient que j'ai fait sauter la grande roue de Londres.

Il se rembrunit davantage.

— Ah, je vois…

Il déglutit et sa pomme d'Adam passa à la vitesse supérieure.

— Alors c'est vous, la fille de Londres qu'on recherche. C'est grave, en effet. Il faudrait que vous leur parliez, que vous vous justifiiez.

— C'est ça, parce qu'on va me croire, d'après vous ? Il leur faut un coupable et je ferai très bien l'affaire. Vous les avez vus, non ? Ils m'ont condamnée d'avance. Mais ce n'est pas vrai, je n'ai jamais…

J'avais haussé le ton et ma voix emplissait l'espace.

— Ils veulent vous parler, mais pas en tant que suspecte, en tant que témoin.

— Ils vont me charger, ils ont déjà pris mon ami et ils…

— Écoutez, le pasteur… mon patron… va bientôt venir pour mâtines. Je vais en discuter avec lui. Il faut que je prépare l'église. Ça vous ennuie d'attendre ici pendant que je m'en occupe ? Ou alors vous me suivez. Ça m'est égal.

Ce banc trop raide me faisait plutôt mal au dos, je préférais bouger, alors je me levai pour le regarder brancher les lampes, déverrouiller les portes, allumer les cierges.

— Au fait, reprit-il soudain, je m'appelle Simon.

Il se tourna à moitié, me tendit la main et on se serra la pince. Il avait la paume tiède, étonnamment douce pour un homme aussi sec.

— Et vous… ?

— Euh… Jem. Moi, c'est Jem.

— Enchanté, Jem.

Bizarre, comme réponse, mais il avait dû être élevé comme ça, les bonnes manières et tout. Je ne savais pas ce qu'il fallait répondre alors je ne dis rien.

— Vous avez la main très froide. Vous avez dormi dans la rue ?

— Ouais.

On était arrivés à l'avant de l'église, dans un endroit séparé du reste par une espèce de panneau en bois incrusté.

— Asseyez-vous là, dans la chapelle, il y a de l'air chaud sous les bancs. Je vais vite revenir, Jem.

Je fis ce qu'il me dit, m'installant au fond sur un banc capitonné. En face de moi, il y avait une table avec une grande croix dorée dessus et, devant, une sorte de pilier noir surmonté d'une bougie. Autour, une inscription. Je me levai pour la déchiffrer : *Dona nobis pacem*. Aucune idée de ce que ça signifiait. Pourquoi écrire des trucs comme ça, dans une langue étrangère à laquelle personne ne comprenait rien ? Ça donnait l'impression d'être pris pour des débiles.

Je tressaillis en sentant quelqu'un derrière moi.

— C'est moi, se hâta d'annoncer Simon. Je ne voulais pas vous déranger, si vous vouliez prier…

— Je ne priais pas, je… je lisais ça…

Il sourit.

— Certes. Ce sont de bien belles paroles.

Je n'eus pas le temps de lui demander ce qu'elles signifiaient car une porte venait de s'ouvrir dans un écho qui se répercutait de colonne en colonne. Je lançai un regard inquiet vers Simon.

— Ne vous inquiétez pas, dit-il, ce doit être le recteur. Attendez ici.

De nouveau, il disparut et je me tournai vers le panneau pour regarder ce qui se passait à travers les dentelles de bois. Un homme arrivait par une entrée latérale, petit mais solide, chauve, avec des lunettes ; il avait plus l'air d'un directeur de banque que d'un vicaire. Ses yeux balayaient l'espace de droite à gauche comme des phares.

Simon s'empressa de le rejoindre et j'entendis l'autre s'indigner :

— Au nom du ciel, que se passe-t-il ici ? Il y a des policiers armés devant l'abbaye. Nous sommes encerclés !

Simon leva les mains comme pour amortir la puissance de la voix de son interlocuteur :

— C'est une gamine, mon père. Elle réclame le droit d'asile.

— On m'a fouillé, Simon. Fouillé ! Avant de me laisser pénétrer dans ma propre église !

— Oh… Seigneur !

— Si vous arrêtiez de ricaner ! C'est très sérieux. Il faut qu'on arrête ça tout de suite. Nous devons leur remettre cette fille. Où est-elle ?

Je me tapis au fond de mon coin.

— Dans la chapelle mais…

Aussitôt, un bruit de pas dans ma direction.

— … mais on ne peut pas la jeter dehors ! C'est une gamine !

— Ce qui ne l'empêche pas d'être également une tueuse de masse, Simon. Et je peux faire absolument tout ce que je veux dans mon église. J'en suis le recteur, oui ou non ?

— Cette église est à Dieu.

Les pas s'arrêtèrent. Leur écho se répercuta un instant sur les voûtes et puis ce fut le silence.

— Je vous demande pardon ?

Je connaissais ce ton. *Ça y est,* me dis-je. Simon se retrouvait dans l'embrouille. Et moi aussi.

— Je veux dire que ceci est la maison de Dieu. Bien sûr, nous nous en occupons, mais nous n'en sommes pas les propriétaires, juste les gardiens...

Sa voix avait baissé au point de devenir inaudible.

— Où voulez-vous en venir ?

— C'est-à-dire... il faut nous interroger et accomplir la volonté du Seigneur... Faire ce qu'Il aurait fait...

*Complètement vaseux,* me dis-je. *Je suis fichue.* En quoi je me trompais, parce que Simon avait trouvé un argument de poids, au contraire. Il avait dit exactement ce qu'il fallait pour me sauver.

— Ce qu'aurait fait le Seigneur ? répéta lentement le pasteur. Qu'aurait-Il fait ? Où est-elle ?

Maintenant, il parlait d'une voix beaucoup plus douce.

— Je suis là, dis-je en m'avançant.

Il me regarda et je vis la quarantaine d'années qui l'attendaient encore, le plaisir de vieillir dans le confort et le respect, d'être quelqu'un. Je ne sais pas ce que lui vit de moi, car son expression demeurait impénétrable, en revanche il finit par déclarer :

— Alors venez, nous allons prier ensemble.

Il m'entraîna vers le fond de la chapelle, s'agenouilla.

— Pardon, je... commençai-je.

Simon me fit taire en portant un doigt à ses lèvres et en secouant la tête, puis m'adressa un signe pour que je vienne m'agenouiller à côté de lui.

Le pasteur entama une série de prières, des paroles auxquelles je ne compris rien, mais il avait l'air de parler à quelqu'un, de lui demander des trucs, sauf qu'il n'y avait personne d'autre, à part nous trois. Et puis il se tut. Je ne savais pas trop ce que je devais faire. Les mains jointes devant mon nez, je me sentais assez nulle, je ne savais même pas s'il fallait garder les yeux ouverts ou les fermer ; d'un regard en coin, je vérifiai ce que faisaient les deux autres. Ils me rappelaient des anges sur les cartes de Noël, les paupières closes, chacun dans son monde. Je commençais à avoir mal aux genoux, surtout à celui que je m'étais tordu. Je tâchai de changer de posture et finis par m'asseoir en me demandant comment ils réagiraient quand ils s'en apercevraient.

Des heures, ou des minutes plus tard, sans échanger un mot, ils se ranimèrent ensemble et se levèrent. J'en fis autant. Le pasteur se tourna vers moi, me prit les deux mains.

— Soyez la bienvenue dans la maison de Dieu, mon enfant. Vous avez demandé l'asile, vous le trouverez ici. Pour le moment.

Derrière lui, Simon paraissait tout content.

— Ce ne sera pas plus facile pour nous que pour vous, reprit le pasteur. Avant de poursuivre, je voudrais que vous me répondiez honnêtement : portez-vous une arme quelconque ?

— Aucune.

— Ni pistolet, ni couteau ? Ni explosif ? insista-t-il en regardant mon sac à dos resté par terre.

— Non.

— Alors vous permettez que Simon ou moi y jetions un coup d'œil ?

À vrai dire, ça m'ennuyait. Il ne s'agissait pas vraiment de mes affaires mais de celles de Britney, seulement j'étais mal placée pour râler. Alors je l'ouvris devant eux et en répandis le contenu à terre : mes provisions de nourriture, mes bou-teilles d'eau, mes vêtements sales.

— Et vos poches ? Pourriez-vous les retourner ?

Je plongeai les mains dans les poches de ma veste, ainsi que dans celles de mon jean, pour ajouter sur le tas de vieux mouchoirs, mon briquet et mes dernières pièces de monnaie. Quinze ans, et c'était tout ce que je possédais au monde.

— Nous allons quand même devoir vous fouiller.

Je le fusillai du regard. *C'était donc ça ! On cherchait une excuse pour me peloter. Vieux cochon !* S'ils avançaient une main vers moi, j'étais prête à me défendre. Ni l'un ni l'autre ne me paraissait très dangereux.

— Simon, dit le pasteur, voulez-vous, je vous prie…

Simon avait l'air encore plus impressionné que moi. Il s'avança en s'excusant, m'écarta doucement les bras et ses paumes se glissèrent de mes aisselles à ma taille puis le long de mes jambes. Détournant la tête, il passa au bas-ventre et il devint tout rouge. Quand il eut fini, il avait le front plein de sueur. A priori, il ne devait pas souvent toucher de femmes.

— Non, conclut-il en se redressant, ça va. Il n'y a rien à signaler.

— Bien. Alors, jeune fille, vous pouvez rassembler vos af-faires. Simon, vous allez montrer à notre hôte…

— À Jem, coupa celui-ci.

— Vous allez montrer à Jem la sacristie ; pendant ce temps je vais parler avec la police, leur dire qu'ils n'ont pas à nous assiéger comme ça, que nous devons ouvrir les portes pour mâtines.

Là-dessus, il se dirigea d'un pas ferme vers le portail ; il avait hâte de voir sa journée reprendre un cours normal.

Simon me fit entrer dans une pièce adjacente, meublée d'une table et de chaises. Au mur, un portemanteau débordait de vêtements.

— Posez vos affaires ici.

Il n'osait plus me regarder depuis qu'il m'avait fouillée.

— Tenez, ajouta-t-il, je vais faire chauffer de l'eau. On ne doit pas avoir de lait, mais je pourrai vous préparer un café noir ou du thé.

Et il disparut dans les toilettes, laissant la porte entrouverte. Le robinet coula un bon moment et je l'entendis se frotter les mains au savon mural avant de repérer le bruit inimitable de la bouilloire qui se remplissait. Après cette nuit passée dehors, je devais être très sale et sentir mauvais, mais j'avais l'impression qu'il ne se lavait pas pour nettoyer un peu de boue et un peu d'herbe.

Il me sourit en revenant :

— Ça va mieux. Alors, thé ou café ?

# 30

— Je leur parlerai à une condition : qu'ils laissent sortir Spider. Je veux le voir. Il n'a rien fait. S'ils le libèrent, je parlerai. Dites-le-leur.

Le pasteur laissa échapper un soupir :

— Il va donc falloir faire chaque fois deux pas en arrière pour un pas en avant ? Vous êtes en mauvaise posture, jeune fille. Si vous n'avez rien fait de mal, si vous n'avez rien à cacher, alors il faut parler à la police. Il ne vous arrivera rien si vous dites la vérité.

— Ouais, c'est ça, grondai-je.

Ses narines se dilatèrent :

— Je n'aime pas beaucoup votre attitude. Il s'est passé des choses terribles, des innocents sont morts. On doit retrouver les coupables. Il n'y a pas de quoi rire.

— Je ne ris pas, mais je ne leur parlerai pas, je n'ai aucune confiance en eux. Ils ont emmené mon ami.

— C'était un suspect, articula-t-il comme s'il s'adressait à un bébé ou à un étranger. Bien sûr qu'ils l'ont emmené.

Et s'il n'a rien fait et qu'il dit la vérité, ils le relâcheront. Peut-être...

Sa voix se radoucit :

— Peut-être que votre ami ne vous a pas tout dit. Que vous avez été entraînée dans une histoire dont vous ignoriez...

— Non ! criai-je.

Ma voix se répercuta le long de la nef.

— Non ! Il n'est pas comme ça. Vous, vous êtes comme les autres. Vous déformez les choses, vous voulez le faire passer pour ce qu'il n'est pas. Ce n'était pas lui, pour la grande roue de Londres. C'était moi.

Tous deux me regardaient attentivement.

— Poursuivez.

— Je n'ai rien fait, mais je savais qu'il allait se passer quelque chose, ce jour-là. Je prévoyais que beaucoup de gens allaient mourir.

— Comment ça ?

Le pasteur semblait presque déçu, comme s'il s'attendait à ce que je lui dise que j'avais déposé la bombe.

— Parce que je vois la date à laquelle les gens vont mourir.

Ils échangèrent un rapide coup d'œil, ce qui ne m'empêcha pas de continuer :

— Je pourrais vous dire les vôtres, à tous les deux, mais je ne le ferai pas. Je ne le révèle à personne, ce serait mal. Seulement, ce jour-là, à Londres, quand j'ai vu que tous ces gens affichaient la même date, ça m'a fait peur. Je ne voulais pas rester là. Alors on s'est enfuis.

— Que voulez-vous dire, vous voyez les dates... ?

— Quand je regarde quelqu'un, je vois un numéro dans ma tête. Ce numéro correspond à une date.

– Comment savez-vous à quoi il correspond ?

– Parce que j'ai vu assez de morts. Je le sais. D'ailleurs, j'avais raison pour la roue de Londres, non ? J'ai eu raison de m'enfuir.

Ils échangèrent un nouveau coup d'œil.

– Pourquoi n'êtes-vous pas allée dire à la police ce que vous saviez ?

– D'après vous ? Ça paraît tout simple, vu comme ça : dites la vérité et tout ira bien… C'est peut-être comme ça que ça se passe ici, mais pas là d'où je viens. Quand ils voient un petit Black avec de l'argent, ils voient un dealer. Quand ils voient deux jeunes qui se baladent, ils voient deux agresseurs. Il leur faut des coupables pour cet attentat, alors ils puisent dans leur liste habituelle pour arrêter quelqu'un qui colle à leur image du terroriste. Le vrai et le faux, tout se mélange. Personne ne me croirait.

– Il est certain que ça semble plutôt… inattendu, commenta le pasteur. Mais si c'est ce que vous croyez, alors il faut le leur dire. Ils effectueront des examens qui vous disculperont, chercheront des traces d'explosif sur vos vêtements…

– Ils me feront porter le chapeau, vous voulez dire.

Cette fois, il s'emporta, balança un coup de poing sur la porte :

– Non ! Ce n'est pas ainsi que les choses se passent dans notre pays. Il y a des règles à suivre, on vérifie les preuves. Vous devez avoir confiance dans le système qui nous régit. C'est ce qui permet à notre société de rester civilisée.

Je fermai les yeux. Que dire à des gens pareils ? Eux-mêmes étaient tellement impliqués dans le système, ou tellement naïfs qu'ils croyaient toutes ces bêtises. De toute façon, je ne pouvais pas discuter avec eux. Je ne connaissais pas les mots qui pourraient les obliger à m'écouter, à respecter mon point de vue ; je ne connaissais pas leur langage.

Ils laissèrent la police entrer et, comme d'habitude, une assistante sociale les accompagnait. Mon impression que Simon et le pasteur pourraient m'en protéger s'évanouit lorsque j'eus droit au discours sur la « société civilisée ». N'empêche que je me sentais quand même trahie. Je ne répondis à aucune question. Je ne dis et répétai qu'une seule chose, au point que je dus passer pour une psycho :

– Je parlerai quand vous amènerez mon ami ici. Je parlerai quand j'aurai vu Spider.

Ils essayèrent toutes les tactiques habituelles : gentil flic, méchant flic ; flic sympa, flic énervé ; flic compréhensif, flic menaçant. Rien ne marcha. J'entendais leurs voix me glisser dessus et ils avaient l'air de plus en plus dépités. Ils firent aussi venir un médecin, mais ça ne servit à rien. J'étais certaine que, dès que j'évoquerais les numéros, il me ferait interner. Sans avoir le temps de dire ouf, je me retrouverais sous sédatif dans une cellule capitonnée.

La porte de la pièce s'ouvrit soudain sur une autre femme : Karen. Sur le coup, il me fallut une demi-seconde pour me rappeler où je l'avais déjà vue. Ces dernières journées avaient été si intenses que j'avais l'impression de vivre une tout autre vie depuis que j'avais quitté sa maison.

– Jem ! s'écria-t-elle en courant vers moi.

Elle me prit dans ses bras et je me retrouvai d'un seul coup dans sa cuisine, à Sherwood Road, exactement telle que j'étais avant que tout cela n'arrive. Elle me serra un long moment contre elle ; elle dégageait une telle émotion que ça me surprit autant que ça me dégoûta. Mais je ne cherchai pas à me dégager. On aurait dit que je lui avais vraiment manqué, qu'elle s'était vraiment fait du souci pour moi, alors que je l'aurais plutôt crue contente de profiter un peu de mon absence pour se reposer.

Finalement, elle me lâcha, recula.

— Comment ça va ? Tu te sens bien ? Je me suis tellement inquiétée ! Si seulement tu m'avais dit…

Son visage exprimait une sorte de chagrin.

— Je vais bien.

Curieusement, ma voix me trahit en se cassant.

— Tu as l'air fatiguée, tu es si pâle…

Elle me caressa la joue de sa main calleuse.

— Ça va aller, maintenant, Jem. Tu peux rentrer à la maison avec moi. Je suppose que la police voudra encore t'interroger demain, mais je serai avec toi. Et cette nuit, tu vas pouvoir dormir dans ton lit.

À la maison. Sherwood Road, la cité, les jumeaux… la vie normale.

— Je ne vais nulle part sans Spider.

— Il le faudra pourtant, Jem. Écoute, tu viens de traverser une grande épreuve. Laisse-moi m'occuper un peu de toi. Accorde-toi une pause.

— Je reste ici.

Elle se renfrogna :

— Ce ne sera pas possible. Personne ne peut habiter ici.

— Je reste. Je ne m'en irai pas tant qu'on n'aura pas fait venir Spider. Tu ne peux pas m'emmener. Tu ne peux pas me forcer.

Elle posa une main sur mon bras :

— Personne ne t'emmènera nulle part si tu ne veux pas. Mais je te demande, Jem, de me suivre à la maison.

Je me dégageai de son emprise et vis son expression se crisper de douleur.

— Je ne bouge pas, Karen. Je reste ici.

Poussant un soupir, elle secoua la tête :

— Ne t'obstine pas ainsi, Jem. Un jour, tu auras besoin qu'on t'aide et je serai là.

Là-dessus, elle récupéra son sac et retourna rejoindre les autres dehors. Je n'entendais pas ce qu'ils disaient mais ça m'était égal. Ils pouvaient raconter ce qu'ils voulaient. Sans peut-être le vouloir, Simon m'avait donné un argument très précieux, puissant, une dernière balle pour me défendre, un mot : « asile ».

Ils revinrent tous, Karen, Imogen – l'assistante sociale –, Simon et le pasteur.

— Nous ne pouvons vous laisser seule ici, dit ce dernier d'un ton sévère.

— Pourquoi ?

— Vous êtes une fille de quinze ans. Ça ne se fait pas.

— Ça fait des jours que je traîne seule.

— Jem, sois raisonnable, intervint Karen.

— Je ne bouge pas. Je peux dormir là. Ce sera mieux que dans la rue.

Ils s'interrogèrent tous du regard, avant que Karen ne lance :

— Il faut que je rentre. J'ai une voisine qui s'occupe des enfants mais… enfin, je pourrais lui demander de rester dormir.

— Si vous pouvez rester ici pour la nuit, proposa le pasteur, nous vous ferons installer des lits.

Elle passa quelques coups de fil, discuta de choses et d'autres avec les deux hommes ; ils prenaient un ton d'adultes, comme si je n'étais pas là. Le pasteur s'inquiéta des dégâts que je pourrais causer mais Karen intervint :

— Je serai là. Je me porte garante d'elle. De toute façon, ce n'est pas quelqu'un de violent, si elle a eu des ennuis à l'école, c'est parce qu'on l'avait provoquée. Jamais elle ne cassera rien ici.

Je restais assise à ma place, à me mordiller le pouce. À un moment, je croisai le regard de Karen. Pas besoin d'échanger une parole pour savoir qu'elle pensait à la même chose que moi : l'état dans lequel j'avais laissé ma chambre chez elle.

Anne, la femme du pasteur, venait d'entrer, armée d'édredons et de coussins. Toutes les deux préparèrent des lits à même le sol. Elle avait aussi apporté de quoi dîner : des paquets et des boîtes qu'elle déposa sur la table.

Après quoi, tout ce monde se souhaita une bonne nuit. Simon précisa quelques détails matériels à Karen et je pensai à autre chose. Jusqu'au moment où je revins sur terre, pour les entendre poursuivre à voix basse :

— En cas de nécessité, disait-il, vous trouverez un trousseau de clés dans le tiroir du bureau. La clé de la porte latérale est marquée par un adhésif jaune.

— Très bien, merci.

Et tous retraversèrent l'église pour sortir par la porte latérale en question, d'où j'eus un aperçu du monde extérieur : une foule de gens s'était assemblée derrière un cordon de policiers. Le pasteur fut accueilli par une éruption de flashes, de cris et de micros. C'était la folie totale. Je préférai rester dans mon refuge, derrière la porte.

Le dernier à sortir fut Simon, avec son trousseau de clés qui cliquetait dans sa main. Il s'arrêta sur le seuil, repassa juste la tête.

— Bonsoir, mesdames. Dormez bien.

Dans un sourire, il ferma, donna un tour de clé.

Par la fenêtre, je percevais encore les flashes qui crépitaient comme des feux d'artifice et j'écoutais le brouhaha du dehors.

— Bon ! s'écria Karen. Voyons ce qu'Anne nous a laissé. Ça va être drôle, on va avoir l'impression de camper. Tu n'as jamais campé, Jem ?

# 31

On ouvrit les boîtes et les paquets du dîner pour y trouver des sandwichs, un gâteau fait maison et des chips. Karen nous prépara du thé et on s'installa autour de la table.

J'attendais les questions qui allaient forcément jaillir. Karen allait me prier de m'expliquer. Pourtant, elle commença par bavarder en me rapportant les derniers exploits des jumeaux, puis elle raconta comment elle avait dû traverser une marée de journalistes qui campaient devant l'abbaye. Je croyais qu'elle allait m'interroger sur les numéros, sur les rumeurs qui couraient sur mon compte, mais elle se comporta davantage comme une maman :

— Alors, qu'est-ce qui s'est passé entre toi et Terry ? Vous êtes plus que des amis maintenant, non ?

Je ne tenais pas à en parler, surtout pas avec elle ; en même temps, j'avais besoin de son appui. Elle pourrait peut-être m'aider à le revoir. Alors j'évitai de lui répondre de se mêler de ses affaires, même si ce n'était pas l'envie qui me manquait.

— Rien que des amis, marmonnai-je. De bons amis.

À ma grande honte, je me sentis rougir. Rien de pire que d'être trahie par son corps. Bien sûr, cela n'échappa pas à Karen qui sourit :

— Mais tu l'aimes bien, dit-elle évasivement.

Intérieurement, j'explosais. Oui, je l'aimais bien. Je pensais à lui chaque minute de la journée. Loin de lui, je souffrais. Je l'aimais, tout simplement. Tant de choses que je ne pouvais exprimer à haute voix, sauf devant lui, peut-être.

— Oui, je l'aime beaucoup.

J'avais lâché ça d'un ton faussement décontracté, alors que je ne songeais qu'au coup de chaud qui m'avait envahi les joues. Si seulement mon teint pouvait revenir à la normale…

— Il faut absolument que je le revoie, ajoutai-je. C'est important, terriblement important !

— Je sais ce que c'est, soupira-t-elle. Moi aussi j'ai été jeune, tu sais.

Elle allait m'en sortir combien, de ces clichés de vieux ?

— Tu le reverras, Jem. La police le retient pour le moment, mais personne ne croit que c'est vous qui avez posé cette bombe. Ils veulent juste que tu viennes témoigner. Et puis il y a ces voitures que vous avez volées et tout ce que vous avez pu faire d'autre ces derniers jours. Sans compter qu'ils n'ont encore rien décidé après cette histoire de couteau à l'école…

De nouveau, elle poussa un gros soupir.

— Je ne dirai pas que la situation est simple, Jem. Mais ça devrait pouvoir s'arranger si tu y mets du tien. Va témoigner et ils te laisseront sûrement voir Spider un de ces jours.

— Pas un de ces jours ! criai-je. Maintenant.

– Il va falloir apprendre à être patiente. Je sais que c'est difficile…

– On n'a pas le temps. Il faut que je le voie avant le 15.

– Vous n'êtes que des ados, vous avez tout le temps…

– Non ! Tu ne comprends pas.

– Alors explique-moi.

Comme je n'avais pas le choix, je m'exécutai, lui parlai des numéros, de la façon dont j'avais prévenu Spider le jour où la grande roue de Londres avait sauté.

Elle paraissait de plus en plus mal à l'aise, elle ne me regardait plus, jouant avec les emballages du dîner. Quand j'eus terminé, elle éclata d'un rire nerveux, strident.

– Enfin, Jem ! Ne me dis pas que tu crois à de telles sornettes !

– Je n'ai pas à y croire ou ne pas y croire. C'est comme ça.

Elle tripotait un papier d'alu qu'elle pliait et dépliait.

– Reviens sur terre, Jem. Ce n'est pas ça, la vie.

– Si. C'est la mienne depuis quinze ans.

– Écoute, parfois les choses s'embrouillent. Je sais que tu en as bavé, que tu as dû affronter des moments terribles. Je le savais quand j'ai accepté de te prendre avec moi. Parfois, quand tout s'emmêle, on essaie de réagir à sa façon, de trouver une solution…

Elle ne comprenait donc rien.

– Je n'invente rien ! Tu crois que ça me fait plaisir de vivre comme ça ?

– C'est bon. Calme-toi. Tu n'as pas bâti cette histoire exprès, je sais. Je veux juste dire que, quelquefois, notre imagination nous joue des tours.

– Et je devrais voir un psychiatre, c'est ça ?

— Tu as surtout besoin d'un foyer paisible. Si tu pouvais enfin mener une vie régulière, te sentir aimée, ça t'aiderait à te stabiliser. Toutes choses que je m'efforce de te donner.

Elle me contemplait avec anxiété. Elle avait l'habitude que je lui balance ce genre de chose à la figure.

L'ennui, c'est que, même si j'étais au bord des larmes, je comprenais pourquoi elle réagissait ainsi. Si on m'avait balancé ce genre de daube, moi aussi j'aurais cru qu'on se fichait de moi, ou que j'avais affaire à une folle ou je ne sais quoi. En tout cas, je n'y aurais pas cru. Karen vivait dans un monde fait d'automatismes et de règles, elle gardait les pieds sur terre. Évidemment qu'elle ne gobait pas un mot de mon histoire ! Alors elle attendait la suite, sans doute prête à subir une scène, comme je l'aurais fait il y avait quelques semaines, mais à quoi bon ?

— Je le sais, Karen. Je sais que tu fais de ton mieux.

Tout en souriant, elle se mordit les lèvres. Elle devait savoir quel effort ça m'avait coûté de lui dire ça.

— Tu veux encore du thé, ma puce ?

— Oui. Je vais me dégourdir un peu les jambes pendant que l'eau chauffe.

— D'accord.

J'allai faire un tour dans l'église et m'extasiai de nouveau sur la hauteur des colonnes. Le sol de pierre était entièrement incrusté d'inscriptions et je déchiffrai celle sur laquelle je me tenais, le nom d'une personne morte deux siècles plus tôt et dont plus personne ne se souvenait. J'étais entourée de fantômes et de squelettes.

Je parcourus les allées, m'arrêtant de temps à autre pour lire les dalles. En temps normal, ça m'aurait fait peur, mais pas là. En fait, j'aimais bien. Ça me plaisait de voir les numéros de ces personnes, leurs dates de naissance et de mort. « Défunt » ; « enterré » ; « trépassé » ; « parti pour un monde meilleur ». Je m'arrêtai devant cette dernière épitaphe. S'agissait-il d'un vœu, d'une croyance ou d'une certitude ? Si j'avais dû la rédiger, je n'aurais sans doute mis qu'un seul mot : « disparu ».

Pour moi, c'était tout ce qui existait. Qui pouvait affirmer le contraire ?

Ça me fit penser à ma mère. Où était-elle ? Qu'en restait-il ? Que lui était-il arrivé après qu'on m'eut emmenée dans cette voiture ? Est-ce qu'on l'avait enterrée quelque part, ou incinérée ? Est-ce qu'il y avait eu une cérémonie ? Qui avait pu y assister ? Ou alors est-ce que les drogués, les dingues et les salauds finissent à la poubelle ? D'un seul coup, j'avais envie qu'elle ait une tombe, elle aussi ; que sa vie désordonnée s'achève proprement.

Une autre idée me fit frissonner : qu'allaient-ils faire pour Spider ? Impossible d'imaginer que, d'ici à vingt-quatre heures, il ait besoin d'une pierre tombale… Comment une personne aussi vivante, aussi débordante d'énergie pourrait-elle s'arrêter ?

Une onde de panique m'envahit. Sa vie ne tenait plus qu'à quelques heures, maintenant… J'avais si souvent lu son numéro. Jamais il n'avait changé. C'était la réalité. Spider allait mourir en prison, au fond d'une cellule. Sans doute sous les coups. Ou alors, il était malade depuis longtemps sans que personne ne se soit rendu compte à quel point c'était grave. Je ne pouvais rester là, à attendre que les heures s'écoulent jusqu'à ce que quelqu'un vienne m'annoncer la nouvelle. Il fallait que je leur mette la pression, que j'obtienne sa libération, d'une façon ou d'une autre.

La voix de Karen résonna à travers l'église :

— Le thé est prêt.

Je regagnai la sacristie, bien décidée à trouver un moyen de le revoir. Moi qui m'étais laissé ballotter toute ma vie comme un bouchon sur l'eau, de foyer en foyer, sans qu'on me demande jamais mon avis, là, j'allais devoir intervenir.

On prit notre thé et on se prépara pour se coucher. Karen bavardait gaiement, comme si la situation l'amusait. Moi, j'étais tellement fatiguée que je faillis m'effondrer sur place. Je la laissai me border et l'écoutai se coucher à son tour en poussant des soupirs de satisfaction.

— On est bien comme ça, non ? s'extasia-t-elle.

— Euh… non. Mais c'est mieux que de dormir dans un champ.

— C'est ce que tu as fait ?

— Hmmm…

— Alors profite du bon matelas. Demain on discutera de ton retour à la maison et tu pourras enfin passer une bonne nuit dans un vrai lit.

Son édredon crissa parce qu'elle n'arrêtait pas de remuer.

— Franchement, Jem, tu as raison, je ne crois pas que je pourrais dormir longtemps à même le sol. C'est d'un dur !

N'empêche qu'à peine cinq minutes plus tard, elle ronflait doucement.

J'aurais probablement fini par m'assoupir moi aussi, mais le bruit de sa respiration m'en empêcha. C'était très agaçant. Et puis j'étais jalouse. Comment cette femme pouvait-elle sombrer aussi vite ? Alors que j'avais la tête pleine de tout ce qui s'était passé ces derniers jours, de tout ce qui allait encore arriver les jours prochains. Au bout d'une demi-heure, je sus que j'allais devoir me lever si je ne voulais pas la tuer sur place. Comme cette dernière option me semblait quand même un peu exagérée, je sortis doucement de sous mon édredon.

Je n'avais pas oublié les recommandations de Simon à l'adresse de Karen avant de partir et me dirigeai sur la pointe des pieds vers le bureau dont j'ouvris le tiroir. Les clés étaient bien là, un bon gros trousseau. Quand je les saisis, elles cliquetèrent et je les coinçai entre mes doigts avant de prendre mon sweat pour les en envelopper. Après quoi je quittai la sacristie pour m'enfoncer dans les sombres cavernes de l'abbaye.

# 32

Il ne faisait pas complètement noir dans l'église. L'éclairage de la rue passait à travers les vitraux. Une fois que la vision s'était adaptée, on distinguait les formes qui nous entouraient, les bancs, les statues, les colonnes, tous dans un dégradé de gris. Je savais que les portes du fond et sur les côtés ouvraient vers l'extérieur, mais je ne comptais pas sortir car j'étais certaine de mieux utiliser mes arguments de persuasion à l'intérieur de l'église. Pourtant j'avais envie de visiter un peu. Je choisis une porte latérale donnant sur l'autel et j'essayai les clés l'une après l'autre.

La troisième était la bonne ; je me retrouvai dans une espèce de cagibi en désordre. Il y faisait assez sombre mais je distinguai quand même une autre porte au fond. Là aussi, j'avais la clé. Derrière, il faisait encore plus noir, en fait la seule source de lumière provenait d'un escalier en colimaçon. J'hésitai un instant. C'était assez effrayant, je ne savais pas si j'aurais le courage de grimper dans ce four. J'essayai une marche, m'arrêtai, une main plaquée sur le mur. Là, je tombai sur un interrupteur et allumai.

– Vas-y ! me dis-je tout fort.

Ça me donna le courage de continuer, et tant pis si je me sentais dingue de me parler toute seule, église ou pas.

J'avais les jambes flageolantes mais je gravis quand même marche après marche ; on n'y voyait pas grand-chose dans cette spirale et je perdis vite de vue le palier d'où je venais. Il ne me restait qu'à poursuivre même si j'avais l'impression que ça n'en finissait pas. Tout me semblait froid, les murs, les pierres, jusqu'à l'atmosphère. Je commençais à me demander si je ne ferais pas mieux de retourner chercher mes baskets et ma veste lorsque j'atteignis enfin le sommet, une simple paroi blanche qui me barrait le chemin, avec une porte au milieu. Là aussi, j'avais la clé. Dès que j'ouvris, je reçus une bouffée d'air froid et ne pus réprimer un sourire : j'arrivais sur le toit.

En principe, je n'ai pas de problèmes de vertige, mais là, j'eus la nausée en même temps qu'un violent tournis. J'étais un peu essoufflée d'avoir grimpé toutes ces marches et le vent frais me raclait les poumons. J'essayai de respirer par le nez. Ça m'aida un peu et je finis par retrouver mon état normal. Un petit muret sculpté marquait les limites et je voyais à travers les dentelures tous les autres toits que nous dominions.

Il fallait reconnaître que la vue était magnifique. De là où je me tenais, on ne distinguait pas le niveau de la rue, seulement des cheminées, des tuiles, des sculptures et des arches. L'éclairage orange de la ville semblait réchauffer les murs de pierre, les bâtiments scintillaient comme des arbres de Noël. Dans le square, il y avait encore beaucoup de gens, installés sur les bancs, par terre ou sous l'arbre, parmi les policiers.

Quels abrutis, ces touristes ! Qu'est-ce qu'ils avaient à traîner dehors par un froid pareil ?

La tourelle du clocher s'élevait à côté de mon toit. Je filai en baissant la tête vers une autre porte que mes clés me permirent encore d'ouvrir et je cherchai à tâtons un interrupteur. J'étais encore dans un escalier, mais, cette fois, au bord d'un palier où donnaient plusieurs pièces. La première était pleine de cordes pendues au plafond et raccrochées à un mur. Je ne compris de quoi il s'agissait qu'en lisant l'inscription sous une photo : « Sonneurs de cloches de l'abbaye, 1954 ». J'eus presque envie d'en libérer une pour voir ce que ça ferait.

J'ouvris ensuite une porte qui donnait sur un autre escalier et je grimpai, inspectant toutes les ouvertures qui s'offraient à moi. C'est ainsi que je découvris une passerelle de bois, suspendue au-dessus d'un sol de pierre qui ouvrait de chaque côté sur des corniches. Il me fallut un certain temps pour me rendre compte qu'il s'agissait de la réplique des voûtes en éventail de l'église ; en fait, je me trouvais exactement au-dessus et cela me donna l'impression de pénétrer l'un des secrets du monde.

Au bout, une autre porte ouvrait sur une petite pièce sans issue. Le mur épais présentait un grand disque blanc éclairé par les lueurs du dehors ; là, j'étais derrière le cadran de l'horloge du clocher, encastré dans deux saillies de pierre. Jamais je n'avais vu d'endroit aussi bizarre. On aurait dit que je me trouvais à l'intérieur de la lune. L'une des aiguilles se mit soudain à bouger dans un lourd déclic. Une minute venait de s'écouler. Le cœur serré, je repensai à Spider.

Toutes les pendules du monde marquaient les minutes et voyaient le temps avancer, irrémédiablement. Des millions de pendules. Si j'avais eu une brique sous la main, je l'aurais lancée à travers ce cadran et j'aurais voulu pouvoir écraser toutes les pendules, toutes les horloges du monde. Mais qu'est-ce que ça changerait ? Inutile de tirer sur le messager, n'est-ce pas ?

En fait, je me trompais d'adversaire. Je regardais audehors, alors que n'importe qui aurait pu dire que quelqu'un se trouvait exactement au milieu de tout ça. Moi. Il n'y avait que moi qui percevais les numéros. Je voyais des choses que personne d'autre ne voyait. Mes yeux, mon esprit, moi. Qu'ils soient réels ou que je les aie imaginés, les numéros faisaient partie de moi et je faisais partie d'eux.

Sans moi, existeraient-ils seulement ?

L'aiguille des minutes avança de nouveau. D'un seul coup, je compris qu'il fallait que je sorte d'ici. J'allais suffoquer, là-dedans, si j'y restais davantage. Je me levai d'un bond et me mis à courir, autant que je le pus, sur la passerelle, dans les escaliers que je dévalais et gravissais les uns après les autres jusqu'au moment où je me retrouvai au sommet du clocher.

Malgré le froid qui régnait entre les murs de l'abbaye, je fus saisie par le vent glacial dans la tourelle. Il n'y avait rien, là-haut, rien qu'un toit carré et un mât sans son drapeau. La vue était encore plus saisissante, je distinguais jusqu'aux collines alentour et, plus proche, une piscine aux eaux turquoise sur le sommet d'un immeuble. Juste sous mes pieds se trouvait un bassin, carré, vert, entouré de statues qui retenaient un jet d'eau. D'ici, on avait l'impression de pouvoir plonger directement dedans. Peut-être alors que ma tête en serait lavée de toutes ses idées, tous ses souvenirs, tous ses chagrins et ses regrets. Il suffisait de grimper sur le garde-corps et de sauter...

D'en bas, une voix parvint jusqu'à moi :

– Elle est là !

Les visages éclairés par les projecteurs s'étaient tournés vers moi. De loin, ils se ressemblaient tous, comme des marionnettes. Et je compris soudain qu'il ne s'agissait pas de simples touristes, mais qu'ils étaient venus pour moi.

Quelqu'un cria et, le temps que le son parvienne jusqu'à moi, j'étais morte d'angoisse. Le sol se déroba sous mes pieds, je crus voir tous ces gens se mouvoir en même temps.

Les jambes flageolantes, je m'effondrai. Qu'est-ce que j'allais croire, aussi ? Je n'allais pas sauter, je n'en aurais jamais le courage. Je ne pouvais même plus descendre l'escalier. Alors je finis par dévaler les marches sur les fesses. Impossible de dire combien de temps ça dura. Je ne refermai pas les portes derrière moi et je traversai l'église à quatre pattes jusqu'à la sacristie.

Je me blottis dans mon lit, près de Karen, fermai les yeux. Pourtant les numéros étaient toujours là, ceux de maman, de Karen, du clochard, des victimes de la bombe.

Et de Spider.

# 33

— Rassurez-vous, Jem, ce n'est que nous, Simon et moi.

J'émergeai des profondeurs du sommeil pour retrouver la lumière de la surface. Une voix de femme s'adressait à moi et du fin fond de mon esprit remontèrent les souvenirs. Je m'assis, me frottai les yeux en avalant le goût acide qui m'encombrait la bouche. Anne se tenait de l'autre côté de la table, Karen était déjà debout.

— J'ai apporté des jus de fruits, dit la femme du pasteur. Vous voulez que je mette l'eau à chauffer pour le thé ? Simon, en prendrez-vous une tasse, vous aussi ?

Elle avait la voix tremblante et je n'arrivais pas à saisir pourquoi. Elle essayait de prendre un air dégagé, de dire des choses normales, mais elle semblait avoir peur. De quoi, au juste ?

Ça me gênait, tous ces gens autour de mon lit. Je posai les pieds à terre, me redressai d'un seul coup. Sur le moment, un voile rouge me passa devant les yeux, suivi d'un autre, noir, et je dus m'agripper à la table pour ne pas tomber.

– On s'est levée trop vite ? demanda Anne en me soutenant d'un bras.

Pourtant, elle se tenait aussi éloignée de moi que possible. Si elle avait pu, elle m'aurait tenue avec des pinces.

– Asseyez-vous un peu. Là. On dirait que vous n'avez pas beaucoup mangé ces derniers temps. Tenez, prenez un toast.

Elle ouvrit un paquet enveloppé d'aluminium.

– Euh… je n'ai pas très faim. Peut-être tout à l'heure…

– Prenez au moins du thé.

Elle sortit quatre tasses et prit place entre Karen et moi.

– On vous a vue, cette nuit, Jem, sur le clocher.

– Quoi ? s'étrangla Karen.

– Jem est sortie sur le toit. Elle a dû prendre les clés. C'est très dangereux de se promener ainsi toute seule. On nous pose des questions. Stephen va bientôt venir.

– Quand est-ce que ça s'est passé ? demanda Karen.

– Pendant que tu dormais, soupirai-je. Je n'arrivais pas à fermer l'œil, j'avais trop de trucs qui me tournaient dans la tête, alors je suis allée faire un tour.

Je m'adressai ensuite à Simon :

– Vous n'êtes jamais monté là-haut ?

– Si, bien sûr, mais ce n'est pas la même chose. Vous êtes encore une enfant, moi, je suis… responsable.

À le voir devant moi, qui se tordait les mains et changeait de pied comme s'il avait honte, j'avais du mal à imaginer quelqu'un de plus innocent et vulnérable que lui.

Je l'aimais bien, ce type, mais… « responsable » ? J'éclatai de rire.

Ses yeux délavés s'écarquillèrent, s'emplirent de larmes. Qu'est-ce qui me prenait ? Il m'avait sauvée, recueillie et moi, je me fichais de lui !

– Excusez-moi, bafouillai-je. Je suis complètement nulle. Et je n'aurais jamais dû prendre ces clés. Je ne voulais pas vous faire d'ennuis.

Il me dévisageait tout en ravalant la peine que je lui avais causée.

– Simon, vous avez été tellement gentil avec moi… Sans vous, je serais dans la merde jusqu'au cou.

Il cligna des yeux.

– Je n'ai pas pu m'empêcher de visiter, ajoutai-je. C'est tellement extraordinaire…

Son visage se radoucit.

– C'est vrai, dit-il en reprenant les clés. Je vais aller vérifier que tout est bien fermé et préparer le prochain office.

Il sortit en vitesse, pendant qu'Anne nous servait du thé.

– La police va bientôt revenir, annonça-t-elle. Vous devriez manger quelque chose…

Sans rien dire, je refermai le paquet. Je brûlais de lui dire d'aller se faire voir, que je mangerais quand j'en aurais envie, mais une petite voix en moi me répétait de me calmer, que cette femme voulait juste rendre service. Alors je me tus, ce qui correspondait à un gros effort de ma part. Elle allait certainement me trouver malpolie, d'ailleurs, ça se voyait déjà : elle me fixait d'un regard blessé, comme si je l'avais envoyée promener. Tout ça pour un bout de pain !

Autre chose : c'était la première fois que nos yeux se croisaient vraiment et j'eus beau faire, son numéro s'afficha clairement : 08062011. Moins d'un an à vivre. D'un seul coup, je compris pourquoi elle était si inquiète. Quelque part, sans forcément s'en rendre compte, elle redoutait ce que je pouvais savoir. Terrorisée comme un lapin dans les phares. Soudain, elle déglutit et se détourna.

Comme prévu, la police arriva peu après, accompagnée de l'inévitable assistante sociale, Imogen. Et d'autres gens également : des hommes en costume noir qui s'assirent au fond de la pièce. Karen assista à l'entretien sans dire un mot. J'essayai d'abord de gagner du temps, histoire de comprendre ce qu'ils cherchaient vraiment ; oui, ils posèrent des questions sur la grande roue de Londres, sur Spider, mais pas seulement. On leur avait évidemment parlé des numéros. Ce fut là qu'intervinrent les hommes en noir, tandis que les policiers battaient en retraite.

– Nous nous sommes laissé dire des choses intéressantes sur votre compte, Jem. Par exemple, la raison pour laquelle vous avez fui les lieux. Il paraît que vous pouvez prédire l'avenir, que vous connaissez la date de la mort de chacun. Est-ce exact ?

Je baissai la tête sans répondre. L'un des hommes sortit alors une photo de son attaché-case.

– Regardez ceci et dites ce que vous voyez. Combien de temps celui-ci a-t-il encore à vivre ? Et celui-là ? Vous pouvez me le dire ?

Ils continuèrent ainsi, jusqu'à ce que je perçoive un début d'agacement dans leur ton.

Alors je parlai :

– Je peux vous le dire. Je peux vous dire tout ce que vous voudrez.

Ils se redressèrent, échangèrent des regards triomphants avant de se retourner vers moi.

– Oui, j'étais à la grande roue de Londres, et je suis certaine d'avoir vu le type qui portait la bombe. Je lui ai même parlé. Je peux vous donner sa description. Je peux vous

262

parler du type plein de tatouages, vous dire pourquoi il nous poursuivait. Je peux même vous répondre pour ces photos.

Ils en bavaient d'excitation.

— Je vous dirai tout ça si vous amenez ici mon ami Terry. Je témoignerai, mais ensuite il faudra nous donner une voiture et de l'argent, dans les mille livres, pour qu'on puisse s'en aller d'ici tranquillement.

L'un des types en costard se pencha vers moi :

— Vous n'avez pas l'air de vous rendre compte de la situation dans laquelle vous vous êtes mise. De lourdes charges pèsent contre vous et votre ami. Vous êtes mal placée pour négocier.

S'il croyait m'impressionner ! J'avais déjà réfléchi à tout ça. Ils avaient besoin de mon témoignage.

— Je ne crois pas, rétorquai-je. Vous aimeriez bien savoir ce qui s'est passé avec cet attentat. Et vous aimeriez savoir si le Premier ministre a de l'avenir, non ? Est-ce qu'il est là encore pour dix ans ou est-ce qu'il va se prendre la balle d'un tireur fou ? Ça vous intéresse ?

— Il va falloir en discuter.

Là-dessus, il fit grincer sa chaise en se levant et sortit, suivi des autres.

— Qu'est-ce que tu fais ? me souffla Karen. Qu'est-ce que tu racontes ?

— Je te l'ai dit, hier. Tu n'as pas voulu me croire.

— Arrête, Jem ! Tu inventes des histoires, ça va trop loin maintenant. Arrête de raconter n'importe quoi. Je voudrais te ramener à la maison pour te faire soigner.

— Sûrement pas ! Je veux qu'ils fassent venir Spider ici et je ne bougerai pas avant.

Elle allait se lancer dans un discours lorsque les hommes en noir revinrent.

— C'est bon, lança l'un d'eux. Affaire conclue.

J'en fus toute remuée. Je n'arrivais pas à croire que j'avais gagné.

— Vous allez amener Terry ici ?

Il fit oui de la tête.

— Une fois que vous aurez témoigné.

— Et vous nous donnerez aussi une voiture et de l'argent ?

Il hocha de nouveau la tête, mais la façon dont les deux policiers derrière lui se regardèrent me mit la puce à l'oreille.

— Je veux voir tout ça par écrit, ajoutai-je vivement. Et vous allez le signer. Pour en faire un document officiel.

Ce fut ce que j'obtins, noir sur blanc. J'allais dire à la police ce qu'elle voulait savoir, en échange de quoi on m'amènerait Spider avant le lendemain, le 15 décembre, et on nous laisserait sortir en toute sécurité de l'abbaye. Comme je n'étais pas douée en lecture, je pris mon temps et le résultat me parut correct. Je demandai à Karen de vérifier, mais elle refusa.

— C'est insensé, Jem. Je ne veux pas être mêlée à ça.

Elle me regarda signer avant d'annoncer :

— Je retourne m'occuper de mes enfants maintenant. Eux aussi, ils ont besoin de moi. Si tu veux quelque chose, tu n'as qu'à téléphoner.

— D'accord.

À vrai dire, j'éprouvai un petit pincement au cœur quand elle s'en alla. On n'était peut-être pas du même avis sur tout, mais elle était gentille et je savais que je pouvais compter sur elle. Seulement, en ce moment, j'avais autre chose à penser.

Tout avait l'air de se passer comme prévu. Il ne me restait qu'à dire aux flics ce qu'ils voulaient savoir, ensuite ils devraient tenir leur part du marché.

Et m'amener Spider ici.

# 34

Je leur racontai exactement ce qu'ils voulaient entendre. Évidemment, je gardai quelques détails pour moi. Ce qu'il y avait entre Spider et moi, par exemple ; ce n'était pas leurs oignons. Ça resterait entre nous. Mais tout le reste y passa, ainsi que certaines « informations » supplémentaires sur des personnes dont ils me montrèrent les photos.

Eux aussi, ils parlèrent. Il y avait un magnétophone qui enregistrait tout. Ensuite, ils mirent tout ça sur papier et je dus signer. Ça ne me dérangeait pas de mettre mon nom sur ce document. Ça faisait partie du plan qui allait me rapprocher du moment tant attendu.

— Quand est-ce que je vais voir Spider ? demandai-je ensuite.

— Il va y avoir certains détails à régler... on est encore en train de l'interroger. Il a été emmené à Londres, à Paddington Green.

— Mais vous avez...

— Tout va bien, mon petit. Je vais emporter votre témoignage à Londres, voir comment ils réagissent, et puis je reviendrai ici en compagnie de Dawson.

Ce n'était donc plus qu'une question d'heures. Mais pas moyen d'aller plus vite.

Ils rassemblèrent leurs affaires, fermèrent leurs attachés-cases et partirent après m'avoir serré la main, comme si on venait de conclure un marché. J'estimai que c'était bon signe. Ils me montraient une certaine déférence. Maintenant je n'avais plus qu'à me fier à leur parole... que pouvais-je faire d'autre ?

L'heure du déjeuner avait sonné et Anne m'apporta des œufs brouillés qu'elle avait gardés au chaud sous une feuille d'aluminium. Elle ne mangea pas avec moi mais resta, comme si elle attendait quelque chose. Finalement, elle laissa tomber :

— Jem, est-ce que je peux vous parler ?

Je haussai les épaules. Ça ne me dérangeait pas.

Elle alla fermer la porte, afin que nous nous retrouvions seules, en tête à tête dans la sacristie. *Elle veut me persuader de partir, je cause trop d'ennuis à son mari.* Je me trompais.

— On dit... on dit que vous pouvez prédire aux gens le jour de leur mort.

Elle en avait le visage tout chiffonné.

J'essayai de ne pas croiser son regard, mais ne pus l'éviter. 08062011. Comme je n'avais aucune envie de la voir insister, je fis l'innocente :

— Ah ?

— Je suis malade, Jem. Je ne l'ai pas dit à Stephen, aussi... je vous en prie... ne...

Ça me faisait tout drôle d'entendre le pasteur, son mari, appelé par son prénom. D'un seul coup, ça me le rendait plus humain. Et si je m'étais trompée sur son compte ? Oui, il en avait encore pour une trentaine d'années à vivre, mais

267

pas forcément dans le confort et la bonne conscience. Peut-être qu'il allait passer seul ses longues soirées d'hiver, à manger des œufs à la coque dans une maison vide.

— Voyez-vous… il faut que je sache combien de temps il me reste. Afin que je puisse m'organiser, m'assurer que mes enfants s'en tireront bien et Stephen aussi.

— Vos enfants ?

Je ne m'attendais pas à celle-là.

— Ils sont adultes maintenant, bien sûr. Dix-neuf et vingt-deux ans. Mais je voudrais être certaine qu'ils pourront suivre leurs études sans avoir à les payer eux-mêmes, vous voyez.

Elle dut comprendre que je ne voyais rien du tout parce qu'elle eut un petit rire nerveux.

— Enfin, peut-être pas, ajouta-t-elle, mais je serais soulagée si ces détails étaient réglés.

— Je ne peux rien vous dire. Ce ne serait pas bien.

— Ainsi, vous savez.

Je me mordis la langue.

— Vous savez, répéta-t-elle. Et moi j'ai tort d'avoir si peur, pas vrai ? « Quand on a l'assurance de la vie éternelle… »

Les yeux brillants, elle était au bord des larmes.

— Pourquoi est-ce que cette phrase ne me rassure pas ? continua-t-elle.

J'étais certainement la dernière personne à qui poser la question. Perdue dans ses pensées, elle resta un certain temps sans rien dire. D'un seul coup, je pensai à Britney, à la façon dont sa famille avait surmonté la mort de son frère.

— Je crois que vous devriez le lui dire, déclarai-je.

— À Stephen ?

— Oui.

– Je sais. Je n'ai cessé de reporter la chose. Au début, tant que ça demeure un secret, ça n'a pas l'air trop réel. Parfois, je me dis même que ce n'est pas vrai, et j'arrive à y croire pendant une heure… même pas, pendant quelques minutes. D'autant plus que ça va le briser.

Sa voix tremblotait.

– Je reconnais qu'il est un peu pontifiant, sévère, mais nous formons un couple si solide ! Comment va-t-il se débrouiller sans moi ?

Cette fois, elle pleurait pour de bon, au point qu'elle dut s'essuyer les yeux avec son mouchoir.

J'attendis qu'elle s'arrête, qu'elle se reprenne un peu.

– Je suis désolée, je ne peux rien pour vous.

Cette fois, j'étais complètement sincère.

– Vous en avez déjà beaucoup fait, Jem. Vous m'avez écoutée, et ça m'a rendue plus forte. Ça me donne le courage d'affronter la situation.

Elle me prit les mains et je dus me retenir pour ne pas me dégager brusquement. Je ne pouvais rien dire, j'avais envie qu'elle s'en aille, qu'elle ne m'encombre pas de ses problèmes. Heureusement, elle dut comprendre parce qu'elle finit par se lever, passa la main sur sa jupe et secoua la tête, comme si elle tentait de chasser son désespoir. Puis elle alla rouvrir la porte.

– Merci, Jem. Dieu vous bénisse.

Je ne voyais pas ce que j'avais pu faire pour mériter sa reconnaissance. Quand elle s'était mise à pleurer, je m'étais sentie très gênée ; en même temps, je pouvais difficilement résister à la contagion. Si elle se lamentait sur la mort, moi je songeais avec horreur qu'une fois de plus j'allais me retrouver seule. Les deux faces d'une même pièce.

D'un seul coup, les murs de la sacristie parurent se resserrer sur moi. J'avais besoin de respirer. J'allai faire un tour dans l'église. Il n'y avait pas beaucoup de gens, pourtant j'eus l'impression que certains me repérèrent alors que je marchais sur les dalles gravées de tant de noms que j'essayais de ne pas lire.

Au bout de quelques minutes, une femme coiffée d'un foulard vint vers moi. Je me trouvais dans la chapelle, là où j'avais essayé de me réchauffer la veille au matin, lorsque Simon m'avait laissée entrer.

— Excusez-moi, commença-t-elle d'une voix hésitante. Êtes-vous Jem, la fille dont tout le monde parle ?

— J'en sais rien. Je m'appelle Jem mais je ne sais rien de plus.

— On ne voit que vous aux infos, vous êtes recherchée et on raconte toutes sortes d'histoires sur Internet.

Elle se tenait devant moi, mais ses jambes commençaient à fléchir.

— Vous permettez que je m'asseye ? Je suis un peu… fatiguée.

Franchement, ça m'embêtait. Je ne voyais pas où elle voulait en venir et ça ne m'intéressait pas. J'avais juste envie qu'elle me fiche la paix. Je ne répondis pas, mais elle s'assit quand même, près de moi, sur le banc capitonné.

— Il paraît, continua-t-elle, que vous pouvez prédire l'avenir des gens qui vous entourent. Que c'est pour ça que vous vous êtes enfuie de la grande roue.

Elle s'arrêta pour me contempler et je croisai son regard ; je vis aussitôt son avenir, du moins sa fin. Dans deux ans et demi. *Jem, espèce de débile, tu n'aurais jamais dû rien dire à personne !* J'aurais mieux fait d'emporter mon secret dans la tombe.

— C'est juste des rumeurs, marmonnai-je. Vous savez comment sont les gens.

— Mais il y a quelque chose de vrai, là-dedans, n'est-ce pas ? Vous n'êtes pas comme les autres.

Elle m'interrogeait des yeux, comme si elle allait lire la réponse sur mon visage.

— Alors c'est vrai ? insista-t-elle. Vous pouvez lire l'avenir ?

Je ne savais plus où me mettre. J'essayais de ne pas la regarder, de tenir la tête baissée vers mes mains et mes pieds. Ce qui ne la découragea pas pour autant. En fait, elle tira sur son foulard et finit par l'ôter, pour me montrer un crâne presque chauve, avec quelques touffes de cheveux encore par-ci par-là. Ça lui donnait l'air d'être à moitié nue.

Elle me prit la main. Je voulus la repousser, la prier de me lâcher. J'avais passé ma vie à dresser des murs entre moi et le reste du monde, alors que le moindre contact physique m'arrachait une grimace… sauf avec Spider, évidemment.

Avec lui, tout devenait différent.

Pourtant, cette femme mettait tant d'ardeur à essayer de me convaincre que j'étais quelqu'un de bien… Du bout des doigts, elle sentit la blessure sur ma paume et la tourna, étouffant un cri lorsqu'elle vit la marque ensanglantée laissée par le barbelé.

— Quoi ?

— La marque de la croix sur votre main.

Là, ça faisait trop.

— Vous rigolez ! Je suis juste tombée sur un fil barbelé dans un champ, c'est tout.

Elle ne me lâchait pourtant pas.

— Je vous en prie, racontez-moi ce que vous avez vu. Je saurai le supporter.

— Je regrette, je ne peux rien vous dire.

Je me sentais prise au piège, inutile. Je me levai :

— Je suis désolée, il faut que j'y aille… Je dois…

Cette fois, elle comprit et se leva à son tour, récupéra son sac, ainsi que son foulard qu'elle remit sur son crâne.

— Désolée, répétai-je. Je ne peux rien pour vous.

Serrant les dents, elle hocha la tête, trop bouleversée pour pouvoir encore articuler un mot.

Je la plantai là, en train de refaire son nœud sous le menton, et filai à travers l'église, jusqu'à ce que je retrouve Simon, qui me tournait le dos, en train de discuter avec un vieil homme non loin de l'allée centrale. En me voyant, le vieux s'interrompit au milieu de sa phrase, le bouscula pour venir vers moi.

Les yeux vitreux, il était tellement maigre que son squelette semblait pointer sous sa peau. J'essayai de détourner mon regard mais trop tard, j'avais aperçu son numéro alors qu'il s'approchait en titubant. Quatre semaines à vivre.

Je compris aussitôt ce qu'il allait me demander. Une date, la vérité. Comme il n'était pas question que je lui réponde, je me détournai pour filer vers la sacristie. Alors que j'y étais presque, j'entendis une voix :

— Nous allons vous aider, monsieur. Venez vous asseoir par ici. Voulez-vous un verre d'eau ?

Simon et un placeur venaient de le rejoindre et l'emmenaient vers un banc.

Soulagée, je claquai la porte derrière moi.

# 35

Ce jour-là, la police parvint à bloquer l'accès aux autres gens. On m'apporta mon déjeuner, on voulut me parler, mais je m'enveloppai dans une couverture où je restai tout l'après-midi. Ce ne fut qu'après la nuit tombée qu'on se décida à me laisser tranquille. Sauf Anne qui voulut rester avec moi toute la nuit.

Lorsque les cloches de l'abbaye eurent sonné vingt heures, je l'entendis bricoler je ne sais quoi dans son coin. Je me retournai sur mon lit improvisé.

– J'ai apporté de la soupe dans une bouteille, vous en voulez ?

Je me sentais vaseuse, désorientée. Je m'assis lentement.

– Je sais pas.

– Je vais vous en verser un peu, pour le cas où vous en auriez envie.

Elle s'assit à la table, son bol devant elle, et je l'y rejoignis. Je n'avais pas vraiment faim mais j'essayai un peu de soupe. C'était délicieux. Du préparé maison. J'avalai tout sans me faire prier.

— Ça fait plaisir de vous voir manger, observa-t-elle quand j'eus fini. Vous portez un lourd fardeau, n'est-ce pas ? Ce doit être éprouvant.

— Ouais. J'aurais préféré être comme les autres, ne pas voir les numéros.

— C'est dur, non ? Pourtant, vous pourriez peut-être le considérer comme un don.

Ça me fit carrément ricaner :

— Vous voulez dire que quelqu'un m'en aurait fait cadeau ? Je dois avoir fait quelque chose d'épouvantable pour mériter ça.

— Cela doit vous venir de Dieu. Peut-être que vous ne le considérez pas comme un don, mais nous, si.

Là, je ne percutais plus.

— Comment ça ?

— Vous êtes un témoin, Jem. Vous portez témoignage du fait que nous sommes tous mortels. Que nos jours ici-bas sont comptés, que le temps qui nous est accordé est si bref…

— Tout le monde le sait déjà !

— Certes, mais nous avons tendance à l'oublier… c'est tellement difficile à assumer. C'est ce que vous m'avez permis de concevoir, aujourd'hui. Nous préférons oublier.

— C'est ça ! Je ne peux aller nulle part, ni regarder personne, ni rien faire sans que ça se rappelle à mon bon souvenir. Ça me prend la tête. Je ne peux plus le supporter.

— Dieu vous aime, Jem. Il vous donnera la force.

Là, ça devenait trop limite… je m'étais peut-être un peu ramollie ces dernières semaines, mais la bonne vieille Jem ne restait pas loin sous la surface.

— Arrêtez votre délire ! Si Dieu m'aimait tellement que ça, pourquoi Il aurait laissé ma mère mourir d'une overdose, pourquoi Il m'aurait envoyée chez des gens qui n'en ont rien à fiche de moi, pourquoi Il m'aurait laissée me tordre la cheville ou poser la main sur une crotte d'oiseau ?

— Il vous a fait le don de la vie.

Qu'est-ce que je pouvais répondre à ça ?

Certainement pas que c'était ma mère et un micheton qui avait accompagné sa petite graine d'un billet de vingt livres pour qu'elle puisse se payer sa dose. Je n'étais que le résultat d'une passe vite fait, d'une transaction commerciale. Anne ne s'attendait sûrement pas à ce genre d'explication, ça l'aurait trop bouleversée. Alors je préférai ne rien dire.

On avala un autre bol de soupe et on se coucha. Je n'arrêtais pas de penser aux deux personnes rencontrées dans l'église et aussi à Anne. Si j'avais une chance d'apprendre quand je mourrais, est-ce que je la saisirais ? Là, il fallait dire non, bien sûr. Pourquoi porter un tel fardeau ? Pourquoi risquer le désespoir, au point de se suicider avant la date prévue ? Tiens, et si on pouvait tricher avec les numéros en décidant de partir avant ? Au fond, Spider avait sans doute raison, ils pourraient peut-être changer.

Quoi qu'il en soit, j'en arrivais toujours à la conclusion qu'il ne fallait pas révéler cette date aux gens. Cela, je le savais depuis le début, instinctivement, et maintenant que tout le monde connaissait mon secret, ça me paraissait encore plus important. Je finis par m'endormir sur l'idée qu'il n'y avait certainement pas beaucoup de gens qui tenaient à savoir.

Le lendemain matin, la file d'attente comptait cinquante personnes.

Ce fut Simon qui vint me le dire, alors que nous prenions le petit déjeuner, avec Anne. Enfin, elle prenait le sien, parce que moi je ne faisais que boire quelques gorgées de thé.

— Il y a beaucoup de gens dehors, Jem.

Je ne tenais pas à le savoir. J'étais trop fatiguée, complètement patraque. Il n'y avait qu'une nouvelle qui pouvait me réveiller : aujourd'hui, on devait m'amener Spider.

— Qu'est-ce qu'ils me veulent ?

— Vous n'êtes pas obligée de les voir. Nous avons une équipe prête à les conseiller.

— Parfaitement, renchérit Anne. Nous avons l'habitude de nous occuper de personnes en crise. Dès que j'aurai rangé un peu, je viendrai vous donner un coup de main.

Elle paraissait tellement ordinaire avec son pull à col roulé, sa jupe de velours côtelé, ses bottes et ses horribles cheveux courts et permanentés. Mais ce n'était pas une personne ordinaire du tout. Elle pouvait rester une journée entière à écouter les gémissements des autres, à oublier ses propres difficultés. Même moi ça ne me faisait pas ricaner. En fait, je serais bien incapable d'en faire autant.

— De toute façon, ajoutai-je, je ne peux pas, je ne saurais pas quoi leur dire.

— Ce n'est pas grave, conclut Simon. Nous allons nous en occuper.

Il disparut pendant qu'Anne continuait sa vaisselle.

— Vous savez, lança-t-elle soudain, vous devriez réfléchir à ce que vous allez faire ensuite. Où vous voulez vous rendre. Ici, ce n'est pas un endroit idéal pour vivre.

— C'est tout réfléchi. Je veux retrouver mon ami. Et ensuite… ensuite… j'en sais rien…

Elle avait tout compris. Je n'avais pas envisagé une seconde ce qui allait se produire après le 15. Après aujourd'hui.

— Karen va bientôt arriver. J'ai cru comprendre que le mieux serait que vous la suiviez. Elle vous aidera dans vos démarches légales si jamais vous êtes poursuivie. Elle vous connaît, Jem, elle se fait du souci pour vous.

— Je ne retournerai pas chez Karen.

— Vous n'avez que quinze ans. Vous ne pouvez pas vivre seule. Pas encore.

— On pourrait parler d'autre chose ? Je ne sais même pas ce que je vais faire jusqu'à l'arrivée de Spider.

Soudain, je me rendis compte que je ne m'étais plus vraiment lavée depuis ma douche chez Britney. J'avais envie de me faire belle pour lui. Je m'enfermai dans les minuscules toilettes, me déshabillai et me décrassai comme je le pus avec le savon et l'eau du lavabo. Au moins je serais propre, même si je portais toujours ces vêtements un peu trop larges. Cette toilette me réveilla un peu et me débarrassa de cette sensation de gueule de bois. J'avais tellement hâte de le voir, maintenant... Jamais je n'avais rien guetté avec autant d'impatience.

De retour dans la sacristie, je pus constater que Karen était revenue. Alors que j'émergeais, pieds nus, une serviette autour de la tête, elle vint me prendre dans ses bras.

— Jem, comment ça va ? Tu as meilleure mine qu'hier.

Elle recula sans me lâcher, pour mieux m'examiner.

— Il y a des gens qui te réclament dehors. C'est de la folie ! Tu devrais bien réfléchir avant de faire quoi que ce soit, parce que...

Elle ne put terminer sa phrase car, à ce moment, la porte donnant sur l'église s'ouvrit sur une espèce de frimeur qui fonça droit sur moi :

— Bonjour, Jem, ravi de vous rencontrer. Vic Lovell.

La paume tendue, il bouscula presque Karen pour m'atteindre plus vite, me saisit la main qu'il serra vigoureusement. Il prenait toute la place, pourtant ce n'était pas mon aide qu'il venait chercher.

Il n'avait pas encore ôté son pardessus qu'il embrayait déjà :

— Voilà, je viens vous parler de votre avenir, qui me paraît des plus prometteurs. J'ai reçu plusieurs offres extraordinaires pour vous et, si nous la jouons fine, c'est toute notre vie que nous pourrions assurer. Nous avons déjà des demandes d'interviews à la radio, à la télévision, dans les journaux. Je suis sûr que nous pourrions aussi faire affaire avec un grand magazine. Ça nous prendra les deux mois à venir, ensuite nous envisagerons un livre, je connais déjà plusieurs éditeurs prêts à se battre pour vous. Ne vous inquiétez pas, personne ne vous demandera de l'écrire, il y a des gens pour ça… vous n'aurez qu'à leur raconter votre vie et ils se chargeront du reste. Tout ce qu'il me faut, c'est votre accord de travailler avec moi pour que je vous organise tout ça. Parce que, si vous n'êtes pas correctement prise en main, vous risqueriez de trop en dire ou de laisser passer une offre intéressante. En revanche, si on manœuvre comme il faut, je le répète, vous êtes parée pour la vie.

Il s'arrêta enfin, me décocha un large sourire en hochant la tête d'un air entendu.

— Quoi ? demandai-je.

— Qu'en pensez-vous ? On va faire affaire ?

Encore abasourdie par son manège, je haussai les épaules :

— J'en sais rien.

Alors il remit ça :

— Je sais, ça fait beaucoup à la fois. Vous ne saisissez peut-être pas encore vraiment les enjeux. Je peux vous rendre riche, Jem. Je parle de centaines de milliers de livres. Vous êtes jeune, vous avez une histoire extraordinaire à raconter, le monde entier parle de vous. C'est la chance de votre vie. Vous pourrez obtenir tout ce que vous voudrez : vêtements, voitures, fêtes, voyages. Toutes les portes s'ouvrent devant vous. Profitez-en.

— Mais vous, qu'est-ce que vous voulez ?

Je détaillai son pardessus camel, sa grosse chevalière en or, sa Rolex qui dépassait de la manchette de sa chemise.

— Vous aider.

— Et vous prenez combien ?

— Un certain pourcentage, bien sûr.

Il me fixait de ses prunelles grises. Je ne pus éviter de constater que ce bonhomme, déjà plutôt âgé, en avait encore pour une trentaine d'années de magouilles et de frime devant lui.

— Je ne travaille pas pour la gloire. Nous serons deux dans cette affaire, Jem.

— Allez vous faire foutre.

— Pardon ?

— Ça m'intéresse pas. Rien à fiche de votre aide, de votre fric, de votre gloire, de vos people merdiques.

Il me dévisageait comme si je pétais un câble.

— Vous ne savez pas ce que vous dites. Vous ne pouvez pas laisser passer une telle occasion. Ce serait de la folie.

— Je sais ce que je fais. Je sais ce que je veux. D'abord que vous dégagiez.

Il leva les mains :

— Ne précipitons pas les choses. Vous subissez un grand stress ici. Je vais vous laisser en parler avec votre maman. J'attendrai dehors.

Assise dans son coin, Karen n'avait rien perdu de son intervention. Je repensai à sa petite maison à Londres, avec le papier qui se décollait des murs à cause de l'humidité. Toute sa vie, elle avait couru après l'argent. Qu'est-ce qu'elle dirait si j'acceptais ce cirque ? Je savais qu'il ne lui restait que quelques années à vivre. Et si ce mec pouvait l'aider à les passer dans les meilleures conditions possible ?

— Qu'est-ce que tu en penses, Karen ?

Elle secoua la tête :

— Tu le sais très bien. C'est déjà allé beaucoup trop loin. Si tu commences à donner des interviews et à écrire des livres, ce sera encore pire.

— Mais tu pourrais en profiter pour changer de maison, avec un grand jardin pour les enfants…

Elle esquissa un sourire.

— Ça leur ferait plaisir, sûrement. Seulement tu ne me dois rien, Jem. On est très bien où on est. Le monde dont il te parle, ce n'est qu'un rêve, ça n'existe pas. Je te connais, ce n'est pas ce que tu cherches.

Finalement, elle me connaissait peut-être un peu. À mon tour, je lui souris :

— Non, c'est des conneries.

Prête à reprendre mon langage, elle ouvrit la bouche, mais la referma aussitôt et se leva pour venir me serrer dans ses bras.

– Ça ne m'intéresse pas, assurai-je. J'ai envie que tout ça s'arrête. Je n'aurais jamais dû rien dire à personne.

– Ce n'est pas grave. Ça va s'arranger, ne t'inquiète pas. Elle m'étreignait toujours, mais je me dégageai :

– Tu sais bien que non. Maintenant que ça a commencé, ça ne s'arrêtera plus.

– Sauf si tu l'arrêtes toi-même.

– Comment ?

– Tu n'as qu'à leur dire que tu as tout inventé. Que ce n'était pas vrai.

# 36

La dernière fois que j'avais dû me lever pour parler en public, c'était à l'école. « Le plus beau jour de ma vie ». Quand était-ce, déjà ? Il y a un mois ? Je n'arrivais pas à m'en souvenir. Je me tenais alors en face de la classe et j'avais dit la vérité, du moins la vérité telle que je la voyais. Ça ne m'avait pas vraiment porté chance. Maintenant, je m'apprêtais à affronter une foule d'inconnus : malades, mourants, journalistes, agents de publicité et Dieu sait quoi encore ; tout ça pour m'accuser de mensonge. J'allais nier la réalité qui avait orienté toute ma vie.

— Bon, on y va.

Karen me serra le bras.

— C'est bien !

Elle devait vraiment penser que j'allais enfin reconnaître la vérité. Elle ne m'avait jamais crue, alors elle était contente de me voir avouer.

On quitta ensemble la sacristie pour nous rendre dans l'église. À vrai dire, il y avait beaucoup plus de cinquante personnes, je dirais des centaines de milliers, qui se pressaient autour de la porte. Dès que j'apparus, le bruit s'amplifia et les gens se rapprochèrent. Karen m'aida à me frayer un chemin vers l'avant où se tenaient Anne et Stephen, le pasteur.

— Jem voudrait faire une déclaration, commença Karen. Où faut-il qu'elle se mette ?

— Eh bien…

Alors que Stephen regardait autour de lui, ce fut là que le frimeur revint à la charge en bousculant tout le monde :

— Je m'oppose énergiquement à toute déclaration primordiale. Il faut traiter cette affaire dans les règles, sélectionner les titres auxquels nous nous adresserons et négocier avec chacun l'un après l'autre. Venez, il faut retourner à la sacristie.

Il me posa une main sur le bras. Je voulus me débarrasser de cette étreinte qui me serrait comme un étau.

— Lâchez-moi ! criai-je. Je ne vous appartiens pas et je ne ferai pas affaire avec vous.

Il parut franchement scandalisé, comme s'il ne comprenait pas ce que je disais.

— Vous n'avez donc pas écouté ce que je vous ai dit, tout à l'heure ?

— Si, justement ! C'est vous qui n'avez rien écouté. Vous ne m'avez pas laissée en placer une. Ça ne m'intéresse pas. Maintenant, ôtez votre main ou je la mords.

Il ôta sa main mais ne recula pas. Au contraire, il se pencha vers moi.

— Je ne peux pas croire qu'on puisse négliger une telle chance. Soit vous êtes très naïve, soit vous êtes complètement idiote.

Cette fois, il avait presque chuchoté, mais les personnes les plus proches de moi l'avaient quand même entendu.

— Ni l'un ni l'autre, intervint Karen. Jem est juste elle-même et elle prend ses décisions toute seule. Maintenant, je vous prie de la laisser tranquille.

Vic s'écarta enfin, mais il ne quitta pas l'église pour autant et se planta derrière la foule pour voir ce qui allait se passer.

— Vous avez quelque chose à nous dire, je crois ? demanda Stephen.

— Oui. Il est temps… temps de cesser de faire perdre son temps à tout le monde.

Anne jeta un regard inquiet vers Karen, alors que son mari hochait la tête d'un air soulagé.

— Très bien. Je pense qu'effectivement cette comédie a assez duré. Vous pouvez parler ici.

Je montai sur une petite marche au milieu du chœur, mais ça ne me mit guère qu'à la hauteur des autres gens.

Je désignai la chaire :

— Et là ? En plus, il y a un micro.

— Ce serait totalement déplacé ! s'écria-t-il.

Pourtant, à la réflexion :

— Au fond, pourquoi pas ? Si ça peut régler la question…

Il me laissa grimper après lui et je me retrouvai bientôt au milieu de la chaire de l'abbaye de Bath. Il ouvrit le micro, me présenta. J'entendis sa voix se répercuter à travers les rangées.

— Mesdames, messieurs, veuillez vous asseoir. Notre jeune… pensionnaire a quelques mots à vous dire.

Il ouvrit un bras, m'invitant à m'avancer, et redescendit ; je restai seule dans la chaire.

Un murmure parcourut la foule.

Je commis l'erreur de les regarder. Une mer de visages levés vers moi, un océan de numéros. Je n'avais rien préparé, pas de mots d'esprit, pas de discours, pas d'introduction ni de conclusion. Juste une chose à leur dire : j'avais menti effrontément.

Je pris une longue inspiration.

— Bonjour, commençai-je. C'est moi, Jem. Mais vous le savez déjà, c'est pour ça que vous êtes là.

Pas de réaction. Je déglutis avant de reprendre :

— Enfin, je ne le sais pas vraiment. Je suis juste une ado, la même qu'il y a un mois ou un an, quand personne ne voulait me connaître. Si les choses ont changé, c'est juste parce que j'ai raconté que je savais quand les gens allaient mourir. Et je suppose que vous êtes ici parce que vous croyez que je pourrais vous le dire. Mais il faut que je vous avoue… il faut que je vous avoue… que c'était un mensonge. J'ai tout inventé.

La foule en eut le souffle coupé.

— Je voulais attirer l'attention, c'est tout. Ça a trop bien marché. Je suis désolée. Vous vous êtes fait arnaquer. Vous pouvez rentrer chez vous maintenant… il n'y a rien à voir ici.

Je me retournai vers l'escalier. Les gens m'interpellaient… ce n'était pas ce qu'ils étaient venus entendre. Il y eut quelques cris de colère mais aussi, dominant tous les autres, un véritable gémissement d'angoisse, un son effrayant. Je me retournai pour repérer aussitôt la femme au foulard, celle qui m'avait touché la main. Même si elle n'avait aucun droit de me demander quoi que ce soit, j'avais l'impression de l'avoir trahie. Je revins vers le micro.

— Qu'est-ce que vous espériez au juste ? lui demandai-je directement.

Aussitôt, le silence se fit.

– Si vous y tenez, je peux vous dire pourquoi vous êtes là.

Je marquai une pause, m'humectai les lèvres, puis :

– Vous allez mourir.

Les yeux écarquillés d'horreur, elle porta les mains à sa bouche. Autour d'elle s'élevèrent des spasmes d'effroi.

– Et la personne à côté de vous aussi. Et celle derrière vous. Et moi. On va tous mourir. Tout le monde dans cette église, tout le monde dehors. Vous n'avez pas besoin que je vous le dise. Mais il y a autre chose.

Au fond de l'église, une porte s'ouvrit. Des hommes entrèrent... des policiers en tenue.

– Vous êtes tous vivants en ce moment. Vous avez encore plein de jours à vivre.

Empruntant l'allée centrale, les hommes s'approchèrent. Il y avait un type au milieu d'eux, beaucoup plus grand, dix fois trop grand en fait, qui remuait la tête dans tous les sens. Ce n'était pas vrai ! Mon cœur cessa de battre, je le jure, mais ma langue continua de fonctionner :

– On sait tous qu'un jour ça s'arrêtera, pour chacun de nous, mais on ne devrait pas y penser.

Spider avait cessé d'avancer, en plein milieu de l'église, et il se tenait là, à me regarder avec son large sourire carnassier. C'était à lui que je parlais maintenant ; pour moi, il n'y avait plus personne dans l'abbaye, que lui.

– Surtout si vous avez trouvé quelqu'un qui vous aime, c'est ça le plus important. Si c'est le cas, alors vous goûterez chaque seconde en sa compagnie...

Levant la main, il poussa un grand cri de victoire et les gens se mirent à applaudir.

Je m'éloignai du micro pour redescendre en hâte. Je me fichais de qui me voyait, du nombre d'appareils photo braqués sur moi ; je me précipitai vers lui à travers une foule en liesse, mes pieds me portant à peine sur les dalles brillantes. Il n'avait pas bougé, il tapait des mains lui aussi ; au dernier moment, il m'ouvrit grands les bras et je me jetai contre lui. Alors il m'emporta, me fit tournoyer avant de m'étreindre avec vigueur. Je l'enveloppai de mes jambes, m'accrochai à lui comme une sangsue.

– Ça va, mon pote ? lança-t-il en riant contre ma tête. Ça fait que quelques jours que je suis parti et je te retrouve en train de prêcher dans une église !

Il pencha le visage vers moi :

– Vas-y, j'ai encore jamais embrassé un pasteur !

Et il me donna un baiser, tendrement, devant tout le monde.

– Tu m'as manqué, souffla-t-il.

– Toi aussi.

Au-dessus de nous, les lourdes cloches de l'abbaye se mirent à carillonner pour annoncer l'heure.

# 37

– Tu vas bien ?

Je contemplais ses yeux à la recherche du moindre signe de maladie. Rien, juste son numéro, toujours présent, toujours le même.

– Ouais, un peu fatigué. On dort mal en taule.

Il s'essuya le visage de ses larges mains.

– J'ai pas arrêté de penser à toi. Je me demandais où tu étais. J'aurais jamais cru que tu te planquais dans une église.

– C'est dingue, hein ? Moi aussi, je pensais tout le temps à toi. Ça me rendait malade d'imaginer que t'étais bouclé dans une cellule. Mais c'est fini, maintenant, tu es sorti. Ils amènent la caisse jusqu'ici ?

Il ne parut pas comprendre.

– C'est quoi ton délire ? Quelle caisse ?

– Ça faisait partie de mes conditions : ils devaient t'amener ici avec une bagnole et du fric. Ensuite, je leur disais tout. Comme ça on pourrait repartir. Aller à Weston. C'est à moins de cinquante kilomètres d'ici.

– Là, tu as tout faux. Ils vont pas me relâcher maintenant, ils m'ont même pas encore inculpé. Ils m'ont juste amené pour quelques heures, ensuite ils me remmènent. Ils vont plus te lâcher maintenant, tu peux me croire.

– Mais ils ont accepté… ils ont signé un document tout ce qu'il y a de légal !

– Et alors ? Tu vas leur faire un procès ? Me dis pas que tu leur fais confiance, Jem ! Tu peux pas, ni à eux, ni à personne. Sauf à moi, bien sûr !

– Alors ils ont menti, ces bâtards ! Qu'est-ce qu'on va faire ? Comment on va s'enfuir d'ici ?

Il poussa un soupir :

– On va pas s'enfuir, Jem. C'est tout. On a quelques heures et voilà.

– Arrête, Spider ! On ne va pas y arriver. On n'ira jamais à Weston, à ce train-là ! Je voulais me promener là-bas avec toi, manger des *fish and chips*, comme tu as dit…

Je dus m'interrompre là, parce que je commençais à sangloter. Il me passa un bras sur l'épaule.

– T'inquiète. C'est pas obligé d'y aller aujourd'hui. On fera ça une autre fois. Pour le moment, ils vont me remmener, et toi aussi, certainement, mais je peux attendre. Je t'attendrai. Et toi… ?

– Évidemment que je t'attendrai. J'ai attendu quinze ans pour te trouver, je pourrai encore attendre quinze ans s'il le faut, mais…

Comment dire ? *Mais on n'a pas le temps. On n'a qu'une seule journée.*

– Mais quoi ?

– C'est… que… je sais pas. Je suis pas sûre que ça marchera.

— Mais si ! Des fois, c'est tout bête : je t'aime et tu m'aimes. C'est tout. À partir de là, on y arrivera.

C'était pourtant simple. Pourquoi n'y avait-on même pas droit ? Il m'aimait, je l'aimais, pourtant le numéro dans ma tête me disait qu'il allait mourir aujourd'hui. Et les numéros ne s'étaient jamais trompés. Spider semblait aller très bien. Il n'avait pas été battu, massacré par la police. Le Tatoué était mort et personne ne le poursuivait plus armé d'un pistolet ou d'un couteau.

La seule menace qui pouvait peser sur lui, c'était moi. Tout provenait de moi ; je l'avais ramené vers moi en ce 15 décembre 2010 : 15122010. Je voyais le numéro et je savais que son message allait se réaliser. Tant que j'existerais, le numéro existerait. J'étais le numéro, le numéro était moi. J'ignorais si quelqu'un d'autre au monde les voyait ou si les numéros qu'il voyait étaient les mêmes que les miens, mais une fois que je les avais vus, c'était fini. Ils ne changeaient plus, ils ne s'en allaient plus. Anne avait raison : j'étais un témoin, mais peut-être pas seulement. J'étais le témoin de la fin de certaines personnes un certain jour.

Il n'existait qu'un moyen de régler le problème, d'annuler ce numéro : supprimer la personne qui le voyait.

Je me relevai lentement, regardai autour de moi. Inutile d'espérer que les clés aient repris leur place dans le tiroir de la sacristie, mais je savais que Simon en avait toujours sur lui. Il discutait avec Anne dans une allée latérale, son trousseau luisant à sa ceinture. Profitant de l'effet de surprise, je les lui arrachai, le bousculai et me ruai vers le clocher. Il y avait tellement, tellement de clés, pourtant je tombai sur la bonne au deuxième essai. Sans un seul regard derrière moi, je me glissai dans l'escalier, claquai la porte derrière moi et la verrouillai, étouffant ainsi les cris et les appels de mes poursuivants. Y compris du seul que je voulais entendre. J'avais encore sa voix dans la tête alors que je grimpais les marches en spirale :

— Jem, qu'est-ce que tu fous… ? Jem !

Arrivée sur le toit, je fus accueillie par une pluie horizontale. Je bouclai la porte derrière moi et courus vers la tourelle. En quelques secondes mes vêtements furent trempés, mon pantalon me collant aux jambes. Je m'engageai dans l'escalier qui menait directement à la plate-forme du sommet, sans m'arrêter dans la salle des sonneurs. Inutile de fermer la dernière porte, les trois autres suffiraient à retarder assez les gens. J'avais trop de peine à respirer, ça me faisait mal aux poumons et à la gorge ; mes jambes tremblaient tellement que je faillis me laisser déséquilibrer par un coup de vent. Je dus poser les mains sur le parapet pour ne pas tomber.

D'en bas, j'entendais crier mon nom, mais il ne fallait surtout pas que je regarde. Je m'efforçais de ne contempler que les toits et les collines alentour.

Une fois que j'eus un peu repris mon souffle, les yeux fixés sur l'horizon, je fis appel à toutes mes forces pour me hisser sur le muret, y restai un instant accroupie avant de me redresser lentement, les bras écartés pour ne pas vaciller.

La piscine de l'immeuble voisin devait accueillir nombre de nageurs en été. Je savais maintenant que je n'en ferais jamais partie. Je resterais la fille de quinze ans qui n'avait fait qu'apporter mort et destruction à ceux qui l'entouraient. Une fille assez débile pour avoir cru à l'amour et qui connaissait maintenant le seul moyen de sauver le garçon qui l'aimait.

En fait, ce devait être mon propre numéro que j'avais vu. Reflété dans les yeux de Spider.

15122010.

Le jour où je disais adieu au monde.

# 38

Les doigts de pieds crispés dans mes chaussures, comme s'ils pouvaient agripper la pierre humide, j'essayais de me tenir aussi droite que possible, d'affronter dignement ma fin, alors que le vent et la pluie se moquaient de moi. Ils savaient que je ne représentais rien dans l'ordre des choses et qu'en m'arrosant et en me bousculant ils ne faisaient que me remettre à ma place. Je devais résister de toutes mes forces rien que pour tenir debout face aux bourrasques qui changeaient sans cesse de direction, comme si elles s'ingéniaient à me faire tomber.

En fait, je n'aurais pas dû commettre l'erreur de réfléchir. J'aurais dû me contenter de grimper là et puis de sauter. Mais ce n'était pas mon genre. Il fallait que je fasse encore le tri dans ces quantités d'idées qui m'assaillaient l'esprit : si je sautais, le vent ne me repousserait-il pas vers l'arrière ? Est-ce que je sentirais quelque chose lors de mon contact avec le sol ? Est-ce que je toucherais le sol ou le toit en pente en premier ? Est-ce que les choses devaient vraiment se passer comme ça ? Ma vie devait-elle se résumer à ces quinze petites années ? N'avais-je pas un autre avenir qui m'attendait, ailleurs, et que j'allais manquer ?

J'essayai de faire le point, de tout rapporter à la seule notion qui comptait vraiment : en arrêtant tout maintenant, si j'en trouvais le courage, je mettrais fin aux malheurs de beaucoup de gens ; par-dessus tout, ça me donnait une chance de sauver Spider. Si personne ne voyait plus son numéro, peut-être que celui-ci n'existerait plus.

Il fallait que je me lance, de préférence en beauté, par exemple comme si je plongeais dans une piscine. Je me hissai sur la pointe des pieds, écartai les bras et entamai mon propre compte à rebours :

— Trois… deux…

— Jem !

Je regardai en arrière : il était là ! Il venait d'ouvrir la porte de l'escalier et il hurlait d'une voix rauque de terreur :

— Jem, arrête ! Non !

— Va-t'en, Spider. Lâche-moi. J'ai pas le choix.

— Mais pourquoi ? Je pige pas… arrête ! S'il te plaît !

Il s'avançait lentement vers moi.

— Va-t'en !

J'avais crié d'un ton suraigu pour dominer le vent. Il s'arrêta net, leva les mains.

— C'est pas si terrible que ça, la taule, Jem. On va s'en tirer. Ensuite, on effacera l'ardoise et on recommencera tout. On y arrivera, Jem !

— Ce n'est pas ça. Je ne peux pas t'expliquer. Désolée. Il faut que je le fasse.

Je vacillai, me rattrapai de justesse.

— Pourquoi tu fais ça, Jem ? Pourquoi tu me laisses tomber ?

Il revenait vers moi. Malgré le vent et la pluie, je sentais son odeur : il était plus sale et plus transpirant que jamais. Ça me ramena au jour de notre rencontre sous le pont, à notre nuit dans la grange.

— Pourquoi tu me laisses tomber, Jem ? Je pige pas.

Je lui devais au moins une explication.

— Il faut que j'arrête les numéros, Spider. Il n'y a que moi qui les voie. Ils sont à l'intérieur de moi. Je ne peux pas m'en débarrasser.

Je parlais de plus en plus bas, davantage pour moi-même que pour lui.

— Il faut que je le fasse, c'est le seul moyen.

Évidemment, il ne comprenait toujours pas. Il était encore orienté côté grands sentiments.

— Ça doit pas se terminer comme ça, Jem. On a le droit de vivre ensemble, maintenant.

C'était tellement tentant. Lui seul savait comment me parler, quels mots me dire.

Je fondis en larmes.

— Toi aussi, c'est ce que tu veux, Jem ? Je le sais. Dis pas que tu t'en fiches... Je suis sûr que non...

Lui aussi se mit à pleurer.

Et je n'aimais pas ça. Les hommes ne sont pas faits pour pleurer, ça leur donne des expressions qui ne leur vont pas.

Il se tenait tout près de moi maintenant. Si je lui laissais me prendre la main, il ne me lâcherait plus. Je devais lui échapper, faire ce que j'avais à faire.

*Trois... deux...* et pourtant, pourtant... le sentir encore près de moi, juste une dernière fois... cette douce pensée me retint.

— Attends, encore une minute !

— Je suis obligée de faire ça, Spider. Tu ne piges pas.

— Non, je pige pas, Jem. Je croyais qu'il y avait quelque chose entre nous.

— Arrête tes histoires… tous nos vœux de bonheur… c'est des conneries, Spider. Pas pour des gens comme nous.

Il se laissa tomber à terre, se tassa sur lui-même, les mains agrippées à ses cheveux. Il sanglotait en marmonnant des paroles que je ne comprenais pas. C'est là que j'aurais dû sauter, pendant qu'il ne regardait pas. Seulement je voulais savoir ce qu'il disait.

— Qu'est-ce qu'il y a, Spider ? Qu'est-ce que tu dis ?

Il releva la tête :

— Je pourrai pas continuer sans toi, mon pote. Il me restera plus rien.

Il tendit le bras :

— Donne-moi la main, Jem. Aide-moi.

*C'est un piège.* Je ne bougeai pas.

— Pourquoi tu m'aides pas ? Je m'en vais avec toi.

D'un mouvement souple, il sauta sur le muret, à côté de moi, s'efforça de garder son équilibre contre le vent.

— Waouh ! C'est énorme !

De nouveau, il me décochait son large sourire, il ne pouvait s'en empêcher.

— Ça déchire ! On y voit à des kilomètres ! Wouououou ! Waouh !

— Tu es malade ! Je l'ai toujours dit.

Il me prit la main.

— Cool ! Si tu tiens tant à sauter, j'y vais avec toi. On reste ensemble. Je t'aime, Jem. C'est toi et personne d'autre.

Vous savez ce que ça fait quand on vous dit des trucs comme ça ? Quand la personne qu'on aime nous dit qu'elle nous aime aussi ? Si vous ne le savez pas, j'espère que ça vous arrivera un jour.

— Je me suis éclaté avec toi, Jem. Je viens de passer les meilleurs moments de ma vie. Alors tu pars pas sans moi.

Il était prêt à sauter. On pourrait plonger ensemble.

Son numéro serait donc vrai, et je porterais le même que lui.

D'un seul coup, une autre pensée me traversa l'esprit : *rien à foutre de ces numéros, rien à foutre de tout le reste.* Il y en avait beaucoup, de gens, qui rencontraient la personne de leur vie ? Si on faisait attention, peut-être qu'on pourrait les baiser, ces numéros. Et si Karen avait raison, si tout ça n'existait que dans ma tête, si ces numéros ne correspondaient finalement à rien ? Si je n'y faisais plus attention, peut-être qu'ils disparaîtraient. Et Spider et moi, on finirait par être heureux.

— Moi aussi je t'aime, Spider. Je suis capable de tout affronter avec toi. Viens, on rentre. Je caille.

Il sourit, me lâcha la main pour me montrer un poing victorieux. Que je m'empressai de heurter du mien.

— On s'en va, dit-il.

— Ouais, on s'en va.

Je pliai les genoux, m'agrippai au muret et me laissai glisser vers la plate-forme. Lorsque je relevai la tête, Spider dansait sur le rebord, parfaitement à l'aise, ravi de la situation, comme il avait dansé sur les traverses le premier jour où nous avions discuté, au bord du canal.

— Descends, enfoiré ! Tu vas tomber.

Tout sourire, il fit volte-face vers moi, prêt à me rejoindre. Nos regards se croisèrent et on se fixa un instant, ses yeux me renvoyant l'amour que je lui exprimais. On serait heureux.

C'est alors que son pied glissa sur la pierre humide et qu'il perdit l'équilibre.

Il vacilla un quart de seconde, sans me quitter des yeux, battant des bras dans tous les sens... et il disparut, happé en arrière, l'air surpris.

Ça se passa si vite que ça ne me parut même pas vrai. Je ne criai pas, même si, en bas, quelqu'un hurla. Je me contentai de le regarder cabrioler dans les airs, battant désespérément des bras, comme s'il cherchait à s'accrocher à quelque chose.

Il n'atteignit pas le square. Sa chute fut interrompue par le toit où il atterrit sur le dos, bras et jambes écartés, sans vie. Je le regardai dans les yeux pour la dernière fois. Ils restaient grands ouverts, étonnés, pourtant ils ne me voyaient pas. Il n'y avait plus personne derrière.

Son numéro avait disparu.

# 39

Il n'avait pas cessé de pleuvoir mais la pluie s'arrêta lorsque la voiture se gara. On descendit sur le quai, dans un vent qui balayait la mer autour de nous. Les nuages couraient dans le ciel comme dans un film en accéléré.

Karen n'arrêtait pas de me demander :

– Ça va ?

– Oui, très bien.

Difficile d'imaginer un moment où ça aurait pu aller plus mal, mais vous voyez ce que je voulais dire. Je préférais ne pas en parler.

À mi-chemin, Val me prit par le bras. Elle n'avait pas besoin de me poser de questions idiotes, elle savait ce que je ressentais. Elle avait attendu que je sorte de l'asile psychiatrique pour faire ça. Je n'avais pas assisté à la crémation – ça ne pouvait pas attendre éternellement –, mais elle avait gardé l'urne contenant les cendres le temps que tout le monde m'estime assez forte pour supporter cette épreuve.

Elle était venue me voir à l'hôpital. À l'époque, je ne pouvais pas parler, ni à elle ni à personne. Mon esprit n'arrivait pas à faire le tri. Je ne pouvais pas non plus regarder les gens dans les yeux. Elle m'avait demandé de veiller sur lui, elle m'avait fait confiance. Et j'avais trahi sa confiance. J'avais emmené son petit-fils en sachant très bien qu'il ne rentrerait jamais. Pourtant, elle ne m'en voulait pas. J'ignorais pourquoi. C'était après lui qu'elle en avait.

— À quoi il jouait, cet abruti ? répétait-elle devant mon lit. Il fallait qu'il fasse le clown. Si je le tenais, qu'est-ce qu'il prendrait !…

Elle en avait les mains qui tremblaient sur sa cigarette éteinte.

— Il n'y a pas un endroit où on pourrait fumer, Jem ? Ça me tue…

Elle était revenue, même si je faisais la gueule à tout le monde, les silencieux, les criards, les optimistes et les tristes. Je parvins à sortir quelque chose la fois suivante. J'avais passé mes journées à préparer ma phrase, à tâcher de me rappeler comment on faisait, comment la bouche émettait les sons et formait les paroles. Elle aussi parlait, mais je n'écoutais pas, trop occupée à me concentrer sur ce que j'allais dire. D'ailleurs, elle se tut quand elle me vit me pencher en avant pour tenter de mieux articuler :

— P…

— Qu'est-ce qu'il y a, Jem ?

Elle aussi se pencha, me balança son haleine de fumeuse en pleine figure :

— P… pa… rdon.

— Ma chérie, ce n'est pas ta faute. Ce n'est la faute de personne. Enfin, juste la sienne, à cet imbécile. Tu ne pouvais pas savoir. Il faisait toujours des crétineries.

J'avais envie de dire que je savais, justement, et même que c'était arrivé pour cette raison, si vite que je n'avais rien pu arrêter, si lentement que chaque seconde avait mené à la suivante, sans que je puisse intervenir. Tant de chances d'expérimenter autre chose, d'opter pour une voie différente… Mille fois je m'étais repassé le film des événements. J'aurais dû le protéger. J'aurais dû… j'aurais dû… j'aurais dû…

— Je l'ai vu, au commissariat, me raconta-t-elle. J'étais là quand ils l'ont interrogé. Ils ne voulaient pas, parce que moi-même j'y étais passée, mais j'ai insisté. J'étais responsable de lui. Il n'avait que moi. À part toi.

Elle arracha une peau près de l'ongle de son pouce, manquant de le faire saigner.

— Il a dit que vous vouliez vous rendre à Weston. Ça m'a secouée, parce que je ne savais pas qu'il s'en souvenait. Je l'y avais emmené quand il était petit, pour des espèces de vacances. Je suis contente qu'il n'ait pas oublié…

Elle marqua une pause et on resta assises l'une en face de l'autre ; dans un coin de la salle, un autre patient se balançait sur sa chaise, d'avant en arrière.

— J'ai réfléchi, Jem. Quand tu iras un peu mieux, on pourrait l'emmener là-bas, à Weston. Pour lui dire au revoir comme il faut. Mais seulement quand tu iras mieux. On n'est pas pressées, ma chérie.

Je ne voyais pas comment je pourrais aller mieux. Les jours se suivaient et se ressemblaient : vides, pesants. Au bout de plusieurs semaines, pourtant, les gens autour de moi commencèrent à se dire contents de mes progrès. J'étais capable d'aligner trois mots quand j'en avais envie, j'arrivais à avaler plusieurs bouchées à chaque repas. Je continuais de m'éveiller en pleine nuit, secouée de cauchemars, trop affolée pour pleurer, après quoi je restais des heures les yeux ouverts. Dans la journée, les infirmières m'encourageaient à dessiner, à exprimer mes sensations. Ça ne me dérangeait pas. Je pouvais passer des heures à remplir des feuilles de papier de croquis au feutre.

Karen venait régulièrement elle aussi. Elle ne se décourageait pas malgré mon accueil glacial. Un jour elle m'annonça :

— Le médecin a dit que tu étais prête, maintenant, à reprendre un autre mode de vie. Reviens à la maison, ma puce. Je vais bien m'occuper de toi.

Elle m'avait gardé ma chambre.

— Je vais la redécorer. On peut recommencer, si tu veux. Quelle couleur voudrais-tu ?

Ainsi, je rentrai à Sherwood Road, pour y trouver des murs caramel qui me rappelèrent un peu la pierre de Bath. Je restais sur mon lit à écouter de la musique, à regarder le plafond, jusqu'au jour où, alors que Karen emmenait les garçons à l'école, je me remis à dessiner. D'abord un ange gardien qui veillait sur moi à côté de mon lit, puis je m'étendis et finis par remplir tous les murs de créatures ailées qui grimpaient et retombaient. Certaines n'avaient plus de tête, ou un bras ou une jambe en moins. L'une d'elles avait des membres exagérément longs et des cheveux afro. Je la plaçai au sommet de toutes les autres, les ailes déployées, qui volait à travers le plafond. J'en ajoutai une autre, plus petite et chauve, à cheval sur la plinthe, ses ailes repliées sur elle.

Lorsque Karen m'apporta mon dîner, elle en laissa tomber son plateau et ses spaghettis à la bolognaise éclaboussèrent les murs.

Je ramassai un mouchoir pour nettoyer.

– Regarde ce que tu as fait, grosse tarée, tu abîmes mes dessins !

Ce qui me valut de retourner à l'hôpital et, lorsque je revins à la « maison », ce fut pour trouver la chambre entièrement repeinte, bleu ciel, cette fois. Une teinte plus calmante. Sauf qu'on apercevait mes anges à travers et que ça me fit du bien. J'avais moins de cauchemars maintenant que je sentais leur présence.

Cinq ou six mois plus tard, on se retrouvait sur cette jetée, à Weston.

On resta un moment sans rien dire, puis Val prit la parole en dévissant l'urne :

– Eh bien, Jem, tu veux t'en charger ?

– Euh... je sais pas. Qu'est-ce qu'il faut faire ?

– Juste la retourner, à bout de bras au-dessus de la mer, et la tenir comme ça.

Les larmes me picotaient les yeux. J'avais réussi à les retenir un bon moment, mais là elles revenaient comme des pointes d'aiguilles.

– Je peux pas. Faites-le, Val.

Les dents serrées, elle s'avança.

– Attends, reprit-elle. Dans quel sens souffle le vent ? Ce n'est pas la peine qu'il... que ça nous revienne dessus.

Karen se lécha l'index et le présenta au vent.

– Ça vient de là-bas. Orientez-vous dans cette direction et ça ira.

– Bon.

Poussant un soupir, Val se pencha sur la rambarde et tint l'urne aussi loin d'elle que possible.

– Au revoir, Terry, mon amour. Au revoir mon cher petit garçon.

Sa voix se fondit dans un sanglot, mais cela ne l'empêcha pas de répandre les cendres, qui s'en allèrent presque toutes dans l'eau bien qu'une rafale en renvoyât un peu sur nous, dans nos cheveux et sur nos vêtements.

— Bon sang, j'en ai dans les yeux ! Vous pourriez regarder, Karen ?

— Montrez-moi ça.

Val se détacha de la rambarde pour présenter son visage à ma mère d'accueil. Pendant que celle-ci lui nettoyait l'œil avec un mouchoir, je regardais un voile de cendre s'éloigner de nous en voletant légèrement au-dessus de la mer. Tout ce qu'il restait de Spider.

J'examinai ma veste, mon ventre arrondi, passai la main dessus. Sans trop savoir pourquoi, j'étais persuadée que ce serait un garçon. Il n'arrêtait pas de remuer. Comme son père.

Une petite trace de cendre me tachait le bout des doigts ; je l'essuyai avec la paume de l'autre main.

Spider.

Comment avait-on pu faire ça ? Le jeter ainsi aux quatre vents ? J'avais besoin de lui près de moi.

— Reviens ! criai-je à la mer. Reviens, ne me laisse pas !

Karen et Val se retournèrent et m'entourèrent immédiatement.

— Ça va, ma puce, dit Karen. Laisse-le partir.

— Mais tu vois pas que j'étais pas prête ? Je peux pas accepter de lui dire au revoir.

Val me passa un bras sur l'épaule.

— Tu n'accepteras jamais. Ce n'est jamais le bon moment.

Je pleurais à chaudes larmes et elles aussi. On se prit dans les bras les unes les autres, triste triangle aux pans de vestes volant dans la bourrasque. Je tenais la taille de Val, mais je serrais le poing pour garder les dernières parcelles de Spider à l'abri de ma paume.

À l'abri.

# Cinq ans plus tard

Je ne fréquente plus les coins où traînent les ados. Disons que j'ai évolué. Ces temps-ci, on me croiserait plutôt sur les terrains de jeux, à la plage, dans les foyers municipaux ou à la sortie de l'école. C'est dans l'ordre des choses, non ? Les ados comme moi deviennent des parents comme moi. Et nos enfants seront un jour adolescents puis parents à leur tour. Et ainsi de suite.

Je ne me sens plus différente des autres. Ce court laps de temps passé avec Spider m'a transformée, et pas seulement pour ce qui saute aux yeux. Évidemment, cet épisode m'a permis de mûrir, de tomber amoureuse et tout. Mais il m'a également montré ce que je ratais, ce que l'existence ne m'avait pas enseigné en quinze ans : le sens de l'amitié, de la confiance, ce que c'était que d'avoir quelqu'un avec qui on pouvait rire, sans arrière-pensée. Ça a changé ma façon de voir la vie ; je me rends compte à présent que je n'appréhendais plus le monde qu'à travers les numéros, au point de me laisser paralyser par eux, de ne plus vraiment vivre. Mais Spider et certaines autres personnes, Britney, Karen,

Anne, Val, m'ont permis d'évoluer, de comprendre à quel point je perdais mon temps.

Je voudrais pouvoir dire que, depuis, j'ai réalisé de grandes choses, que je suis devenue chirurgienne du cerveau ou professeure, enfin, quelqu'un ; mais ce n'est pas vrai. Quand je fais le point, il y a deux choses dont je suis assez fière. D'abord, je suis restée avec Karen, et je me suis occupée d'elle quand elle a eu son attaque. Je savais qu'il ne lui restait que trois ans à vivre, aussi je devais m'y attendre.

J'essayais de me trouver un endroit bien à moi ; en fait, je me trouvais dans l'appartement que me proposait la mairie lorsque je reçus un appel de l'hôpital. Karen s'était évanouie dans la rue. Hémorragie cérébrale. Elle en est restée à moitié paralysée ; elle avait également du mal à s'exprimer. Elle n'avait en rien perdu la tête, mais les mots ne se formaient plus qu'à grand-peine. Je fus chargée de m'occuper d'elle. En revanche, on lui retira les jumeaux, ce qui acheva de la briser. Pourtant, tout le monde trouva naturel que je reste auprès d'elle.

Ce fut très dur, car j'avais aussi Adam ; je devais habiller Karen, la nourrir, l'emmener aux toilettes. C'était comme si j'avais deux enfants. Je ne vous dis pas le nombre de fois où j'ai failli tout plaquer. J'ai même fait mes bagages. Mais, le moment venu, j'ai reculé. Je savais qu'il ne lui restait pas longtemps à vivre. Sans compter qu'elle avait veillé sur moi lorsque j'étais enceinte, et accueilli Adam chez elle. Elle m'avait tellement aidée, en me montrant comment m'occuper de lui, en le prenant en charge quand j'en avais marre. Je lui devais beaucoup.

Vers la fin, ce fut vraiment dur. Bien que je ne puisse plus voir les numéros, je m'en souvenais. Ils disparurent au cours de ma grossesse, à l'époque de mon séjour en asile psychiatrique, peut-être à force de drogues et de sédatifs. Je ne me rappelle pas exactement quand, mais, un beau jour, je me rendis compte que je ne les voyais plus. Ils s'étaient éclipsés. Sur le coup, ça m'avait attristée, comme si je perdais une partie de moi-même. Mais ça me soulagea aussi, m'épargnant une épreuve redoutable : le moment où j'aurais regardé mon nouveau-né dans les yeux et vu la date de sa mort. Alors enfin, je pris conscience que je pouvais affronter l'avenir, quoi qu'il me réserve. Je pouvais élever l'enfant de Spider.

En revanche, je n'avais pas oublié les numéros que je connaissais. Je savais donc quand Karen allait disparaître. De son côté, elle l'ignorait et subit de plein fouet son invalidité. Les dernières semaines, elle sombra dans une totale dépression. Et les attaques se succédaient. Chaque fois qu'elle voyait son état s'améliorer un peu, ça la reprenait et les progrès s'effaçaient. J'imagine à quel point ça pouvait la stresser.

Elle finit par m'implorer de l'aider à y mettre fin, s'épuisant à énoncer les paroles, le regard suppliant :

– Je t'en prie, Jem. Je n'en peux plus.

Je lui demandais de ne pas dire de bêtises, que ferions-nous sans elle ? Adam adorait sa Nana. Elle en eut les yeux brillants. Elle aussi, elle l'aimait, cependant elle avait passé le stade de cette logique, elle se retrouvait dans un monde obscur et solitaire.

Je pense qu'à la fin, son désespoir m'atteignit ; je n'en dormais plus. Et si, une fois encore, cela devait passer par moi ? Et si mon destin voulait que je l'aide à en finir ?

À mesure que le jour approchait, je me sentais de plus en plus nerveuse. Elle insistait, ne parlait plus de rien d'autre.

La dernière fois que je la conduisis aux toilettes, ce fut plus éprouvant que jamais. Elle pleurait d'humiliation, elle n'en pouvait plus. J'aurais peut-être dû demander de l'aide aux services sociaux. Quand j'y repense, aujourd'hui, je me rends compte que la situation était beaucoup trop lourde à supporter, autant pour elle que pour moi.

Quand je la ramenai dans son lit, elle était encore dans tous ses états. Moi aussi. Elle tenta de se retourner, d'attraper un de ses coussins.

— Prends-le, Jem.

Elle voulait l'appliquer sur son visage, mais même cela, elle ne pouvait le faire.

— Non, Karen, arrête !

— Je t'en prie, Jem. Je n'en peux plus.

Je lui pris le coussin. Ce serait si facile. Je n'avais qu'à appuyer de tout mon poids. Elle ne demandait pas autre chose.

C'est alors qu'Adam entra dans la chambre.

— Maman, j'ai soif. Je veux boire.

Retombant sur terre, j'aidai Karen à se redresser et installai le coussin derrière son dos.

— Nous aussi, mon chéri, répondis-je. On va se préparer du thé.

Je versai du jus de fruits dans un gobelet pour mon fils et du thé dans une tasse pour Karen… C'était comme si j'avais deux enfants. Je m'assis auprès d'elle, l'aidai à boire.

— Tiens, dis-je, ça ira mieux avec ça.

Elle s'arracha un sourire qui étira la moitié de son visage encore mobile.

— Tu veux un biscuit ?

Elle fit oui de la tête et j'en trempai un dans mon thé pour le ramollir un peu. C'est alors qu'elle s'étrangla. Je posai mon plateau sur la table de nuit pour lui taper dans le dos. Elle cherchait à retrouver son souffle et je ne pouvais rien faire pour l'aider. Je courus dans l'entrée pour décrocher le téléphone. L'ambulance arriva en dix minutes, mais trop tard. Elle était morte.

Adam avait tout vu. J'aurais dû l'éloigner, mais dans mon affolement je n'y avais pas songé.

— Qu'est-ce qu'elle a, Nana ? demanda-t-il.

Je l'emmenai dans le living, l'assis sur mes genoux.

— Elle est partie, mon chéri. Elle est morte.

— Comme papa ?

Je lui parlais sans cesse de son père. Je voulais qu'il sache tout de lui.

— Oui, comme papa.

Vous voyez, c'est là mon autre réussite. J'ai élevé Adam, je suis sa mère et son père. Je sais que je ne suis pas la seule dans ce cas-là. Il existe des millions de parents uniques, mais quand ça vous arrive et que votre propre enfance n'a pas été des plus roses, vous attachez une immense importance à votre gamin de cinq ans, à sa santé, à son bonheur. Si vous m'aviez demandé, il y a cinq ans, ce que je pensais de devenir la mère de quelqu'un, une bonne mère, je vous aurais ri au nez, mais, voyez-vous, j'y parviens. Je suis la maman d'Adam et ça me rend extrêmement fière.

J'imagine que tout le monde considère son enfant comme un être exceptionnel, mais je sais qu'Adam l'est vraiment. Il ressemble beaucoup à son père. Val dit qu'il en est le portrait craché au même âge et je veux bien le croire. D'abord, il est grand, tout en bras et en jambes, et c'était déjà le cas quand il était bébé. Ensuite, il n'arrête pas. Impossible de le quitter des yeux une minute, il remue dans tous les sens, regarde tout, tripote tout ce qui lui tombe sous la main. C'est pour ça que je l'emmène partout. Je deviendrais folle entre quatre murs avec lui. C'est le genre de garçon qui a besoin de se dépenser, de courir, de sauter. Pour cette raison, entre autres, nous avons déménagé à Weston après la mort de Karen. Spider avait raison, il y a tellement d'espace, là-bas ! On peut passer tout l'après-midi à la plage, à parcourir des kilomètres ; le soir venu, il est assez fatigué pour se coucher sagement.

Il a tellement de mal à rester tranquille et à se concentrer ! À l'école aussi, ses professeurs me l'ont confirmé. Il préfère taper dans un ballon plutôt que de lire un livre. Il ne fait pas partie des meilleurs élèves, mais ça ne m'inquiète pas. Je sais qu'il finira par y arriver. Il n'est pas bête.

Il a appris l'alphabet, et puis à compter jusqu'à dix. Au début, cela semblait lui passer complètement par dessus la tête. Mais la semaine dernière, nous avons fait une découverte capitale. En rentrant de l'école, il m'a dit que sa maîtresse voulait me voir. *Oh non ! Qu'est-ce qu'il a encore fait ?* Pourtant, ce n'était pas méchant, du moins pas dans le sens où je l'avais d'abord craint : ni bagarre, ni insolence.

Dès mon arrivée dans la classe, elle me montra un dessin qu'il avait fait la veille. Un magnifique paysage d'été, plein de couleurs vives, avec deux personnes qui se tenaient par la main, l'une grande et l'autre plus petite. Elles marchaient sur une bande de sable jaune et le soleil brillait au-dessus de leurs têtes ; elles arboraient toutes deux un large sourire.

— Nous en avons parlé, dit la maîtresse, n'est-ce pas, Adam ?

Il hocha la tête d'un air solennel.

— C'est toi et ta maman ? lui demanda-t-elle encore.

— Oui. À la plage.

— Je crains qu'il ne mélange encore ses lettres et ses chiffres, reprit-elle, mais je suis contente de voir qu'il sait tenir un crayon.

Car, au-dessus de la personne la plus grande, tel un arc-en-ciel, apparaissait une sorte d'inscription.

— Je crois que tu voulais écrire « maman », n'est-ce pas, Adam ?

Fronçant les sourcils, il fit non de la tête.

— Non, maîtresse. Je vous ai dit. C'est pas son nom. C'est son numéro. C'est le numéro de ma maman.

Que fera Adam de son terrible don ?
Découvrez-le dans le tome 2
d'*Intuitions*…

# CHAOS

# Juin 2026

## Adam

Le coup à la porte retentit tôt le matin, juste au lever du jour.

— Ouvrez ! Ouvrez ! Nous avons l'ordre de faire évacuer ces appartements. Vous avez cinq minutes pour dégager. Cinq minutes, tout le monde !

On les entend parcourir le couloir, taper sur les portes en répétant inlassablement les mêmes injonctions. Je ne dormais pas, mais mamie s'était assoupie sur sa chaise et, maintenant, elle tressaille et jure :

— Merde alors, Adam ! Quelle heure est-il ?

Elle m'oppose son vieux visage ridé, qui ne va pas du tout avec ses cheveux mauves.

— Six heures et demie, mamie. Ils sont là.

Elle me jette un regard fatigué, suspicieux.

— Alors ça y est, dit-elle. Tu devrais aller chercher tes affaires.

Si je ne réponds pas, je n'en pense pas moins Je n'irai nulle part. Pas avec toi.

On s'y attendait. Voilà quatre jours qu'on campe dans l'appartement à regarder les eaux monter dans la rue en contrebas. Ils nous avaient prévenus que la digue risquait de céder. Elle a été construite il y a des années, bien avant que le niveau de la mer ne commence à monter, on savait qu'elle ne résisterait pas à une nouvelle tempête, surtout avec les marées d'équinoxe.

On croyait que l'eau se retirerait, mais elle est restée.

– Ça doit être à ça que ressemblait Venise avant d'être complètement balayée, a alors observé mamie, lugubre.

Elle a jeté son mégot par la fenêtre, directement dans les vagues, où il a flotté un bon moment le long de la rue, pour disparaître là où il y avait avant le front de mer. Et elle a tout de suite allumé une autre clope.

D'abord c'est l'électricité qui a été coupée, et puis l'eau du robinet est devenue marron. Des gens parcouraient les rues en criant dans des haut-parleurs pour nous dire de ne pas la boire, qu'on allait nous en distribuer, et de la nourriture aussi. Sauf qu'ils n'ont rien fait. On a bien dû se débrouiller avec les moyens du bord mais, sans grille-pain ni micro-ondes, et le lait qui tournait dans le frigo tiède, on a eu faim au bout de douze heures. J'ai compris que ça allait mal lorsque mamie a ouvert la Cellophane de son dernier paquet de clopes.

– Quand je les aurai finies, il faudra qu'on file d'ici vite fait, a-t-elle dit.

– Je bouge pas.

C'était ma maison, tout ce qui me restait de maman.

– On ne peut pas traîner ici.

– Je bouge pas.

Point barre.

J'ai quand même fini par ajouter :

— Va à Londres si ça te chante. De toute façon, c'est ce que tu veux.

Elle n'aime pas vivre ici. Venue s'occuper de moi quand maman est tombée malade, elle a fini par rester mais sans jamais s'y plaire. L'air marin la fait tousser. Le grand ciel clair lui fait plisser les yeux, alors elle file se réfugier à l'intérieur comme un cafard.

— Surveille ton langage ! m'a-t-elle ordonné. Et prépare tes bagages.

— Tu peux pas me dire ce que j'ai à faire. T'es pas ma mère. Je prépare rien du tout.

Et je n'ai pas bougé.

Maintenant, on a cinq minutes pour se préparer. Mamie s'étire et ajoute des trucs dans son grand sac-poubelle. Elle disparaît dans sa chambre pour en revenir les bras chargés de vêtements et une boîte en bois lustré sous l'aisselle. Je n'aurais jamais cru qu'elle puisse se déplacer aussi vite. Une espèce de panique s'empare de moi. Je ne peux pas partir. Je ne suis pas prêt. C'est injuste.

J'empoigne une chaise dans la cuisine et en bloque la porte avec le dossier, mais elle n'est pas assez lourde pour la caler ; alors je m'empare de ce qui me tombe sous la main pour édifier une barricade, je tire le canapé, hisse la chaise dessus, puis la table basse. Je me retrouve vite en sueur et à bout de souffle.

— Adam, mais qu'est-ce que tu fiches ?

Mamie me tire par le bras pour essayer de m'arrêter ; ses longs ongles jaunes s'enfoncent dans ma peau. Je me dégage.

— Lâche-moi ! Je reste ici.

317

– Ne dis pas de bêtises. Prends quelques affaires. Tu vas en avoir besoin.

Je ne relève même pas.

– Adam, arrête tes conneries !

Elle m'attrape de nouveau quand on frappe à la porte.

– Ouvrez !

Je me fige, regarde mamie, mon arrière-grand-mère, quand même... Ses yeux me montrent son numéro : 02022054. Elle a encore une trentaine d'années à vivre. Incroyable. À voir comme ça, on ne lui en aurait pas donné une.

– Ouvrez !

– Adam, s'il te plaît...

– Non, mamie.

– Éloignez-vous de la porte ! Reculez !

– Adam...

D'un coup de marteau, ils font sauter la serrure. Apparaissent alors deux soldats dont l'un braque un fusil sur nous. Ils parcourent l'appartement des yeux.

– Bien, madame, lance celui qui est armé, je vais devoir vous demander de dégager ces obstacles et de quitter l'immeuble.

Mamie hoche la tête.

– Adam, écarte le canapé.

L'œil fixé sur le canon, je me dis qu'avec ça tout pourrait être fini en une seconde, ou moins. Et basta. Il suffirait que je fasse un faux mouvement dans sa direction. Si mon heure a sonné, c'est bon. Quel est mon numéro ? C'est pour aujourd'hui ?

Ce canon droit, propre, presque doux. Est-ce que je verrai la balle en sortir ? Est-ce que ça fera de la fumée ?

– Dégagez ! Emportez votre putain de fusil et foutez le camp !

C'est moi qui ai crié, et tout le reste arrive en même temps : le mec au marteau balance le canapé à travers la pièce tel un rugbyman dans la mêlée, l'autre le suit, son fusil braqué vers le plafond et mamie me gifle, aller-retour.

– Écoute, petit crétin ! me siffle-t-elle, j'ai promis à ta mère de veiller sur toi, alors tu dois faire ce que je te dis. Ça suffit, maintenant. On s'en va. Et je t'ai déjà prié de parler correctement.

Malgré mes joues brûlantes, je ne cède pas. Je suis ici chez moi. On ne peut pas vous virer comme ça de chez vous.

Si, on peut.

Les soldats m'attrapent chacun par un bras et m'emportent dehors. J'ai beau me débattre, je ne peux pas faire grand-chose contre deux types plus forts que moi. Si bien que je me retrouve à l'autre bout du couloir puis dans l'escalier de secours au pied duquel nous attend un bateau gonflable. Mamie y monte en même temps que moi, jette à côté d'elle l'énorme sac-poubelle et me prend par les épaules. Et nous voilà partis à travers les rues inondées.

– Ça va, Adam, dit-elle. Ne t'inquiète pas.

Autour de nous, des gens pleurent en silence. Mais la plupart des visages restent fermés, inexpressifs. Moi, je suis en colère, humilié, je ne comprends pas ce qui vient de m'arriver.

Je n'ai rien pris avec moi, même pas mon carnet. Ça m'affole, il faut que je sorte de là. Je ne peux pas m'en aller sans mon carnet. Où est-ce que je l'ai laissé ? Où est-ce que je l'ai ouvert la dernière fois ? Et là, je sens quelque chose contre ma hanche, dans ma poche. Ah oui, il est là !

Je ne pouvais pas l'avoir mis ailleurs. Je l'ai gardé avec moi, comme toujours.

Je me détends un peu, jusqu'au moment où je prends conscience qu'on est bel et bien en train de partir, que je pourrais ne jamais revoir l'appartement.

J'essaie d'avaler cette boule coincée dans ma gorge et je sens les larmes me monter aux yeux. Le soldat qui tient la barre me regarde, je ne vais pas pleurer, pas devant lui, ni devant mamie ou qui que ce soit. Je ne leur donnerai pas cette satisfaction. J'enfonce mes ongles sur le dos de ma main. Les larmes sont toujours là, et menacent de se répandre. J'enfonce plus fort, jusqu'à ce que la douleur domine tout le reste. Je ne vais pas pleurer. Non.

Au centre de transit, on fait la queue pour s'inscrire. Il y a une file pour ceux qui savent où aller et une autre pour ceux qui n'ont rien. Personne ne nous attend, mamie et moi, alors on doit montrer nos papiers d'identité et elle remplit des demandes pour qu'on ait tous les deux droit à un transport pour Londres. Ils nous accrochent sur la poitrine un morceau de papier avec un numéro, comme si on allait courir un marathon, puis ils nous envoient dans une salle d'attente.

Il y a distribution de repas chauds et de boissons, alors on fait de nouveau la queue. Je commence à saliver en sentant l'odeur des aliments. On est presque arrivés lorsqu'un autre soldat survient et se met à aboyer des numéros, dont le nôtre. Notre car est prêt. Il faut partir maintenant.

– Mamie… ?

J'ai tellement faim ! Je ne peux pas partir le ventre vide. Je voudrais juste manger quelque chose.

– Excusez-moi, dis-je à ceux qui me précèdent dans la file. Vous pourriez me laisser passer ?

Pas de réaction. Ils font semblant de n'avoir rien entendu.

J'insiste alors que le soldat répète les numéros. Rien. En désespoir de cause, je fonce, plonge la main entre deux personnes debout devant le buffet, me sers à l'aveuglette… on dirait une tranche de pain. Une main me saisit le poignet avec une telle violence que j'étouffe un cri.

– Faites la queue comme tout le monde, dit l'homme.

– Pardon, mais c'est pour ma mamie. Elle a faim et on doit s'en aller.

Je lève les yeux vers l'homme. La cinquantaine, les cheveux blancs, l'air épuisé… mais ce n'est pas ça qui me choque. C'est son numéro. 01012027. Six mois à vivre. J'ai même un flash de sa mort, brutale, un coup sur la tête qui le fait saigner, lui éclate le cerveau…

J'en laisse retomber la tranche dans le plat et, comme je recule, il me lâche. Il croit qu'il a gagné ; pourtant il semble avoir vu quelque chose en moi lui aussi parce que son expression s'adoucit. Il reprend le pain, me le tend.

– Pour ta grand-mère. Vas-y, ne manque pas ton car.

– Merci, je murmure.

J'ai presque envie d'avaler tout rond ce bout de pain, mais il me regarde encore, et mamie aussi. Alors j'emporte mon trophée et, une fois qu'on se retrouve assis dans le car, je le tends à mamie. Elle le coupe en deux, m'en donne la moitié. On ne parle pas. J'avale mon morceau en deux bouchées et la regarde savourer le sien, le faire durer jusqu'à ce qu'on ait quitté la ville. On longe une route qui surplombe les champs inondés, et le soleil finit par apparaître, reflétant ses rayons éblouissants sur les eaux.

– Mamie, et si le monde entier était inondé ? Qu'est-ce qu'on deviendrait ?

Elle essuie une trace de beurre sur son menton, se lèche le doigt.

– Et si on construisait une arche ? propose-t-elle en riant. Comme ça on pourrait y faire monter tous les animaux.

En me prenant la main, elle remarque les profondes traces d'ongles qui en marquent le dos.

– Qu'est-ce qui t'est arrivé ?

– Rien.

L'air sombre, elle se contente pourtant de la serrer.

– Ne t'inquiète pas, mon garçon. On sera très bien à Londres. Ils ont construit des digues là-bas, et tout ce qu'il faut pour protéger la ville. Tout ira bien dans cette bonne vieille capitale.

Fermant les yeux, elle renverse la tête en arrière et pousse un grand soupir, contente de rentrer enfin chez elle. Mais moi, je ne peux pas me réjouir. Il faut que je note le numéro de l'homme de la file d'attente avant de l'oublier. À force d'en voir, on perçoit différentes choses autour de ces numéros ; celui de cet homme, par exemple, il n'avait pas l'air de lui convenir. Ça me crispe. Mais je me sentirai mieux quand je l'aurai enregistré.

Je sors mon carnet de ma poche et décris tous les détails qui me reviennent en mémoire : l'aspect du bonhomme (c'est mieux quand on connaît les noms), la date d'aujourd'hui, l'endroit, son numéro, comment il va mourir. Je m'applique et, lettre après lettre, mot après mot, je me calme. Tout est consigné maintenant, je me sens plus tranquille. Je me relirai plus tard.

Alors que je range mon carnet dans ma poche, mamie se met à ronfler doucement, bien tranquille. J'observe les autres passagers. Certains essaient de dormir, mais d'autres sont comme moi, anxieux, vigilants. De ma place, j'en vois six ou sept qui ne dorment pas. Nos regards se croisent, se détournent. On ne dit rien. On ne se connaît pas.

Pourtant, pendant le court instant où nous nous sommes fixés, j'ai capté leur numéro, l'un après l'autre… cette date qui marque la fin de leur vie.

Sauf que là, les numéros sont presque identiques. Cinq d'entre eux s'achèvent par 012027 et deux sont exactement les mêmes : 01012027.

Le cœur battant, le souffle court, je fouille dans ma poche pour ressortir mon carnet. J'en ai les mains qui tremblent mais j'arrive tout de même à l'ouvrir à la bonne page.

Ces gens sont comme l'homme qui faisait la queue pour manger… il ne leur reste que six mois à vivre.

Ils vont mourir en janvier prochain.

À Londres.

# Septembre 2026

## Sarah

— Tu sais pourquoi tu es là. Ce ne sera plus comme avant, mais nous n'avons pas le choix. Ils ne toléreront pas le moindre écart de ta part – tu ne pourras pas arriver en retard, ni faire l'école buissonnière ou même répondre. C'est une chance qui t'est donnée de revenir dans le droit chemin, de t'atteler au travail. S'il te plaît, Sarah, pense un peu à nous. Sois raisonnable.

Bla-bla-bla. Toujours la même chanson. Je laisse glisser, trop fatiguée pour écouter. J'ai mal dormi cette nuit : j'ai refait ce cauchemar qui me réveille chaque fois. Après, je suis restée les yeux ouverts, à écouter les bruits de la nuit, jusqu'à ce que le jour revienne.

Je ne lui réponds pas, même pas pour dire « au revoir » en descendant de la Mercedes. Je claque la portière et, dans ma tête, je le vois tressaillir, je l'entends me maudire et ça va tout de suite mieux. Enfin, une minute.

La Mercedes a fait tourner les têtes, comme toujours. Ce n'est pas tous les jours qu'on voit une voiture déposer des élèves, encore moins ce genre de gloutonne en essence comme les aime papa. Alors les gens me regardent. Génial, je vais être cataloguée dès le premier jour. Encore que, pour ce que j'en ai à faire…

On siffle à côté de moi, on ronronne :

– Cooooooollll !

Un groupe de six ou sept mecs s'est arrêté pour me dévisager en se léchant ostensiblement les babines, comme une horde de loups. Qu'est-ce que je suis censée ressentir ? Je dois jouer les intimidées ? Les flattées ? Qu'ils aillent se faire voir. Je leur fais un doigt d'honneur et je franchis le portail.

Pas trop mal pour une école publique, je suppose. Au moins c'est neuf, moins miteux que je ne le craignais. Mais ça, c'est grâce aux émeutes de 2022 lors desquelles des bâtiments ont été incendiés, et l'endroit garde sa réputation intacte : Forest Green, régime sévère, élèves rebelles. J'en étais malade quand papa et maman m'ont annoncé qu'ils m'y avaient inscrite, et puis je me suis dit : *Bof, tous les lycées se ressemblent.* On s'y sent en prison, comme à la maison. Tout ça pour vous faire rentrer dans le rang. De toute façon, où qu'on m'envoie, mon esprit m'appartiendra toujours et personne ne pourra le contrôler.

Et, comme d'habitude, je n'ai pas l'intention d'y rester longtemps. J'ai d'autres projets en tête, l'un énorme, l'autre plus petit, mais qui n'arrête pas de gonfler. Ça veut dire que je dois commencer à réfléchir par moi-même, à tout mettre au point, à tenir les rênes.

Je dois reprendre les commandes de ma vie.

Impossible d'attendre plus longtemps.

Il faut partir.

# Adam

Ce n'est pas moi qui ai commencé.

Mamie m'avait dit de ne pas faire d'histoires et je n'en avais pas l'intention. Je comptais juste arriver, m'inscrire, faire ce que j'avais à faire et retourner chez elle.

Je sais qu'il y aura beaucoup de 27, là-bas, parce que j'en vois partout. J'en ai vu tout l'été. Les notes de mon carnet montrent toujours la même image, où que j'aie pu la capter.

Kilburn Grande Rue. 84.

Le caviste pour le xérès de mamie. 12.

Il y en a tellement que je ne note même plus les détails. Je ne peux pas. J'enregistre seulement le nombre de fois où j'ai vu un 27 cette fois-là. Je n'apporte des précisions que pour les gens qui présentent un numéro différent, ou si je connais leur nom. Alors je me sens mieux, un peu mieux. Enfin, c'était le cas avant, mais c'est fini. Depuis que j'habite à Londres, je me rends compte que j'ai commis une erreur. On n'aurait jamais dû venir ici. C'est dangereux. Beaucoup de gens vont mourir.

Je me dis que, pour le moment, je vais faire semblant, profil bas, pour rassurer mamie, mais juste le temps de trouver comment me barrer d'ici et où aller. Il faut que je trouve un endroit sans 27. Si personne d'autre ne doit mourir en janvier 2027, ça voudra dire que j'aurai une chance d'y survivre, parce que je ne connais pas mon propre numéro. (Ma seule chance serait de trouver quelqu'un d'autre qui voit les numéros… mais je suis à peu près sûr qu'il n'y a que moi.)

Pour accéder à l'accueil du lycée, il faut braver la foule. Je n'aime pas ça… trop de gens, trop de morts… pourtant, je m'oblige à prendre place dans la file d'attente. En quelques instants, d'autres gens s'alignent derrière moi, me bousculent. Je panique. La sueur me coule sous les bras, au bord des lèvres. Je cherche une issue du regard. La plupart des numéros s'achèvent par 2027 et, d'un seul coup, ma tête est pleine de bruit, de chaos, de membres bloqués, d'os brisés, d'obscurité, de désespoir.

Il faut que je m'agrippe. Ma mère m'a dit quoi faire : « Respire lentement. Force-toi. Inspire par le nez, expire par la bouche. Ne regarde personne d'autre. Baisse les yeux. Inspire par le nez, deux, trois fois, expire par la bouche, deux, trois fois. »

Je m'oblige à baisser les yeux sur cette forêt de jambes, de pieds et de sacs. Si je ne vois plus leurs numéros, cette impression s'en ira et je m'en porterai beaucoup mieux. J'ai la respiration lourde, irrégulière, pas assez d'air pour emplir mes poumons.

Inspirer par le nez, expirer par la bouche. Allez, ce n'est pas sorcier.

Ça ne marche pas. Je me sens de plus en plus mal. Je vais être malade… tourner de l'œil…

On est tellement serrés que je reçois des coups dans le dos. Je me plante sur les pieds pour amortir le choc.

Respire lentement. Pourquoi est-ce que ça ne marche pas ? On me presse, le garçon derrière moi empiète sur mon espace vital, comme s'il cherchait à me doubler. Il va y arriver. Je vais tomber, me faire piétiner. C'était peut-être écrit, mais je n'ai aucune envie de finir comme ça et je ne me laisserai pas faire sans me battre.

Voilà !

Je fais volte-face et lui plante un coude dans les côtes.

— Eh, fais gaffe ! crache-t-il.

Les cheveux en brosse, les dents de travers, il est un peu plus petit que moi. Je lui ai fait mal et ses yeux disent qu'il va me le rendre. Je ne connais que trop ce genre de regard. Il devrait m'inciter à me préparer à la baston, mais son numéro me brûle les idées : ça me fait trop bizarre, ce gars n'a plus que trois mois à vivre. 06122026. Je perçois dans un flash l'éclat de la lame, l'odeur métallique du sang et ça ne fait qu'augmenter ma nausée. Je ne peux pas bouger... son numéro, sa mort me paralysent. Je ferme les yeux pour essayer de me vider la tête, pour écarter le maléfice ; je les rouvre un quart de seconde avant de prendre son poing dans la figure.

On a dû le bousculer parce que le coup ne heurte finalement que mon oreille et pas très fort, juste ce qu'il faut pour me ramener à la réalité. Je réplique droit dans l'estomac et, là encore, ça fait mouche, parce qu'il revient à la charge, une fois, deux fois dans mes côtes. Autour de nous, ça crie, ça invective, mais je m'en fiche. Rien ne compte, que lui et moi.

Je réplique et, cette fois, je cherche à le blesser parce que je veux qu'il s'en aille, que tout ça disparaisse, lui, les autres élèves, ce lycée, mamie, Londres.

– Ça suffit, les gars, arrêtez ça !

C'est un vigile, imposant comme une montagne, qui a fendu la foule avant de nous attraper l'un et l'autre par la peau du cou.

Dents de travers tente de protester :

– J'ai rien fait ! C'est lui qui a commencé ! J'allais pas le laisser me taper...

– Vos gueules ! rétorque l'autre en le secouant davantage.

La foule s'écarte sur notre passage et on se retrouve dans l'entrée, à repasser sous le détecteur de métaux, l'un après l'autre, puis à se faire fouiller. Après quoi, on est expédiés dans un bureau où nous attend le proviseur.

— Étant donné vos exploits d'aujourd'hui, nous ne devrions même pas vous laisser entrer dans cette école.

C'est le type genre complet-cravate, qui nous parle comme à des gosses, nous sermonne sévèrement, mais je ne l'écoute pas. Je ne vois que les pellicules sur ses épaules et les poignets usés de sa veste.

— C'est une honte de se battre comme ça le premier jour, une honte ! Qu'avez-vous à dire pour votre défense ?

J'ai l'impression que Dents de travers, qu'apparemment tout le monde appelle Junior, a l'habitude de fréquenter le bureau du proviseur. Il connaît les règles. On reste là en silence, sauf pour murmurer au bout de dix secondes :

— Rien, monsieur, pardon, monsieur.

— Quelle que soit la raison de votre dispute, vous allez la laisser ici, derrière vous, et vous serrer la main.

On se regarde et, de nouveau, son numéro efface tout le reste à mes yeux ; je suis là, devant lui, alors que le couteau s'enfonce. Je sens sa surprise, son incrédulité, la fulgurante douleur.

— Grouille-toi, abruti ! me siffle-t-il.

Je reviens à moi, dans cette pièce, entre le proviseur et Junior, la paume ouverte vers moi. Je la prends et on se serre la main, lui avec une telle force que mes os s'écrasent sous ses doigts. Je ne montre rien, lui rends juste sa poignée.

— Retournez vous inscrire et je ne veux plus entendre parler de vous, les enfants. C'est compris ?

— Oui, monsieur.

On nous raccompagne jusqu'à la file d'attente. Junior se penche pour me murmurer à l'oreille :

— Tu viens de commettre la plus grosse connerie de ta vie, enfoiré.

Je fais un pas pour m'éloigner de lui, heurte la fille devant moi, m'excuse :

— Pardon.

Elle se retourne à moitié. D'une tête de moins que moi, elle a des cheveux blonds striés de mèches ; elle commence par me jeter un regard mauvais mais soudain écarquille les yeux, ouvre la bouche :

— Oh, mon Dieu !

Je sais que les gens me trouvent bizarre quand je les fixe un peu trop, mais j'ai beau faire, je ne peux pas m'empêcher d'insister, figé par leur numéro, comme avec Junior. Sauf que la fille, je ne la dévisageais pas, je ne faisais que la suivre dans la file d'attente.

— Quoi ? dis-je. Qu'est-ce qu'il y a ?

Elle me fait complètement face maintenant, les yeux toujours posés sur les miens. Elle a les prunelles bleues, les plus bleues que j'aie jamais vues, mais elle a aussi des cernes et le teint pâle, les traits tirés.

— Toi, dit-elle faiblement. C'est toi.

Elle blêmit encore, essaie de reculer, de quitter la queue sans cesser de me fixer ; et tout d'un coup, c'est comme si le reste du monde s'effondrait autour de nous.

Son numéro, sa mort m'éclatent à l'esprit.

Dans plus de cinquante ans, elle s'éclipse sans peine de cette vie, baignée d'amour et de lumière. Ils m'inondent, m'envahissent, me remplissent la tête. Et elle n'est pas seule, je suis avec elle... elle est moi et je suis elle... Comment ?

Brusquement, elle me lâche du regard et file le long du couloir. Un vigile l'aperçoit et se met à crier mais elle ne s'arrête pas.

— Wouah ! s'esclaffe Junior derrière moi. Elle ira pas loin, la coureuse, si elle s'inscrit pas avant.

Il a raison. Aucune porte ne s'ouvre sur son passage. Je la vois passer désespérément les mains sur les panneaux, les uns après les autres. Les caméras au plafond suivent chacun de ses mouvements et elle s'affole, se met à envoyer coups de poing et coups de pied. Jusqu'à ce que deux vigiles la saisissent par le bras pour la faire entrer dans un bureau. Elle se débat en criant, le visage tordu de fureur, mais, alors que nos regards se croisent encore, j'y vois autre chose d'aussi clair que son numéro.

Elle est terrifiée.

À cause de moi.

# Remerciements

Je tiens à remercier tous les amis, collègues et membres de ma famille qui ont bien voulu accorder de l'intérêt à mon ouvrage : Jonathan, avant tout, pour ses encouragements et ses commentaires ; Dylan et Sparky, qui m'obligeaient à me lever le matin pour écrire ; Charles, pour m'avoir fait visiter l'abbaye de Bath ; tous les participants si aimables du festival littéraire de Frome ; ainsi que, bien entendu, Barry, Imogen et toute l'équipe de The Chicken House.